Lori Gottlieb

Mulheres que Escolhem Demais

Tradução:
Ebréia de Castro Alves
Botelho Guimarães

Novas Ideias

Título original: *Marry him*

Publicado sob acordo com Dutton, um selo de Penguin Group (USA), Inc.

2ª Impressão — 2014

Produção editorial:
Equipe Novo Conceito
Impressão e Acabamento Mark Press 250414

Este livro segue as regras da Nova Ortografia da Língua Portuguesa.

Dados Internacionais de Catalogação na Publicação (CIP)
(Câmara Brasileira do Livro, SP, Brasil)

Gottlieb, Lori
Mulheres que escolhem demais / Lori Gottlieb ; tradução Ebréia de Castro Alves Botelho Guimarães. -- Ribeirão Preto, SP : Novo Conceito Editora, 2014.

Título original: Marry him
ISBN 978-85-8163-410-4

1. Amor 2. Casamento 3. Escolha do companheiro 4. Homem-mulher - Relacionamento 5. Homens - Psicologia 6. Mulheres - Psicologia 7. Relações interpessoais I. Título.

11-02616 CDD-158.2

Índice para catálogo sistemático:
1. Relacionamento amoroso : Relações interpessoais : Psicologia aplicada 158.2

Novas Ideias

Rua Dr. Hugo Fortes, 1885 — Parque Industrial Lagoinha
14095-260 — Ribeirão Preto — SP
www.grupoeditorialnovoconceito.com.br

Para meu marido,
seja ele quem for

Sumário

Mulheres que escolhem demais

Os acontecimentos e fatos apresentados neste livro são verdadeiros, baseiam-se em experiências reais da minha vida e em pesquisas que realizei. Nomes e minúcias sobre algumas amigas e outras pessoas que aparecem no livro foram alterados ou, em alguns casos, parcialmente inventados, a pedido das próprias pessoas ou em virtude da minha preocupação com a privacidade delas.

Você sabe que está apaixonado quando não consegue dormir porque finalmente a realidade é melhor que seus sonhos.

— *Palavras geralmente atribuídas ao Dr. Seuss*

Prólogo

A Loja de Maridos

INAUGURARAM UMA LOJA, UMA LOJA DE MARIDOS!
NA ENTRADA, ESTE CARTAZ:

> VOCÊ PODE VISITAR A LOJA DOS MARIDOS APENAS UMA VEZ. SÃO SEIS ANDARES, E O VALOR DOS PRODUTOS AUMENTA EM CADA UM DOS ANDARES. A CLIENTE PODE ESCOLHER QUALQUER ARTIGO DE DETERMINADO ANDAR, OU FAZER COMPRAS NO ANDAR SEGUINTE, MAS SÓ PODE DESCER SE FOR PARA SAIR DO EDIFÍCIO.

Então, uma compradora entra na loja. No primeiro andar o cartaz na porta anuncia:

1º ANDAR – HOMENS QUE TÊM BONS EMPREGOS.

Ela pensa: "Legal, mas quero mais que isso". Portanto, ela continua a subir, e um cartaz informa:

2º ANDAR – HOMENS QUE TÊM BONS EMPREGOS E AMAM CRIANÇAS.

Ela fica interessada, mas continua a subir até o andar seguinte, onde o cartaz estampa:

3º ANDAR – HOMENS QUE TÊM BONS EMPREGOS, AMAM CRIANÇAS E SÃO LINDOS.

"Nossa!", ela pensa, mas se sente compelida a continuar a subir.

4º ANDAR – HOMENS QUE TÊM BONS EMPREGOS, AMAM CRIANÇAS, SÃO LINDOS E DIVIDEM AS TAREFAS DOMÉSTICAS.

"Não pode haver nada melhor que isso!", ela exclama. Contudo, uma voz dentro dela pergunta: "Ou será que pode?". Ela continua a subir e lê este cartaz:

5º ANDAR – HOMENS QUE TÊM BONS EMPREGOS, AMAM CRIANÇAS, DIVIDEM AS TAREFAS DOMÉSTICAS E TÊM ÓTIMO SENSO DE HUMOR.

Tendo encontrado o que procurava, ela fica tentada a permanecer ali, mas alguma coisa a impele a subir ao sexto andar, onde se lê o seguinte:

6º ANDAR – VOCÊ É A VISITANTE DE NÚMERO 42.215.602 DESTE ANDAR, QUE SÓ EXISTE PARA PROVAR QUE É IMPOSSÍVEL AGRADAR ÀS MULHERES.
ATENCIOSAMENTE, LOJA DE MARIDOS.

FAVOR OBSERVAR QUE:
Para evitar acusações de preconceito de sexo, o proprietário da loja abriu uma Loja de Esposas bem do outro lado da rua.
O primeiro andar tem esposas que amam sexo.
O segundo andar tem esposas que amam sexo e são gentis.
O terceiro andar tem esposas que amam sexo, são gentis e gostam de esportes.
O quarto, o quinto e o sexto andares nunca foram visitados.

— Essa é minha versão de uma piada antiga sobre como escolher um marido.

Bem, aqui vão elas, as qualidades, sem parar para pensar e sem uma sequência determinada, que fariam parte da minha lista de compras se eu visitasse uma Loja de Maridos.

- Inteligente
- Gentil
- Extremamente engraçado
- Curioso
- Ama crianças
- Estável financeiramente
- Estável emocionalmente
- Sensual
- Romântico
- Vibrante
- Sensível
- Irreverente
- Intuitivo
- Generoso
- Com a mesma religião que eu, mas não fanático
- Otimista, mas não ingênuo
- Ambicioso, mas não viciado em trabalho
- Talentoso, mas humilde
- Caloroso, mas não grudento
- Instruído sem ser mala
- Atualizado, mas não modernoso
- Vulnerável sem ser fraco
- Original sem ser esquisito
- Mente flexível, mas responsável
- Carismático, mas verdadeiro
- Forte, mas sensível
- Atlético, sem ser fissurado em esportes
- Liberal, mas com convicções
- Decidido sem ser mandão
- Maduro sem ser velho
- Criativo sem ser artista
- Incentivador de meus objetivos e sonhos
- Maravilhado pelo mundo

- Idade próxima à minha, para partilhar minhas referências culturais
- Bom ouvinte e comunicador
- Flexível e que sabe ceder
- Sofisticado, bem-educado, conhece vários países
- Tem mais de 1,60 m e até 1,83 m
- Tem bastante cabelo (preto e ondulado; louros estão fora)
- Compartilha minhas opiniões políticas e meus valores
- Não aprecia ficção científica nem histórias em quadrinhos
- Tem bom gosto e senso estético
- Cuida bem da saúde e está em forma
- Preocupa-se com a comunidade em geral
- Gosta de animais
- Competente
- Tem habilidade para tarefas domésticas
- Sabe cozinhar
- Gosta de estar ao ar livre (caminhar, andar de bicicleta, patinar)
- Gosta dos meus amigos (e eu, dos dele)
- Não é mal-humorado
- Confiável
- Gosta de colaborar com os membros da sua equipe
- Gosta de literatura e fala corretamente
- Tem tendência para a matemática ou a ciência
- Gosta de conversar sobre política e acontecimentos mundiais, mas sem discuti-los asperamente
- Tem bom gosto para se vestir
- É interessante
- Não é porcalhão; respeita o meio ambiente
- É loucamente apaixonado por mim

Para ser sincera, essa não é minha lista atual de qualidades desejáveis num homem; essa relação foi a que me veio à cabeça quando comecei a escrever este livro. Nunca antes eu havia feito uma "lista", mas uma amiga casada me incentivou a fazê-la. Eu não tinha lista alguma, mas a amiga insistiu, mesmo que a listagem só existisse na minha cabeça.

Eu lhe disse: “Não consigo quantificar o que estou procurando. Sempre estive apaixonada”.

Ela, porém, estava certa: não demorou mais de três minutos para eu criar uma descrição detalhada do meu cara ideal. Mesmo que nunca tivesse escrito uma lista, eu claramente mantinha um arquivo mental do que queria num homem. Então, ela sugeriu um passo adiante: reduzir a listagem para torná-la mais realista.

Eu tentei e consegui eliminar alguns itens: ele não precisa saber cozinhar (além do mais, ele pode aprender); se ele tiver 1,70 m em vez de 1,78 m, eu poderia tolerar. Mas, mesmo ao descartar algumas qualidades, tive dificuldade para me livrar inteiramente de outras. Talvez eu conseguisse ceder um pouco no quesito “divertido”, mas como determinar limites entre um cara cujos gracejos fazem seu coração acelerar e outro cujo senso de humor simplesmente a faz sorrir? Em uma escala variável, em que grau ele poderia ser considerado “vibrante”?

No passado, namorei um artista autônomo, e isso me ensinou que, da próxima vez, eu ia querer um cara financeiramente estável. Em seguida, namorei um médico, mas nossa química não era criativa. Encontrar um artista estável financeiramente ou um médico que escrevesse romances nas horas vagas não era impossível, mas era, no mínimo, muito raro. Ao combinar isso com todas as demais características que eu queria, para não citar a “química”, subitamente se decifrava o mistério de por que eu continuava solteira.

Talvez o homem que eu procurava no papel simplesmente não existisse. Ou talvez, como sugeriu minha amiga, algumas das qualidades listadas pouco tivessem a ver com um casamento feliz.

Epa! E se ela estivesse certa? E se eu não tivesse reparado em um homem que poderia ser um grande marido só porque ele me atraiu momentaneamente e me baseei em um *checklist*, e não em um sólido parceiro com quem partilhar a vida?

É claro que eu não era completamente sem noção. Quando fiz 30 anos, sabia que ninguém era perfeito — inclusive eu — e que qualquer homem com quem me casasse seria um ser humano com defeitos, como todos nós. Não estava esperando perfeição e, sim, uma ligação intensa entre nós dois. Eu também sabia que a atração física que me fazia sentir esbaforida não garantia amor duradouro, mas achava que, sem esse fator inicial, nenhum romance “decolaria”. No que me dizia respeito, não adiantava sair pela segunda vez com um sujeito se não tivesse havido uma forte atração no primeiro encontro.

Por isso, pelo menos no início do relacionamento, eu esperava ficar com os quatro pneus arriados — mesmo que isso significasse me sentir tão nas nuvens pelo objeto de minha afeição que quase perdesse o emprego e arriscasse a própria sobrevivência. Eu simplesmente "tinha certeza de" que era ele O Cara, mesmo que, muitas vezes, depois de um ano, eu simplesmente "tivesse certeza" de querer acabar o relacionamento. Esperava sentir uma espécie de "ligação divina" — mesmo se isso significasse viver em estado de permanente náusea e ter uma necessidade obsessiva de verificar, a cada trinta minutos, se havia algum recado para mim no correio de voz. Era assim que as pessoas se sentiam ao se apaixonar, certo?

Nesse meio-tempo, minha "inconsciente lista de compras matrimonial" só aumentava. Como ocorre com muitas mulheres, quanto mais velha eu ficava, mais qualidades buscava num homem, porque a experiência da vida me ensinou o que eu não queria em um relacionamento e me deu uma ideia mais precisa do que queria. De forma que meu raciocínio funcionava assim: *Meu último namorado não tinha X qualidades, de modo que meu próximo vai precisar ter todas elas mais todas as que antes faziam parte da minha lista.* Basicamente, minha Loja de Maridos ia de um prédio de seis andares até o arranha-céu mais alto do mundo. E eu achava que muitas outras mulheres pensavam como eu.

Poderia ser essa a única razão pela qual, em 1975, quase 90% das mulheres nos Estados Unidos estavam casadas aos 30 anos, mas, em 2004, essa estatística baixou para pouco mais da metade? Era por isso que as porcentagens de mulheres que nunca haviam se casado em todos os grupos das faixas etárias entre 25 e 44 anos estudados pela Agência do Censo dos Estados Unidos[1] mais que dobraram entre 1970 e 2006?

Eu queria descobrir.

Um exemplo diferente de história de amor

Este livro é sobre uma história de amor, não exatamente a minha, mas poderia ser a sua.

Tudo começou com um jantar que tive com meu editor da *Atlantic*. Eu estava com 39 anos, era jornalista e mãe solteira de uma bebezinha, e resmungava sobre um encontro que havia tido na noite da véspera com um advogado de 45 anos que tinha a língua presa, mastigava de boca aberta e falou sem parar durante três horas sobre a ex-mulher, mas não fez uma única pergunta sobre mim. Eu já não sabia se conseguiria, *alguma vez*, sair em outro encontro. Não aguentava mais conversar com estranhos enquanto jantava um prato de massa, porque tudo o que eu queria era ficar de moletom com meu marido em um sábado à noite, como faziam minhas amigas casadas.

[1] Equivalente ao nosso IBGE. (N. T.)

Como é que minha vida se transformara naquilo?

Apenas dois anos antes, eu havia escrito *Os Arquivos XY* para a *Atlantic*, nos quais contei minha decisão, aos 37 anos, de ter um bebê fruto de uma "produção independente". Obviamente, esse não era meu sonho de infância, da mesma forma que não era meu sonho me casar com alguém que não fosse O Cara, e até então eu não achava que o tivesse encontrado. Queria ter um bebê enquanto podia, de modo que, em vez de me inscrever em outro site de relacionamento, eu me cadastrei em um site de doadores de esperma. Em pouco tempo engravidei e continuei esperançosa por encontrar O Cara Certo. Meu plano era primeiro ter o bebê e depois encontrar o "verdadeiro amor". Na época, senti-me "poderosa" e cheguei a escrever nas páginas da revista que o que eu estava fazendo me parecia meio romântico.

Tá, conta outra!

Agora, jantando com meu editor, não pude deixar de gargalhar. É claro que eu era loucamente apaixonada pelo meu bebê, mas vamos falar sério: as coisas não estavam muito românticas no lar dos Gottlieb. Como minhas amigas casadas que tinham filhos pequenos, eu dormia pouco, estava rabugenta e sobrecarregada, mas, ao contrário delas, fazia tudo sozinha. É claro que às vezes elas reclamavam do marido, e eu, a princípio, sentia-me orgulhosa de minha decisão de não acabar como elas, presas em casamentos que pareciam estar longe do ideal, tendo um cônjuge também longe do ideal. Mas não demorou muito para eu perceber que nenhuma delas trocaria de lugar comigo nem por um segundo. Na verdade, apesar de suas queixas, elas eram felizes e, em muitos casos, mais felizes do que jamais haviam sido. Todas as coisas que pareciam importantes quando elas namoravam agora eram irrelevantes em sua vida. Em vez disso, a ideia de escolher dirigir um lar juntos — por mais rotineiro e tedioso que fosse — parecia ser o cerne de um "verdadeiro amor". Por que eu não havia adotado esse conceito sobre o casamento cinco anos antes?

— Se naquele tempo eu soubesse o que sei agora — disse a meu editor —, eu teria abordado o assunto de outra maneira. Mas como eu poderia saber?

Nas palavras de uma amiga solteira de 42 anos: "Para muitas mulheres, é uma situação sem saída. Se eu tivesse permanecido com alguém aos 39 anos, teria sempre a fantasia de que existia alguma coisa melhor esperando por mim. Hoje sei que não é bem assim que a banda toca. Eu estaria ferrada com qualquer das duas opções".

Eu me lembro de ter ficado surpresa com o fato de minha amiga, uma produtora inteligente e atraente, estar basicamente admitindo que deveria ter ficado definitivamente com alguém; ela, porém, disse-me que eu havia entendido tudo errado. Ela não queria dizer que deveria ter se conformado com uma vida infeliz e calma, com um homem com quem pouco se importava. Ela quis dizer se mostrar receptiva a uma vida gratificante com um cara legal que talvez não tivesse todas as qualidades de seu *checklist.* Ela me disse que, quando estava na faixa dos 30 anos, costumava achar que construir um lar significava resignar-se a um sujeito longe do seu padrão ideal, mas que agora, na casa dos 40, ela havia confundido "construir um lar" com "abrir mão" do que desejava.

Eu havia chegado à mesma conclusão, e comecei a me fazer perguntas importantes. Qual a diferença entre "construir um lar" e "abrir mão" de certas coisas? Quando se trata de casamento, com o que podemos viver e sem o que podemos viver? Por quanto tempo faz sentido esperar por alguém melhor — que talvez nunca encontraremos, que talvez não exista ou não esteja disponível — se podíamos estar felizes com a pessoa bem à nossa frente?

Naquela noite, abordei essas perguntas com o meu editor, e nenhum de nós dois soube responder. Nas duas horas seguintes, ele falou sobre seu casamento e eu, sobre o mundo dos namoros. Quando chegou a conta, ele sugeriu que eu explorasse essas perguntas em um artigo.

Nas semanas seguintes, ao conversar com amigos e conhecidos sobre o relacionamento deles, algo me surpreendeu. Mesmo se essas pessoas tivessem se casado completamente apaixonadas ou não, havia pouca diferença em quão felizes são agora. Ambos os tipos de casamento davam certo ou não. Nesse meio-tempo, as mulheres solteiras — e insatisfeitas com a situação — com quem falei continuavam a descartar homens que eram "obcecados por esportes" ou "muito baixinhos" porque achavam que, se se casassem com o cara baixinho que não lia romances, seriam infelizes no casamento. Entretanto, as mulheres que haviam feito exatamente isso não reclamavam.

Quando *Mulheres que escolhem demais* foi publicado na edição do Dia dos Namorados da *Atlantic,* recebi uma tonelada de e-mails enviados por totais desconhecidos: homens e mulheres, casados e solteiros, cuja idade variava entre 18 e 78 anos. As mensagens eram incrivelmente pessoais, e a maioria dos remetentes admitia ter-se debatido com as mesmas dúvidas. Algumas pessoas as tinham resolvido satisfatoriamente, e se sentiam felizes por terem escolhido o Homem Certo de maneira mais realista. Outras lamentavam ter aberto mão de um ótimo sujeito por razões que agora lhes pareciam triviais. Outras ainda disseram ter-se casado por uma louca atração física e isso as fez sentir que estavam se casando antes que o tesão acabasse porque sabiam que, depois disso, outras facetas do parceiro poderiam se destacar e as fazer entender que os dois não eram tão compatíveis assim. Certas pessoas — padres, rabinos, casamenteiras e terapeutas familiares — acreditavam que adaptar nossas expectativas de maneira saudável ajudaria membros das suas congregações — clientes, amigos ou membros da família — a encontrar a verdadeira realização romântica.

Mas o que isso tinha a ver comigo? No mundo dos encontros, eu estava fazendo exatamente o que havia sugerido na matéria para a *Atlantic*. Estava tentando ser mais flexível e realista, e me concentrar no que seria importante em um casamento duradouro, em vez de em um romance rápido, mas isso não estava funcionando. Eu continuava a sentir atração por homens que faziam meu "tipo", e, quando namorava homens que não me diziam nada, o relacionamento simplesmente era uma perda de tempo. Eu já não procurava sentir um frio no estômago, mas era preciso haver química, certo? E, se era assim, quanta química seria necessária?

E se eu quiser um "8" diferente?

Recebi, então, um e-mail de certa mulher solteira que me afirmou não estar buscando um parceiro nota 10 — um nota 8 já seria bom demais. Ela estava até namorando um "8", mas havia apenas um problema: "E se eu quiser *outro* 8?".

Dei-me conta de que esse era exatamente o meu problema, assim como o de várias outras mulheres. Ela concordava que deveríamos estar procurando o Alguém Razoável — que existe — em vez do Príncipe Encantado — que não existe —, mas não sabia o que fazer para que isso funcionasse na prática. E eu tampouco. Na verdade, quando leitoras me escreveram dizendo que haviam resolvido ficar noivas por causa do meu artigo, preocupei-me com a possibilidade de, cinco anos depois, ser inundada por e-mails dessas mulheres dizendo que estavam se divorciando por causa do meu artigo, porque ninguém sabia o que *significava* ser mais realista. Quando ceder é excessivo? Como saber quando se está sendo exigente demais, ou se você e seu parceiro simplesmente não combinam? Se estar com o Alguém Razoável quer dizer partilhar paixão e ligação, mas também ter expectativas mais razoáveis, como se equilibram essas coisas?

Para descobrir, decidi que teria de me transformar numa cobaia de namoros. Eu namoraria e obteria algumas respostas, e depois as aplicaria na minha vida real.

Comecei conversando com renomados pesquisadores matrimoniais, economistas comportamentais, sociólogos, psicólogos, antropólogos, neurobiólogos, terapeutas de casais, líderes espirituais, casamenteiras, advogados especializados em divórcios, conselheiros de namoros e até mães. Ouvi também histórias de pessoas solteiras e casadas que tinham experiências úteis para partilhar. É claro que eu não esperava que alguém soubesse *a* resposta, mas acreditava que, com alguma orientação e *insight*, eu chegaria perto de encontrar O Cara Certo. E talvez pudesse ajudar outras mulheres a conseguir isso.

Este livro não é de conselhos, tampouco um manual de encontros. Não existem planilhas a preencher nem "regras" a seguir. Em vez disso, ele é uma análise sincera das razões por que nossos namoros não acontecem como planejamos, e quais devem ser os papéis a desempenhar. Assim, caberá à leitora decidir que tipo de escolha quer fazer no futuro.

Advirto que vocês talvez não gostem do que alguns dos especialistas têm a dizer. A princípio eu também não gostei, e passei um tempo esperneando e reclamando, negando-me a aceitar o que diziam. Entretanto, pouco a pouco, percebi que conhecimento era poder, e essa jornada me mudou e também mudou minha vida amorosa profundamente. A sua vida também pode mudar.

No final, descobri que a busca por um cara com quem dividir a vida é a verdadeira história de amor.

PARTE UM

Como foi que chegamos até aqui?

© Sage Stossel

1

O campo de batalha dos encontros pela internet

Certa noite, minha amiga Júlia ligou para me dizer que havia terminado com o namorado, Greg.

Ela disse: "Ele simplesmente deixou de me inspirar".

Quando Júlia conheceu Greg, dois anos antes, ambos tinham 28 anos e eram colegas de trabalho em uma organização sem fins lucrativos. Ela o achou bonitinho, meigo e muito inteligente. Ele se vestia mal — usava calças de veludo cotelê e cintura alta o tempo todo, como verdadeiro *nerd* que era; ela, porém, gostava dele por ser "autêntico", "simples" e "nada materialista". Ela se sentia mais à vontade com ele do que com qualquer um dos namorados que já havia tido. Júlia nunca namorara um rapaz que a apoiasse tanto. Fossem quais fossem seus objetivos, ele a ajudava. Sempre que alguém era injusto com ela, ele lhe dava força. Quando ela se sentia insegura, ele a fazia sentir-se linda. Tudo isso levava a crer que ela o amaria ainda mais, o que aconteceu — no início. Agora, porém, que Greg começou a falar em casamento, tudo que ela achava legal nele começou a adquirir um sentido oposto.

— Greg fazia com que eu sentisse a mulher mais maravilhosa do mundo — ela disse —, e isso me fez começar a pensar: "Já que eu sou tão espetacular, talvez devesse estar namorando alguém *melhor*".

Por "melhor" ela queria parcialmente dizer "alguém mais carismático". Greg era tímido e inseguro em situações sociais, enquanto Júlia se mostrava confiante e extrovertida. Júlia era espirituosa, enquanto o senso de humor de Greg era mais sutil. A formação acadêmica de Greg era mais simples que a de Júlia, de modo que ele nem sempre partilhava as referências mais sofisticadas que surgiam nas conversas dos amigos dela.

Nesse meio-tempo, graças ao incentivo de Greg, Júlia havia sido promovida no trabalho e estava ganhando mais do que ele. A diferença de rendimentos não era grande, mas a constrangia.

— Eu quero trabalhar — ela disse —, mas estou em dúvida. Não é bem assim que imaginei que seria meu casamento.

Quando lhe perguntei de que forma ela o imaginava, ela suspirou, meio sem jeito:

— Para ser sincera, acho que quero que meu marido seja um empreendedor, que corra atrás das coisas.

Ressaltei que Greg era o rapaz mais meigo que ela já namorara, especialmente se comparado ao seu último namorado, o advogado ambicioso que muitas vezes se "esquecia" de lhe telefonar após prometer que o faria. Greg era amoroso e confiável, adorava seu trabalho, era ótimo de cama, ele e Júlia tinham interesses semelhantes, especialmente porque trabalhavam na mesma área. Além disso, divertiam-se muito juntos.

— Mas ele não era dinâmico o bastante — afirmou Júlia. — Ele é um cara realmente legal, bacana, mas eu comecei a me perguntar: "É isso aí? É *esse* o cara por quem esperei a vida inteira?". Preocupo-me com a possibilidade de que, no longo prazo, eu me desenvolva mais que ele, e queira mais do que ele terá a me oferecer.

— Mais o quê? — perguntei.

O telefone ficou mudo por um tempo que me pareceu muito longo.

— Mais, como eu sonhei — respondeu ela. — Ele simplesmente não daria um bom marido.

E, assim, mais um cara legal foi desperdiçado. Foi mesmo? Afinal, o que estavam as mulheres procurando em um marido hoje em dia?

Qualquer coisa, menos um mala

Pouco depois de minha conversa com Júlia, reuni-me com cinco mulheres solteiras de 20 e poucos anos em um bar em Los Angeles e lhes perguntei por que é tão difícil encontrar alguém que seja um bom marido. O consenso:

— Queremos um cara, mas não precisamos de um; portanto, por que devemos baixar nossos padrões?

— Prefiro ficar sozinha a me contentar com qualquer um — disse Olívia, uma web designer de 27 anos. — Há algum tempo, tive companheiros de quarto, mas não consigo me imaginar tendo de jantar todos os dias e dormir na mesma cama com um colega de quarto que por acaso é o marido com quem me conformei em me casar.

As outras assentiram com a cabeça.

— Não sei o que vocês acham — continuou Olívia, meio de brincadeira —, mas eu precisaria amar alguém profundamente para conseguir escovar os dentes a meio metro de distância de onde ele está fazendo cocô todas as manhãs.

Sugeri que, deixando as brincadeiras de lado, portas de banheiro podem ser fechadas, mas as oportunidades de encontrar bons homens nem sempre aparecem, e perguntei ao grupo de que forma definiriam "contentar-se, conformar-se com alguém". Isso queria dizer escolher um homem que é mesmo um mala, ou ceder a um cara sem algumas qualidades desejadas, mas que tem outras, mais importantes? E quais seriam essas qualidades importantes?

— Mesmo que ele seja legal, inteligente e bonitão, não consigo suportar alguém chato — disse Nora, produtora de rádio.

— Exatamente — concordou Claire, uma estudante de pós-graduação. — Há caras inteligentes, mas você acaba se decepcionando ao verificar que, apesar de toda a inteligência, eles simplesmente são chatésimos. Eles precisam ser inteligentes de forma interessante: precisam ser *curiosos*.

— Curiosos, mas não sérios — opinou Nina, uma executiva de marketing. — Precisam ser bem-humorados.

— Mas não bem-humorados *demais* — afirmou Nora. — Eles precisam ser normais, mas nunca chatos.

Pedi às mulheres exemplos do que queriam dizer com "chatos".

— Eles devem ter senso de humor — disse Nina. — Não podem simplesmente ficar rindo de alguma coisa que eu tenha dito. Os sujeitos malas não são engraçados, mas acham que *você* é engraçada.

— Ou o contrário — disse Claire. — Eles acham que, se uma mulher ri das piadas *deles*, *ela* tem senso de humor. Só um chato acredita nisso.

— Ou um narcisista! — afirmou Lauren, uma captadora de recursos para causas políticas.

— Bem, isso quer dizer que os narcisistas são mesmo chatos! — completou Olívia, fazendo rir todo o grupo.

Eu disse a essas mulheres — todas razoavelmente atraentes, mas nenhuma de parar o trânsito; todas interessantes, mas nenhuma *hors-concours* — que, a certa altura, elas poderiam se sentir solitárias ao sair com todos esses homens, ao procurar O Cara Perfeito, em vez de construir uma vida harmoniosa com Alguém Razoável.

— Já estou solitária, mas solidão é melhor que tédio — disse Lauren. Ela acha que seu emprego de captadora de recursos é tedioso às vezes, mas também é muito gratificante, e por isso não o abandonaria nem por sua verdadeira paixão, a pintura, porque é muito arriscado.

— Quer dizer que você cederia na sua escolha de um trabalho, mas não na escolha de um parceiro? — perguntei-lhe. — Você está disposta a passar oito horas por dia em uma carreira razoável, em vez de deixá-la por seu verdadeiro amor, e ser uma artista?

Lauren pensou um instante e respondeu:

— Bem, isso é diferente. Sou prática em relação à minha carreira, mas ser prática no tocante ao amor? Não se pode ser prática sobre um sentimento. Isso não é... nada romântico.

Nesse instante, um homem fisicamente interessante, de seus 30 anos, passou e ficou olhando para elas, que não lhe deram a mínima. Perguntei-lhes por quê.

— Ele é muito baixinho — disse Olívia, que deve ter 1,60 metro.

— E o que dizer daqueles óculos? — acrescentou Claire, que usa óculos fundo de garrafa.

Eu me perguntei se elas namorariam um sujeito baixinho que usasse óculos de coleções passadas, se ele tivesse muitas das qualidades que elas queriam: ser inteligente, engraçado, ligeiramente agitado, gentil, bem-sucedido e, claro, não fosse um mala. Em que dimensão importam as primeiras aparências?

— Já tentei isso — disse Nora —, mas não consigo sentir atração por alguém. É preciso que isso aconteça desde o início. Se você não sente atração física logo que conhece o cara, fica forçando a barra e nunca dá certo.

A princípio me surpreendi pelo fato de que aquelas moças de 20 e poucos anos imediatamente descartaram aquele sujeito de boa aparência sem sequer considerar iniciar uma conversa para saber mais sobre ele. Afinal de contas, não estávamos na faculdade, onde havia igualdade de oportunidades em termos de perspectivas românticas disponíveis. Esse era o mundo adulto, onde as pessoas estavam formando pares e se casando, onde o grupo de homens solteiros estava diminuindo, onde não havia um mecanismo embutido para conhecer gente com mentalidade semelhante, como no passado.

Mas aí me lembrei de mim mesma nos meus 20 e poucos anos, quando as possibilidades ainda pareciam tentadoramente infinitas, mesmo que não fossem.

Desesperadas, mas exigentes

Ah, que diferença faz uma década! Algumas noites depois, cinco mulheres solteiras na faixa entre 30 e tantos e 40 e poucos anos se reuniram comigo no mesmo bar, onde lhes fiz a mesma pergunta: Por que é tão difícil encontrar um cara legal? Eu lhes contei a conversa que tivera com as mulheres mais jovens sobre tédio e solidão.

— Reúna-se de novo com elas daqui a 10 anos — disse Stephanie, uma atraente pediatra de 10 anos. — Se elas continuarem esperando o Príncipe Encantado, estarão entediadas *e* solitárias. O trabalho já não parecerá empolgante, os drinques com as amigas terão perdido a graça, e nos feriados elas sairão com as amigas casadas e seus filhos, ou com suas sobrinhas e sobrinhos, o que fará se sentirem deprimidas por não terem a própria família.

Reconheci que me identificava com aquelas mulheres mais jovens, que queriam um relacionamento, mas tinham uma ideia muito específica de como seu namorado deveria ser. Expliquei que, à medida que eu envelhecia, minha vida amorosa lentamente se tornava este paradoxo letal: *desesperada mas exigente.* Elas sabiam exatamente o que eu queria dizer.

— Essa é uma grande verdade! — afirmou Liz, uma roteirista de 37 anos. — Minha vontade é sacudir as mulheres mais novas e dizer: "Sabem de uma coisa? O sujeito que ri muito alto em público pode não gostar da maneira como vocês mastigam cenouras cruas em coquetéis, mas, para ele, isso não é motivo para romper uma relação".

Essas mulheres poderiam facilmente listar os motivos que as tinham feito romper seus namoros anteriores — as razões pelas quais não mantinham os relacionamentos quando eram mais jovens. Eis o que elas disseram:

- "Ele era muito carinhoso, mas não suficientemente romântico. No Dia dos Namorados ele fez uma fita com minhas canções favoritas e me massageou durante uma hora, mas no escritório, sempre que via um entregador distribuindo flores para minhas colegas, ficava pensando: 'Onde estão as minhas? Quero um namorado que mande flores'."
- "Ele me mandava flores cafonas e de mau gosto, o que me dava a sensação de que eu não valia algo mais refinado."
- "Ele era meio devagar. Parecia que já estávamos casados, o que, de certa forma, era bacana, mas, afinal de contas, estávamos ainda namorando!"
- "Ele tinha pelos compridos saindo do nariz, o que me dava nojo, mas eu não tinha coragem de lhe pedir que os aparasse, por isso terminei o namoro."

- "Ele chorava. Na primeira vez, achei meio estranho, mas relevei. Na segunda vez, caí fora. Ele era muito fraco para mim."
- "Ele era muito previsível. Depois, comecei a namorar caras que me deixavam sempre insegura, e nunca sabia o que esperar. Era terrível. Hoje eu daria tudo para namorar um sujeito previsível."
- "A voz dele me constrangia. Às vezes, quando ele atendia o telefone na minha casa, as pessoas pensavam que era eu, porque minha voz é mais grave. Fora isso, ele era muito másculo. E um grande sujeito."
- "Ele era otimista demais. Estava alegre o tempo todo, mesmo de manhã cedo, quando o despertador tocava, e eu achava isso irritante. Ele sempre achava um aspecto positivo em alguma coisa desagradável: 'O fogão pifou, vamos jantar fora'. Eu, porém, ficava aborrecida porque teria de comprar outro fogão. Eu não queria considerar o aspecto positivo das coisas o tempo todo. Em seguida, namorei um cara mais cínico e isso, depois de certo tempo, acabou me deprimindo, então tentei voltar para meu namorado otimista, mas ele me disse que eu era muito pessimista!"
- "Ele era completamente careca, exceto por alguns anéis de cabelo ao redor da cabeça e um pequeno tufo na frente, que acabavam com qualquer tesão, mas tentei superar porque gostava muito dele. Minhas amigas diziam: 'Ele tem um rosto simpático, um bom físico e, além disso, a maioria dos homens acaba perdendo o cabelo'. Acontece que ele só tinha 35 anos. Eu sempre sentira atração por caras com aquele tipo de cabelo em que você pode passar a mão. Hoje em dia tenho sorte se os homens com quem saio têm algum cabelo que seja."
- "Ele achava a maior graça em pronunciar palavras pouco usadas, como 'fabuleuse'. Fazia isso demais, e também em público. Certa vez ele disse a alguém numa festa: 'Ser médico não é apenas ter experiências *fabuleuses*[2] uma atrás da outra', o que me deixou extremamente constrangida. No dia seguinte, terminei o namoro."
- "Ele me amava demais. Eu achava que ele parecia um cachorrinho, sempre me olhando com adoração. Eu queria mais de um homem másculo."
- "Ele não era refinado o suficiente. Não sabia escolher um vinho em um restaurante. Não tinha assistido a *Casablanca.* Eu me perguntava: 'Como é que esse cara tem 32 anos e nunca viu esse filme?'."
- "Eu simplesmente não estava sentindo nada, e agora me pergunto: o que eu deveria estar sentindo? Porque, na verdade, eu gostava de estar com ele mais

[2] No original ela usou a palavra "fabulosa", em espanhol, para exibir a erudição do rapaz. (N. T.)

que com qualquer dos namorados com os quais tinha uma química forte antes ou desde então."

Ouvindo essas mulheres, pensei nas razões pelas quais eu havia descartado homens quando era mais jovem sem ao menos tentar conhecê-los. Um dos exemplos mais memoráveis foi Tom, cliente da minha cabeleireira lésbica. Ela me disse que ele era um químico lindo, encantador e brilhante, e quis combinar um encontro às escuras para nós.

— Ele é o *único* bofe que me diz alguma coisa — ela disse, o que me pareceu um senhor elogio. Aliado ao fato de eu ter formação científica, o sujeito me pareceu incrivelmente excitante. Mas recusei a proposta, aos 29 anos, porque, quando minha cabeleireira disse que Tom era ruivo, não achei que fosse me sentir atraída por ele. Tinha certeza de que cabelo ruivo não funcionaria comigo. (Aparentemente, minhas barreiras contra os homens eram superiores às de uma lésbica.)

Houve também o advogado bonitinho, interessante e divertido com quem saí várias vezes até perder o interesse porque ele usava demais a palavra "maneiro". Lembro-me de haver comentado com uma amiga: "Tudo é 'maneiro' para ele. Não é 'ótimo' nem 'maravilhoso' ou 'interessante', nem mesmo 'legal'; é sempre 'maneiro'." Tentei suportar, mas a palavra me irritava cada vez que ele a usava. (Não sei bem por que, mas o fato de eu viver dizendo "assim" e "sabe de uma coisa?" não *o* irritava.)

Quando eu tinha 30 e poucos anos, conheci em uma festa um adorável programador de informática que me deu seu telefone do trabalho e me disse que eu podia ligar a qualquer hora, porque "eu *sempre* estou lá". Eu não queria ser viciada em trabalho, por isso nunca telefonei. Não me ocorreu que ele talvez passasse o tempo todo no escritório porque estava começando a própria empresa, ou talvez porque, se tivesse namorada, essa seria mais uma razão para ele sair do trabalho à noite. Nem sequer me dei o trabalho de verificar, porque eu sempre supunha que haveria outro acontecimento, outro sujeito em uma festa, ou outra perspectiva de namorado on-line. Mesmo quando os caras disponíveis e as oportunidades de conhecê-los rarearam, quando cheguei aos meados dos 30 anos, eu só mantinha relacionamentos sérios com homens que combinassem com meus critérios rígidos e, em retrospecto, superficiais. Minha atitude era: "Esperei até agora pelo Cara Certo, e não vou me conformar com esse aí". Mas será que realmente eu me contentaria com o químico ruivo, o advogado que gostava da palavra "maneiro" ou o programador de informática que trabalhava até a meia-noite para organizar o lançamento da própria companhia?

Jamais saberei.

Como eu, as mulheres com quem me reuni no bar se constrangiam com a maneira como haviam dado o fora em homens, avaliando todos os caras como tendo algo demais ou de menos. Esses caras não se enquadravam na nossa imagem da pessoa com quem achávamos que terminaríamos a vida, o que acabou nos deixando sem ninguém.

Perguntei ao grupo se esse tipo de coisa ainda seria motivo para elas romperem o relacionamento hoje.

— Se eu conhecesse um cara que não tivesse visto *Casablanca* — disse Kathy, consultora de 38 anos —, eu não o excluiria, mas não deixaria de ter isso em mente. Não posso dizer que ignoraria esse fato completamente porque tem a ver com um problema de deficiência cultural, que é sério. Entretanto, de maneira geral, mudei minhas razões para terminar um relacionamento amoroso.

Quais seriam essas razões agora? Alguém com um vício, alguém com mau gênio, alguém grosseiro, alguém sem emprego, alguém que não seja caloroso nem tenha espírito generoso, alguém inflexível, alguém irresponsável, alguém desonesto, alguém que não seria um ótimo pai, alguém com idade suficiente para ser seu pai? Essas mulheres acham que todos os demais fatores são negociáveis, mas é uma constatação que talvez seja tardia: pela experiência delas, os homens com quem saem agora têm motivos mais sérios que justificam o rompimento das relações que os apresentados pelos sujeitos com quem namoravam há dez anos.

— De certa maneira, continuo a procurar o mesmo tipo de cara de quando eu tinha 25 anos, exceto que também quero que ele seja voltado para a família e seja um bom provedor, o que naquela ocasião não me preocupava — disse Beth, uma representante de laboratório de 37 anos. — É o tipo de cara com quem eu costumava romper o relacionamento.

Amy, uma decoradora de interiores de 43 anos, concorda. Ela disse que sempre teve namorados até os 39 anos, quando, explicou:

— De repente, só homens de 50 anos para cima me convidavam para sair.

Então, perguntei, por que elas não voltavam a sair com os caras que haviam desprezado anos antes e que agora parecem muito atraentes? Elas responderam, a uma só voz:

— Porque estão todos casados!

Quem se importa se ele assistiu a *Casablanca*?

Não pude deixar de me perguntar: quem eram as mulheres que se casavam com aqueles homens? Uma semana depois, conheci alguns delas. Na fachada, pareciam-se muito com as mulheres que haviam dado o fora nos maridos: tinham mais ou menos a mesma idade, assim como a aparência e a formação acadêmica eram similares. Na verdade, eu podia imaginar essas mulheres casadas se tornarem exatamente iguais a suas colegas solteiras, não fosse por uma característica diferente: a capacidade de redefinir o romance. Nancy, que é casada com um cara "previsível", explicou o seguinte:

— Acho que a diferença entre mulheres que se casam e as que não se casam é que as mulheres que não se casam nunca desistem da ideia de que vão se casar com o Brad Pitt, e nunca lhes ocorre que elas talvez nunca se casem. Elas podem dizer: "Nunca vou encontrar ninguém", mas isso é o mesmo que dizer: "Poxa, eu estou gorda", mas não acreditam que estão. É uma coisa que as mulheres têm a mania de dizer, de forma autodepreciativa. Quando você é jovem, está sempre conhecendo rapazes, e, por isso, no fundo do coração, acredita que O Cara vai surgir de repente. Não lhe ocorre que talvez não haja problema se O Cara não se parecer com o Brad Pitt, não ganhar muitos milhões de dólares nem a fizer perder o fôlego toda vez que vocês estão juntos. Bem, isso me ocorreu, mas só quando eu fiz 35 anos.

Foi quando ela conheceu o Sr. Previsível.

— Muitas mulheres afirmam que preferem estar sozinhas a se contentar com qualquer um, mas aí ficam sozinhas e infelizes, e continuam a seguir os mesmos padrões irrealistas — disse Nancy. — Elas supõem que sua alma gêmea vai aparecer e justificar a espera. Aí ficam desagradavelmente surpresas e decepcionadas quando isso não acontece, mas, então, já é tarde demais.

Ela quis dizer "tarde demais" para a vida que desfruta com o cara previsível.

— Minha vida *é* mesmo previsível — reconheceu Nancy —, mas é muito melhor que ficar sempre se perguntando o que estaria acontecendo com os homens mais empolgantes. Ocorre que isso não era amor. O que tenho agora, sim, é amor. Tenho um marido maravilhoso e dois filhos espetaculares. Eu não poderia desejar família melhor. E meu marido *é* empolgante, só que de maneiras menos óbvias.

Sara, de 42 anos, casada com um homem praticamente careca (ele agora, aos 43 anos, está inteiramente calvo, exceto por manter aquele tufo de cabelo proeminente na frente da cabeça), garantiu-me se sentir uma felizarda pelo fato de, aos 34 anos, ter parado de se preocupar com coisas como a quantidade de cabelo de um homem.

— Um ou dois anos antes dos 34, eu nem sequer consideraria sair com um sujeito careca — Sara me disse.

Estava satisfeita por haver mudado de ideia, porque, se não tivesse, não teria se apaixonado por seu marido, e provavelmente acabaria não se casando.

— Não conheço um sujeito disponível tão desejável quanto meu marido, *e* que me namoraria a esta altura da minha vida — ela disse. — Se eu fosse solteira hoje, meu marido provavelmente nem sairia comigo, eu não faria parte do que ele idealizaria. Por que um cara de 43 anos, gentil, engraçado e bem-sucedido, namoraria uma mulher de 42 anos, quando poderia facilmente atrair uma mulher igualmente interessante de 35 anos, mais bonita e jovem o bastante para lhe dar filhos?

Eu disse a Sara que muitas mulheres se ofenderiam com esse tipo de observação; ela, porém, somente deu de ombros e disse:

— Resumindo a história: foi bom eu ter conhecido meu marido na hora certa, porque, se eu o tivesse posto de lado, ele estaria casado, e eu continuaria na pasmaceira, perguntando-me onde estariam os homens bons.

Poucos homens bons

Era exatamente isso que me perguntava: onde estavam os poucos homens bons? Quando enviei inúmeros e-mails procurando homens solteiros entre 25 e 40 anos para entrevistar para este livro, recebi várias respostas que diziam: "Não conheço homens solteiros, mas você precisa de mulheres solteiras? Conheço muitas".

Duas semanas depois, eu tinha o número necessário, mas só após expandir minha definição de "solteiro" para incluir homens que não eram casados, mas mantinham relacionamentos estáveis. Esses homens, por sua vez, ficaram tão perplexos quanto as mulheres quando voltei ao bar e fiz a conhecida pergunta: por que as mulheres dizem que não conseguem encontrar um cara decente?

David, um professor bem-humorado de 29 anos, acha que o problema é que existem caras legais, mas as mulheres não os reconhecem.

— Uma mulher me deu o fora porque não gostava das roupas que eu usava — ele explicou — e está loucamente apaixonada por um sujeito que se veste bem, mas não telefona para ela.

Seu colega Dan, de 32 anos, achou graça: ele havia passado pelo mesmo problema.

— As mulheres não querem o que está disponível — ele disse. — Se não conseguem encontrar O Cara Perfeito aos 30 anos, elas continuam a procurar alguma coisa melhor, mas não aprendem. Mesmo que ainda estejam sozinhas cinco anos depois, ficam mais exigentes. Quando estão perto dos 40 e não encontraram o sujeito perfeito, começam a se arrepender de terem terminado conosco, mas aí nós é que não estamos mais interessados nelas.

Kurt, 38 anos e noivo, disse que foi exatamente isso que aconteceu com suas ex-namoradas:

— E esses caras perfeitos, se é que existem, querem namorar talvez o 1% das mulheres de 30 que são espetaculares. Acontece que toda mulher de 30 que conheço acha que faz parte desse 1%. Todas as mulheres querem um namorado nota 10, mas será que *todas* elas são nota 10?

Sua pergunta me lembrou algo que minha amiga casada Júlia disse certa vez: "A cultura nos ensina a abordar o namoro como se estivéssemos fazendo compras, mas, quando fazemos compras, ninguém aponta os defeitos de quem está comprando".

Steve, aos 35 anos, está namorando uma advogada, e tem opinião idêntica:

— Acho que o motivo pelo qual certas mulheres têm uma visão exageradamente favorável sobre si mesmas é porque no ensino médio elas realmente eram "poderosas", de modo que crescem pensando que vai ser sempre assim. E, mesmo nos seus 20 e poucos anos, continuam a achar, em certa medida, porque ainda recebem muitos convites para sair. Um sujeito gasta todo o seu dinheiro lhe fazendo a corte, investindo no relacionamento, e um dia, de repente, ela se vira para ele e diz: "Olha, você é um cara muito legal, mas acho que não é bem isso o que eu quero".

Ele continuou:

— Quando ela está na faixa dos 30, é o contrário. A mulher dá sexo de graça ao homem, crente de que está investindo no relacionamento que levará ao casamento, mas aí o sujeito, que é quem está em demanda, subitamente diz: "Olha, você é muito maneira, mas não é a pessoa com quem quero me casar". As mulheres ficam decepcionadas, porque os homens costumavam idolatrá-las, mas o equilíbrio do poder mudou. E não vou negar que me sinto ligeiramente vingado com o fato de que as mesmas mulheres que me rejeitaram há cinco anos agora reclamam que não conseguem encontrar ninguém.

Os homens casados

Eric, um amigo escritor de 38 anos, casado, ainda mantém relações cordiais com as três namoradas que lhe deram o fora antes de conhecer sua esposa. Eric me disse que um dia vai escrever um livro sobre a maneira como as mulheres analisam os homens.

— Tenho dois títulos em mente. O primeiro é *Minha mulher não é perfeita (mas não considero isso conformar-me)* e o segundo é *Não tenho ideia de por que ela terminou comigo (mas sou casado e ela continua solteira)*.

Ele disse que as mulheres podem telefonar para dez amigas e discutir, ponto por ponto, a avaliação de um cara em relação a vários atributos. Então, nas áreas em que ele "fica devendo" (é muito bagunceiro, não é bastante sensível, não ganha dinheiro suficiente), elas pensam em como podem "dar um jeito nele" ou "treiná-lo" para transformá-lo no que elas querem. Eric acredita que os homens sabem que o que se vê é o que se recebe — e aceitam isso.

— Quando decidimos casar com alguém, não achamos que vamos dar um jeito em nossas mulheres nem tentamos mudá-las. Não as estendemos uma planilha e as desmembramos em níveis microscópicos como fazem as mulheres. Ou a gente quer ficar com elas, ou não quer.

Outro amigo casado, Henry, de 36 anos, disse que, embora alguns homens tenham medo de se comprometer, a maioria não tem: eles querem se casar tanto quanto as mulheres. Muitas vezes o cara não está a fim da mulher, mas tampouco quer abrir mão dos pontos atraentes do relacionamento.

— Ele sabe que não vai se casar com ela — afirma Henry —, por isso diz: "Neste momento, não quero nenhum relacionamento sério", ou "Não sei se quero ter filhos", ou "Atualmente, estou centrado na minha carreira". Ele acha que essas frases transmitirão à mulher esta mensagem: se ela quer que o relacionamento leve ao casamento, deve procurar outro cara. Mas as mulheres acham que o sujeito está confuso e que ela pode mudá-lo quando, na verdade, ele já se decidiu.

E prosseguiu:

— Enquanto isso, as mulheres *não conseguem saber* o que querem. Todo defeito que as mulheres observam no namorado é dissecado por meses ou até anos, até chegarem ao veredito sobre se vão se casar com ele. Já os homens sabem de cara quando conhecem a mulher com quem querem se casar. É uma sensação visceral. Por isso as mulheres ficam estupefatas quando seus namorados que tinham aversão a compromissos sérios lhes dão o fora e se casam um ano depois.

Apesar de sua conversa sobre amor romântico, segundo Henry, as mulheres tendem a analisar excessivamente a situação:

— Elas são hipócritas. Dizem que querem um amor verdadeiro, mas o cara precisa ter certa altura, ganhar bem, e não pode ter crises de mau humor nem ser uma pessoa de verdade.

Ele deve estar certo. Dois meses depois que minha amiga Júlia terminou o caso com seu namorado Greg "sem graça", ela começou a sair com Adam, um cirurgião sexy e ambicioso. Adam era o oposto de Greg, seu ex-namorado que não ligava para coisas materiais, mas esse cara pouco emotivo e que a apoiava tinha todas as qualidades que faltavam a seu novo namorado. Ela estava começando a sentir saudades de Greg.

— Não tenho a menor ideia das coisas com as quais posso conviver — ela se queixou, quando estava prestes a voar para o Havaí, onde passaria um fim de semana romântico com o cirurgião.

Mas será que precisa mesmo ser assim? Será que não existe um meio-termo entre indiferença, análise severa e paixão intensa?

O que dizem as sessentonas

Quando perguntei sobre esse meio-termo a seis amigas da minha mãe que haviam se casado aos 20 e poucos anos, elas responderam que o problema que têm constatado na geração das suas filhas é que ele não existe.

— Sempre escuto as amigas de minhas filhas dizerem que querem homens que tenham as mesmas emoções que elas, mas homens e mulheres expressam as emoções de maneiras diferentes — comentou Susan, mãe de duas filhas de 30 e poucos anos. — As mulheres mais jovens esperam que os homens sejam meigos, carinhosos, ricos e lindos; elas querem tudo.

Connie sacudiu a cabeça e disse:

— Você pode até esperar pelo Príncipe Encantado, mas mesmo ele tem defeitos. Você pode casar com a pessoa mais perfeita do mundo, e ainda assim terá problemas para resolver. Ocorre que, quando as moças se deparam com esses problemas, perdem o interesse.

— Nossas expectativas eram diferentes — disse Melinda. — Nós esperávamos que houvesse divergências. Não se entrava no relacionamento pensando: "Vou me casar e, se não der certo, a gente se divorcia". Existia a sensação de formar uma equipe, nós nos comprometíamos para que a relação funcionasse, mas as moças hoje em dia acham que vão encontrar alguém melhor.

Desse grupo, nenhuma das mães acreditava no conceito de que sua alma gêmea é a única pessoa no planeta destinada a ficar com você. Para elas, alma gêmea significa alguém com quem se tem uma profunda ligação, alguém que sempre a apoia, dia após dia.

— Acho que enfrentar juntos problemas muito difíceis faz as pessoas se sentirem almas gêmeas — disse Kathryn. — Coisas como lutar contra uma doença, dificuldades financeiras, a morte do pai ou da mãe.

— Atualmente as pessoas não se esforçam nos relacionamentos — acrescentou June. — Já houve fases no nosso casamento em que nós dois precisávamos de certas coisas ao mesmo tempo, e isso era muito desafiador. Mas acho que hoje em dia muitas mulheres esperam ter todas as suas necessidades atendidas, e, se isso não acontece, alguma coisa está errada. Mas não é bem assim; trata-se apenas da natureza de duas pessoas em um relacionamento.

Eu lhes perguntei do que as mulheres devem desistir se querem encontrar um bom companheiro.

— Não sei por que você teria de desistir de alguma coisa; não comece com coisas negativas! — opinou Diane. — Hoje as mulheres começam já sabendo o que querem: elas têm uma longa lista do que querem, e pensam que precisam eliminar itens dessa lista. Por que simplesmente não procurar alguém com quem você goste de estar, e ver no que dá? Comece com algo otimista, em vez de com alguma coisa que falta no cara que está com você.

Kathryn concordou:

— Uma grande amiga minha tem filhas solteiras. Eu queria que uma delas conhecesse um jovem advogado inteligente e divertido, e que fizesse trabalho voluntário com crianças. Ela pesquisou no Google, encontrou uma foto e achou que ele não era bonito o suficiente. Não quis nem conhecê-lo. As garotas de hoje impedem que os relacionamentos se desenvolvam antes mesmo de terem oportunidade de que isso ocorra. Existe uma expectativa romântica de a moça ser arrebatada desde o primeiro encontro e manter esse nível de empolgação, mas o amor só acontece com o passar do tempo.

Foi assim que ocorreu com Connie:

— Quando conheci meu marido, não gostei dele. Eu trabalhava com moda e ele era meio desleixado para se vestir, meio excêntrico. Ele me convidou para sair, mas recusei. Ele, porém, era insistente, e, à medida que eu o conhecia, ele não apenas demonstrou ser um cara maravilhoso como acabou se tornando o amor da minha vida.

Quanto mais eu conversava com as pessoas sobre relacionamentos, com mulheres solteiras mais jovens, mulheres solteiras mais velhas, homens solteiros, homens casados e mulheres da geração da minha mãe, mais eu me fazia as seguintes perguntas: Como é que a procura pelo amor ficou tão confusa? Será que essa maneira moderna de namorar está fazendo as mulheres felizes?

2

A comédia romântica que previu meu futuro

Eu tinha 20 anos quando assisti a *Nos Bastidores da Notícia*, mas nem sonhava que esse filme iria prever meu futuro. Holly Hunter interpreta a personagem Jane, uma produtora solteira de noticiários de uma rede de TV, cujo melhor amigo é seu colega talentoso e espirituoso Aaron, papel que coube a Albert Brooks. Eles falam ao telefone tarde da noite, completam as frases que cada um diz, riem das mesmas coisas e compreendem um ao outro como ninguém mais. Aaron, que é inteligente, engraçado e gentil, está apaixonado por Jane, mas a moça se enamora por Tom, o locutor bonitão, porém fútil, interpretado por William Hurt.

Tom, que dá mais valor à forma do que ao conteúdo, representa tudo o que enfurece Jane. No final, ela se dá conta de que não pode abrir mão de seus valores para ficar com Tom, nem ceder o suficiente para ficar com Aaron. Ela ama Aaron profundamente, mas ele não faz suas pernas tremerem.

Todas nós já passamos por isso, não é?

O dilema de Jane — escolher entre pernas trêmulas e amizade — pode parecer muito antigo, mas não é. A luta interna pode ser, mas a liberdade de a mulher poder não escolher *nem um nem outro* é relativamente nova. Em vez de escolher Aaron ou Tom, Jane resolve esperar pelo Homem Certo, que, incidentalmente, nunca aparece. No final do filme, quando vemos esses personagens *sete anos depois*, Jane menciona vagamente estar namorando um cara — mas e daí? Quais são as probabilidades de que esse relacionamento dê certo, considerando que ela provavelmente teve vários relacionamentos nos últimos sete anos que pareciam promissores mas não "decolaram"? Além disso, quem pode dizer que esse camarada seja mais adequado para ela do que Aaron, sua alma gêmea emocional e intelectual? Nesse meio-tempo, descobrimos que Aaron se casou e tem um filho, e Tom está noivo.

É um final triste, mas, quando eu tinha 20 anos, não me questionei se Jane havia tomado a decisão correta. Que Jane tivesse terminado o filme solteira e sem filhos, atribuí à — adivinhem — misoginia do cineasta! Estou falando sério! Hoje me sinto completamente constrangida com isso, mas na época eu realmente conversei com amigas sobre o fato de Hollywood não estar pronta para mostrar uma mulher forte fazendo valer sua vontade sem ser castigada por isso. Nunca nos ocorreu que o final fora simplesmente uma *consequência provável* da escolha de Jane. Na verdade, muitas de nós chegamos à faixa dos 20 e dos 30 fazendo aquela mesma escolha — ou o Príncipe Encantado ou ninguém mais! —, e acabamos solteiras.

O que minhas amigas e eu chamamos de "misoginia" era apenas "realidade".

Só quando, aos 30 e tantos anos, assisti ao DVD do filme, percebi que havia me tornado Jane, descartando os Aarons com quem convivi para me dar conta, tarde demais, do que eu mais quero num parceiro: um *Aaron*. Mas, como o Aaron no filme, os caras que minhas amigas e eu rejeitamos no passado agora estavam casados.

Aos 20 anos, recordo de haver pensado que o momento mais triste do filme foi quando Aaron confessou a Jane: "Estou apaixonado por você. O que você acha disso? Deixei de lhe dizer antes, logo o que era mais importante".

Duas décadas depois, o momento mais triste para mim foi quando um Aaron de coração partido prevê as consequências de Jane rejeitá-lo pelo encantador, mas medíocre, Tom: "Daqui a seis anos, estarei de volta aqui com minha mulher e dois filhos. E vou ver você, e um dos meus filhos vai perguntar: 'Papai, quem é ela?'. E eu vou responder: 'Meu filho, é falta de educação apontar para mulheres solteiras gordas'". Fiquei de coração partido por Jane. Eu sabia que a observação mordaz de Aaron podia ser muito verdadeira.

Um Billy Crystal com melhor aparência

Uns dois anos depois da exibição de *Nos Bastidores da Notícia*, veio *Harry & Sally – Feitos um para o outro*. Dessa vez, dois grandes amigos se apaixonam. Havia algo incrivelmente romântico sobre a ideia de *Ei, espere aí, olhe com atenção para o cara que é seu amigão*. Acontece que, quando eu tinha 20 e poucos anos, não estava interessada nos Billy Crystals do meu mundo em particular. Mais uma vez, as antas que éramos eu e minhas amigas considerávamos insultante essa mensagem. Por que uma pessoa como Meg Ryan deveria *baixar seus padrões*? Nós nos indagamos: na vida real, uma moça linda como Meg se apaixonaria por Harry? Provavelmente não. Ele teria uma paixonite por ela, e ela lhe diria que só queria ser sua amiga.

Mas, no nosso panorama da "vida real", nós não refletimos sobre o que poderia acontecer: ela o rejeitaria e namoraria homens mais atraentes, enquanto ele "ficaria na dele" e se casaria com outra pessoa. Talvez ela encontrasse um namorado, talvez não. Ou talvez ela até encontrasse, mas não alguém com quem tivesse tantas afinidades como Harry, ou talvez já tivesse passado da hora de ter os filhos que tanto queria.

Eu não tinha noção disso aos 22 anos, ao ver Sally dizendo aos soluços para Harry, quando soube que seu ex-namorado iria se casar: "Eu vou fazer 40 anos!". Harry lhe lembrou então que ela só estava com 32 anos, e que ainda faltavam oito para chegar aos 40, mas Sally disse, aos prantos: "De qualquer modo, a idade não vai embora, está lá, como um beco sem saída. Não é a mesma coisa para os homens; Charlie Chaplin foi pai aos 73!".

Na época, a ideia de ter 40 anos, ou 32, parecia-me estar a uma eternidade de distância. Eu tinha como coisa certa estar casada àquela altura. Nunca pensei que minha vida seria igual à de Jane no final de *Nos Bastidores da Notícia*; achava que seria mais parecida com a de Sally, uma história maravilhosamente romântica de melhores amigos que se apaixonam, exceto que, aos 30 anos, eu estaria casada com um homem que eu considerava não apenas meu melhor amigo, mas também incrivelmente sexy, ou seja, um Billy Crystal mais bonito, um Albert Brooks mais charmoso. Uma vontade bastante fora da realidade, considerando que eu não me pareço em nada com a Meg Ryan e que, num dia favorável, eu talvez tenha a metade do charme de Holly Hunter. Porém, como muitas moças que se "acham", eu me identificava com Meg e Holly. Embora fosse pura ilusão, quando namorava, aos 20 e poucos anos, achava que meus namorados deveriam equivaler aos namorados que elas duas tivessem.

Muitas das minhas amigas pensavam a mesma coisa. É claro que nós negaríamos essa ideia, mas estaríamos mentindo. Dizíamos não acreditar em contos de fadas, mas, na hora da verdade, não nos contentávamos nem com os caras dos contos de fadas. Dizíamos querer um amor verdadeiro, mas buscávamos romance e o confundíamos com amor. Sabíamos que filmes eram ficção, mas, no inconsciente, nós os víamos como documentários.

Allison, residente em Mineápolis e mãe solteira de 38 anos, escreveu-me o seguinte: "Aos 27 anos, quando discuti acaloradamente com meu namorado — a quem eu amava —, eu estava procurando a reação que se vê numa comédia romântica. Foi um erro". Eles romperam, e ela se arrepende dessa decisão. Agora, sem nenhuma perspectiva romântica à vista, ela estava planejando ser inseminada artificialmente, para ser mãe, numa produção independente.

"Noivazilla"

É óbvio que não só os filmes abordam os casamentos de contos de fadas; existe toda uma indústria que se ocupa disso (o que, incidentalmente, tornou-se uma fonte de conflitos no popularíssimo seriado *Sex and the City*), inclusive os anúncios em jornais com suas histórias exageradas, do tipo "nos viramos para o outro lado da sala e nossos olhares se cruzaram instantaneamente", alimentam a fantasia do que se supõe ser o amor quando o encontramos. Mas, da mesma forma que nos filmes, esses relatos de jornais nunca descrevem exatamente o que acontece em um casamento de verdade.

Elisa Albert, cujo casamento foi divulgado no *The New York Times*, sabe disso por experiência própria. Ela diz: "O comunicado do meu casamento no *Times* deu a impressão, como acontece com tantos outros, de ser um suspiro presunçoso de alívio". O que ocorreu, entretanto, foi um relacionamento desastroso. Um ano depois ela se separou, e divorciou-se pouco depois.

No seu ensaio *The Modern Jewish Girl's Guide to Guilt*, Elisa descreve o romance-relâmpago que levou ao anúncio do casamento no *Times*, a cerimônia de casamento fabulosa e emocionante, e a realidade pós-matrimônio que se fez presente quando ela e o marido perceberam que eram — e sempre haviam sido — incompatíveis quando se tratava de casamento. Da mesma forma que seria útil se o cinema fizesse sequências dos filmes mostrando a vida dos casais casados, Elisa gostaria que os comunicados matrimoniais estampassem "anúncios de divórcio" como acompanhamento de todas as histórias invejáveis de namoros românticos. Ela acredita que, pelo menos, as pessoas solteiras teriam uma noção mais realista do que o amor é e do que ele não é.

Ela está certa. Passei meus 20 e 30 anos dizendo querer o verdadeiro amor, mas como eu poderia saber o que era isso? As pessoas casadas raramente discutem a realidade do casamento com os amigos solteiros, e as únicas histórias de "amor" que a maioria de nós vê nas telas são do tipo em que, quando um casal finalmente se beija depois de resolver um conflito, ocorre uma espécie de orgasmo coletivo na plateia. Depois disso, perdemos nosso interesse neles. A história acabou. Deixam-nos supor que os casais continuam a viver felizes para sempre. Mas, se o par teve tantos problemas simplesmente para ficar junto, o que nos faz pensar que terá mais sucesso em manter o casamento?

Você provavelmente está se perguntando o que isso interessa em um livro sobre como encontrar O Cara Certo. Você também provavelmente está se perguntando por que acredito que qualquer uma com pelo menos 100 neurônios vai ser influenciada em sua vida afetiva por filmes, programas de TV, romances, anúncios de casamento ou capas da revista *People*. Se você me perguntasse há alguns anos se eu achava que esse tipo de coisa me influenciava, eu demonstraria impaciência. Isto é, todos pelo menos sabemos que mesmo galãs de cinema estão longe de corresponder, na vida real, à imagem de homem ideal que se faz deles. (Lembra-se de quando Hugh Grant traiu Elizabeth Hurley com uma prostituta? E o que me diz de Brad Pitt ter abandonado Jennifer Aniston pela atriz com quem contracenou?)[3] Então, por que tantas de nós ignoram os homens que não se enquadram em um ideal imaginário, mas que seriam maravilhosos companheiros?

Pensei no que os falecidos psicólogos Willard e Marguerite Beecher escreveram sobre o que chamaram de "atitude infantil em relação ao casamento", no livro *Beyond Success and Failure: Ways to Get Self-Reliance and Maturity*: "Só podemos calcular a extensão dessa atitude quando percebemos o número de histórias de amor que são elaboradamente criadas e consumidas todos os meses para livros, revistas, TV, rádio, filmes e similares. As pessoas não comprariam essas coisas se não acreditassem na sua probabilidade. Os contos de fadas não vendem nem de perto tanto quanto as histórias de amor, embora sejam igualmente ilusórios".

O problema que não é problema

Hoje em dia, nos filmes ou na vida real, não há muitos conflitos externos a superar para que duas pessoas fiquem juntas. A questão é menor sobre as diferenças de religião, valor ou geografia do que no tocante ao conflito interior sobre se essa é a Pessoa Certa.

Em outras palavras: atualmente a moça não se apaixona por Romeu e diz que a relação está fadada ao fracasso porque ele é da família Montecchio. Em vez disso,

[3] No filme *Sr. e Sra. Smith*, em 2005. (N. T.)

você começa a namorar o Romeu e ignora o fato de ele ser um Montecchio, mas, no instante em que ele começa a passar muito tempo jogando videogame, ou esquece o nome da sua melhor amiga do ensino médio, você se pergunta se deve encontrar alguém mais maduro ou atencioso. Em vez de nos apaixonarmos por um cara e descobrirmos um obstáculo prático aparentemente insuperável (como uma guerra civil se vocês ficarem juntos), nos apaixonamos por um sujeito e depois criamos nossos próprios obstáculos aparentemente insuperáveis sobre por que não podemos ficar com ele (ele não é divertido o suficiente, fica muito estressado na época de fazer a declaração do imposto de renda etc.). No passado, os que se amavam sabiam que queriam ficar juntos, mas não podiam. Nos dias de hoje, os que se amam podem ficar juntos, mas não têm certeza se querem. E a gente ainda reclama de não conseguir um parceiro adequado!

Comecei a me dar conta de que, apesar de tudo em que eu acreditava no nível intelectual — apesar da pessoa forte e sensível que julgava ser —, bem no meu íntimo, tinha um complexo clássico de Cinderela. Esperava que, como diz a famosa canção, um dia o meu príncipe chegaria e "me faria voar até a lua".[4] Nunca me ocorreu trocar os nada práticos sapatinhos de cristal por sapatos que eu pudesse realmente usar.

Uma única alma gêmea

Quando rememoro a maneira como namorava nos meus 20 e 30 e poucos anos, não surpreende que eu achasse perfeitamente normal permanecer solteira e esperar pelo homem ideal. Afinal de contas, todo mundo estava fazendo isso, na vida real e toda vez que eu usava o controle remoto. Durante o auge da minha vida afetiva, o horário nobre da TV estava recheado de séries sobre mulheres solteiras sexy e bem-sucedidas, cercadas de famílias formadas por crianças geradas por barrigas de aluguel, e que eram petulantes e infelizes no amor. Duas notáveis exceções eram *Everybody Loves Raymond*, um programa sobre casamento que, ironicamente, pouco interessava a jovens solteiras que aspiravam ao casamento, e *Mad About You*, uma comédia realista e inteligente sobre um jovem casal se adaptando à vida matrimonial, e que atraiu as solteiras jovens até que um bebê passou a fazer parte do programa. Foi aí que a audiência despencou e a série foi tirada do ar. Terá o programa sido real demais para mulheres solteiras que sonhavam viver felizes para sempre no casamento?

Nos programas dedicados a elas — *Ally McBeal, Caroline in the City, Friends, Sex and the City, Grey's Anatomy* —, as espectadoras assistiam a uma mulher namorar

[4] Trecho da famosa canção *Fly Me to the Moon.* (N. T.)

um cara e depois comentar sem parar com as amigas que ele não era o homem certo para ela, e que talvez ela devesse procurar alguém melhor. Havia sempre a suposição de que, no final, ela terminaria encontrando o "verdadeiro amor", e de que só havia uma única alma gêmea e, portanto, a escolha era óbvia quanto ao parceiro. Essas personagens se preocupavam com os erros cometidos porque parecia só haver uma oportunidade de acertar, de modo que era aconselhável que estivessem absolutamente certas de que o sujeito escolhido era *o* indicado. Ninguém dizia que podia haver "um monte" de caras certos. É claro que, na vida real, todo parceiro tem suas qualidades e seus defeitos, mas raramente vemos a vida real mostrada na tela.

"Reality" shows

O mais perto que chegamos da "vida real" são os chamados *reality shows,* como *The Bachelor.* O público ficou horrorizado quando Brad, o solteiro da temporada, reduziu suas opções a duas moças, escolheu DeAnna e depois mudou de ideia antes da hora de pedi-la em casamento.

O público ficou enlouquecido: todos queriam saber qual era o problema com DeAnna. Ela era encantadora, queria criar uma família, era inteligente e atraente. Quem Brad achava que era ao rejeitá-la?

Mas Brad não se sentia atraído pela moça. Se uma mulher rejeita um parceiro perfeitamente aceitável porque não sente nenhuma química em relação a ele, nós a apoiamos, sugerimos que procure o "verdadeiro amor" e lhe damos a maior força. Se, contudo, um homem se recusa a aceitar uma moça perfeitamente aceitável porque ela não o atrai, ele vira o bandido da história. Malharam Brad de todas as maneiras, em programas de entrevistas e blogs, porque os espectadores queriam que ele se casasse com DeAnna e fosse se apaixonando por ela durante o casamento. Não queriam que ele esperasse por alguém melhor.

DeAnna teve sua própria oportunidade de sucesso no *reality The Bachelorette,* quando selecionou dois candidatos e escolheu um *snowboarder* meio aloprado que não tinha certeza se estava preparado para se casar e ter filhos. Ela preteriu o pai solteiro que a amava loucamente e que já levava a vida doméstica que ela afirmava querer muito. Os espectadores apoiaram sua decisão de priorizar o romance em lugar da praticidade. Eles achavam que, para uma mulher, o romance era mais importante. Não importa que DeAnna tenha rompido o noivado depois.

As mensagens sobre o amor que recebemos pela mídia são tão contraditórias quanto contraproducentes. Se a típica história de amor é assim: Rapaz conhece

Moça; Rapaz e Moça se odeiam; Rapaz e Moça trocam gracejos espirituosos; Rapaz e Moça acabam reconhecendo, de má vontade, que se amam; Rapaz e Moça vivem felizes para sempre (embora nunca vejamos essa parte) — qual é a mensagem que isso transmite? Devemos procurar pela pessoa que inicialmente nos irrita ou pela que nos atrai? E, se o amor chega quando menos esperamos, isso quer dizer que, se buscarmos ativamente o amor, não é o verdadeiro amor? Que não devemos nem procurar, porque o verdadeiro amor nos encontrará quando não o estivermos buscando? Devemos adotar a mensagem "Não se pode apressar o amor" ou "Deve-se ir à luta e ser proativa"?

É evidente que, embora estivesse muito confusa, eu sabia que não estava solteira só porque assistira a muitas comédias românticas ou a muitos *reality shows* na TV. Gerações anteriores de mulheres cresceram tratando de assuntos semelhantes, mas a minha e as que vieram depois de mim também partilham outro conjunto de mensagens conflitantes que devem tentar resolver. O que significa ser forte e também querer viver feliz para sempre? Em outras palavras, se o feminismo nos ensinou que realmente não precisamos do Cavaleiro Branco, como reconciliamos isso com o fato de que muitas de nós somos mulheres que querem um marido e uma família?

Se o conto de fadas é "querer tudo", o que isso quer dizer?

3

Como o feminismo ferrou minha vida afetiva

Sei que não é politicamente correto dizer, mas o feminismo ferrou completamente minha vida afetiva. Para ser justa, não foi bem o feminismo — afinal, o feminismo nunca publicou um manual de encontros —, mas o que eu considerava a “maneira feminista de ver as coisas” certamente não ajudou em nada. Não quero dizer que eu renego as conquistas feministas. Pode crer que eu não faria isso. Ocorre apenas que eu não queria ter aplicado aos meus namoros o que eu acreditava serem os “ideais feministas”.

Enquanto crescíamos, minhas amigas e eu achávamos o feminismo fabuloso. Para nós, o “feminismo” significava “liberdade” e “escolha” em todos os aspectos de nossa vida. Teríamos carreiras profissionais, tempo para “nos conhecer” antes de nos casar, resolver não nos casar e satisfazer nossas necessidades sexuais quando quiséssemos. O fato de não precisar de um homem para ter uma vida recompensadora nos fortalecia. Afinal de contas, quem queria fazer o que nossas mães faziam — encontrar um homem, casar com ele e ter filhos — antes de a maioria de nós ser promovida pela primeira vez?

Então, quando estávamos com 20 e tantos ou 30 e poucos anos, à medida que passávamos de relacionamento para relacionamento ou ficávamos longos períodos sem nenhum namoro significativo, não nos sentíamos tão “poderosas”. A verdade era que todas as minhas amigas queriam muito se casar, mas nenhuma de nós o admitia, com medo de parecer carente, fraca ou, Deus me livre!, antifeminista. Nós éramos a geração de mulheres que se supunham independentes e autossuficientes, mas não tínhamos noção de como percorrer essa área moderna sem sacrificar alguns desejos essenciais.

Nós não queríamos mais um *brunch* no domingo com as garotas. Queríamos passar a vida inteira com *O Cara*.

Nesse meio-tempo, éramos elogiadas por nossa ambição profissional, mas também nos diziam que ela nos desviaria de encontrar um marido. Isso nunca fez sentido para mim. Não acredito que as mulheres fiquem tão dedicadas às suas carreiras que se "esqueçam" de focar na sua vida pessoal. Afinal de contas, 90% das conversas das mulheres que conheço em idade de namorar, mesmo as que se esforçam para se tornar sócias de um escritório de advocacia ou dão duro como residentes médicas, tratam dos homens: quem é aquele novo médico fofo do hospital, se deve ir morar com o namorado, por que o cara deixou de lhe telefonar depois de saírem juntos cinco vezes. Na verdade, trabalhar em ambientes onde exista a possibilidade de conhecer homens interessantes pode ser uma vantagem no tocante ao namoro. O fato de trabalharmos muitas horas por dia e termos elevadas aspirações não era o problema, mas nenhuma de nós conseguia definir o que era.

Foi só aos 30 e tantos anos, e ainda solteira, que me dei conta de que talvez o problema fosse este conceito equivocado: nós, solteiras, achávamos que "ter tudo" era o mesmo que "viver felizes para sempre".

Só que muitas de nós não éramos felizes.

Passei, então, a considerar o seguinte padrão: crescemos achando que podíamos "ter tudo". "Ter tudo" queria dizer que não deveríamos ceder em área alguma da vida, inclusive nos namoros. Não ceder significava "ter padrões elevados". Quanto mais elevados nossos padrões, mais "fortalecidas" éramos.

Mas seria isso verdade?

Eis o que *realmente* aconteceu: o fortalecimento tornou-se, de alguma forma, sinônimo de ter padrões impossíveis e de ignorar o fato de que, na vida real, não se pode ter tudo o que se quer, quando se quer e seguindo as próprias condições. O que é exatamente por que tantas de nós ficamos solitárias por sermos exigentes demais.

Eu tinha tudo aos 23 anos

De acordo com o mais recente relatório do Census Bureau, um terço dos homens e um quarto das mulheres entre 30 e 34 anos nunca se casaram. Esses números são quatro vezes maiores que em 1970. A princípio, isso pode parecer uma tendência positiva: agora as pessoas estão mais maduras quando alcançam a idade de se casar, mas muitas mulheres solteiras com quem conversei pensam de outra maneira. Pode parecer emancipador procurar pelo amor quando se espera que vamos namorar muita gente (e ter muitas opções) antes de encontrar O Cara, mas namorar todas essas pessoas acaba sendo exaustivo e doloroso, para não dizer confuso. A pressão cultural para casar mais tarde (mas não *muito* tarde!) costuma nos magoar mais do que ajudar.

Jéssica, aos 29 anos, era diretora de comunicação de um museu. Ela me falou sobre a noite, seis anos antes, em que Dave, seu namorado da faculdade, a pediu em casamento. Ambos tinham quase 23 anos e moravam em Chicago. Ele estudava medicina, e ela estava se candidatando ao primeiro emprego. Eles estavam juntos havia quatro anos, e Jéssica amava Dave profundamente, mas recusou o pedido dele por uma única razão: achava-se muito nova para se casar.

— Pensei: que tipo de mulher independente se casa antes mesmo do primeiro emprego? Por isso disse a Dave que precisava crescer como pessoa, e me preocupava em não conseguir fazer isso se nos casássemos tão jovens. Eu também achava que não devia me casar logo com o primeiro namorado firme que tive; pensava que devia ter outras experiências.

Quando eles romperam, Dave ficou arrasado, e pediu a ela que não mantivessem contato. Jéssica então começou a fazer tudo que achava que precisava fazer para "crescer como pessoa". Mudou-se para outra cidade, conheceu pessoas, concentrou-se no seu trabalho e saiu com um monte de rapazes, mas não conseguia deixar de pensar em Dave.

No decorrer dos dois anos seguintes, várias vezes ela teve vontade de telefonar para ele e reconhecer que cometera um grande erro, mas suas amigas, que também estavam vivenciando a chamada vida de solteira "poderosa", convenceram-na a não fazê-lo.

— Toda vez que eu pensava em ligar para ele — disse Jéssica —, minhas amigas me faziam duvidar de mim mesma: "Você pirou? Quer pendurar as chuteiras aos 24 anos? O que vai ser da sua vida?". Comecei a me perguntar se essa vida era assim tão maravilhosa. Eu gostava do meu emprego, das minhas amigas e odiava namorar. Tive uns dois namorados que a princípio me entusiasmaram, mas basicamente não sentia por eles o que sentia por Dave. Não ficava tão à vontade com eles. Eles não me arrebatavam como fazia Dave. Ou eu não estava a fim deles ou eles não estavam a fim de mim, e eu ficava pensando: "O que estou procurando, se já encontrei o cara com quem quero passar o resto da vida?".

Secretamente, Jéssica pesquisava sobre Dave no Google à noite, mas não encontrava muitas informações, a não ser que ele continuava estudando medicina.

— Eu ficava grudada no computador à noite, como uma viciada, e pensava: "Isto é patético! Esta não é a vida empolgante que eu imaginava para uma mulher solteira que tinha tudo numa cidade grande!". Namorar outros rapazes e ter mais experiência não enriqueceu minha vida de forma significativa. Eu amava meu trabalho, mas podia ter conseguido um emprego semelhante em Chicago. Em vez de pedir o jantar pelo telefone ou sair para jantar com um grupo de amigas solteiras, eu queria era preparar o jantar para o Dave quando ele estivesse de plantão.

Ela, porém, escondeu todos esses sentimentos porque se sentia constrangida por senti-los.

Finalmente, três anos após o pedido de casamento de Dave, Jéssica descobriu o telefone dele por meio da secretaria da faculdade de medicina, e criou coragem para fazer a ligação. Seu coração disparou ao ouvir a voz dele.

— No segundo em que ele atendeu — ela disse —, eu me senti à vontade de novo, e quase chorei.

Porém, quando ela lhe disse por que estava ligando, Dave ficou calado; foi a hora de Jéssica ficar arrasada. Dave havia passado mais de dois anos tentando esquecê-la e, finalmente, há cerca de oito meses, havia conhecido uma moça, com quem estava namorando sério. Ela era um ano mais velha que Dave — tinha 27 anos, estava fazendo residência no hospital — e estava procurando o homem com quem se casaria.

Dave se casou com essa mulher e ambos são pediatras. Jéssica soube, por meio de uma amiga em comum da faculdade, que o casal teve um filho recentemente.

A voz de Jéssica enfraqueceu quando ela falou:

— Eu desisti dele porque me ensinaram que primeiro você estabiliza sua vida profissional e depois a compartilha com outra pessoa. E que primeiro você vai atrás dos seus sonhos. Bem, aqui estou, ainda sonhando em conhecer alguém tão maravilhoso quanto Dave.

Eu me identifiquei com a história de Jéssica. Também cresci acreditando que meus 20 e poucos anos eram a época de vivenciar diferentes carreiras e homens e que, de repente, de acordo com a minha programação, O Cara bateria à minha porta. Eu nem sequer considerava procurar seriamente um marido aos 20 e poucos ou aos 20 e muitos, quando, na verdade, eu era mais desejável em um *pool* de encontros. O objetivo era sair e me tornar "autorrealizada" antes do casamento. Eu não imaginava que um dia seria autorrealizada, mas arrependida.

Jéssica pensava o mesmo:

— Eu achava que a mensagem era: "Você pode ter tudo, mas não aos 23 anos". Mas agora, aos 29, quando *supostamente* devo ter tudo, não tenho. Eu tinha isso aos 23!

O problema é que as pessoas criticam se você se casa muito cedo, mas, se você ainda está solteira aos 30 ou 35 anos, elas também criticam por você não estar casada!"

Ela estava certa: existe um estigma por não se esperar o bastante, e também por esperar demais. Houve quem me chamasse de "corajosa" por ter um bebê de produção independente quando meu relógio biológico me dizia que estava na hora, mas isso era sempre dito da maneira como se pode chamar de "corajoso" um paciente com câncer. Eu sabia muito bem que várias pessoas me consideravam uma figura ligeiramente trágica, um exemplo a não ser seguido. Para algumas, eu era seu maior pesadelo. Pode ser que elas não queiram estar presas a nenhuma norma antiquada, mas também querem uma família tradicional. As mulheres com quem conversei e que tinham 20 e 30 e tantos se mostravam perplexas pela maneira como as mensagens feministas com as quais cresceram não refletiam necessariamente o que elas poderiam querer pessoalmente. O que se *supõe* que queiram e o que realmente querem está em desacordo.

E foi assim que um grande número de mulheres solteiras se ferrou.

Namoro sem compromisso

Brooke tem 26 anos, vive em Boston e vai se pós-graduar em estudos sobre mulheres. Eu lhe disse ser totalmente a favor de "dar força" às mulheres — sexualmente ou em outro campo —, mas fiquei surpresa quando muitas jovens me disseram que, se não se têm relações sexuais com o namorado até o terceiro ou quarto encontro, ele vai achar que você não está interessada e aí acaba o relacionamento. Eu quis saber: desde quando não transar com alguém que se conheceu há, digamos, *oito horas* indica falta de interesse?

Mais importante do que isso, eu quis saber qual a vantagem para as mulheres, que costumam criar laços emocionais com os homens com quem dormem, ou que, na maioria, acham que o sexo casual não é gratificante. Que há de tão fortalecedor em uma relação sexual sem regras?

Brooke suspirou como se eu fosse alguém que faz um escândalo por causa de uma bobagem:

— Isso nos dá as mesmas escolhas que os homens têm — ela explicou, com naturalidade.

— Tudo bem — comentei. — Mas sexo casual é o que vocês querem?

— Não — ela admitiu —, mas quero que qualquer mulher que sinta essa vontade tenha a liberdade de transar sem compromisso.

Brooke vive com o namorado há dois anos, e confessou estar pensando em sair de casa quando fizer 27 anos, no mês que vem. Ela me disse:

— Estou pronta para um relacionamento sério.

Eu me perguntei o que ela queria dizer com relacionamento sério: morar junto não era muito sério?

— Todo mundo está morando junto — ela respondeu. — Isso não tem grande importância.

Na verdade, graças à "liberdade" de que desfrutamos hoje, metade das mulheres entre 25 e 29 anos vive com um cara. Qual o benefício que as mulheres que querem se casar recebem ao passar com o namorado, em vez de com um marido, os anos em que estão mais desejáveis? Não entendi por que, para começo de conversa, Brooke se mudou para o apartamento do namorado se queria se casar em vez de morar junto.

Ela pensou por um instante e confessou:

— Acho que parte de mim queria que "morar junto" tivesse um significado que na verdade não tem. A maioria das pessoas que vivem juntas não discute o que isso quer dizer futuramente. Isto é, até discutem, mas de modo vago, mas não é como se estivessem noivos. Elas só moram junto porque estão apaixonadas.

Amor sem planos para o futuro: viva a liberdade! Mas será que esse tipo de "liberdade" nos tornou mais felizes?

N-A-M-O-R-O é quase um palavrão

Analisemos nossa abordagem sobre o romance. Quem é solteiro fala em romance como se fosse o Santo Graal, mas será que ainda temos romance? Que aconteceu com a corte?[5] A própria palavra soa pitoresca para as solteiras com quem falei, habituadas a "ficar", a encontros em grupos e amizades coloridas. Nem sei mais se *namoro* é a palavra certa para o que acontece hoje. De alguma forma, n-a-m-o-r-o virou quase um palavrão ("Isso não é namoro, vamos apenas tomar um café"), e não tenho ideia do que significa "namoro" numa era em que as pessoas dizem: "A gente não está em um relacionamento, está só dando umas saídas", embora estejam sempre juntos e mantenham relações sexuais. Às vezes não existe nem um "namoro" verdadeiro num encontro. Você é convidada a reunir-se com um cara e seus amigos em uma festa (e a levar amigas atraentes!), vão telefonar para seu celular às nove da noite, chamá-la para bater um papo e assistir a um vídeo no apartamento dele, ou será convidada a tomar um café durante 20 minutos, depois do jogo de basquete dele (o que quer dizer que ele vai aparecer fedendo a suor e deixar você mesma pagar pelo seu café com leite).

[5] Hoje se diz "namoro". (N. T.)

E se espera que as mulheres achem tudo isso muito natural. Há falta de respeito no mundo dos encontros, mas, segundo afirmam essas mulheres, supõe-se que neguemos quaisquer expectativas de comportamento cavalheiresco, os papéis tradicionais dos sexos e o casamento em um período razoável de tempo, porque esse nível de distanciamento ou independência presumivelmente nos faz poderosas.

Certas mulheres dizem apreciar essas saídas descompromissadas, e eu — devo admitir — costumava fazer parte desse grupo. Foi então que uma amiga casada mais velha me esclareceu:

— Por que eu deveria desperdiçar duas horas num jantar no primeiro encontro, quando sei, após 30 segundos de um café rápido com um cara, se ele é o meu tipo? — perguntei a ela.

— Porque você não pode saber, em 30 segundos, se ele é a pessoa que a faria feliz no casamento.

Na mosca! Eu estava tão ocupada tentando "ter tudo" que não percebi o que me poderia fazer feliz no casamento. Costumava-se achar que o casamento era algo que nos deixava seguras e nos dava estabilidade, o que era positivo. Mas, agora que as mulheres não precisam se casar para ter segurança econômica nem filhos, o objetivo básico do casamento — segundo a opinião de muitas mulheres solteiras — é nos fazer felizes, imediatamente e sempre. Não esperamos para verificar se é criada uma ligação com a outra pessoa ao passarmos muito tempo com ela. Se um relacionamento exige muito esforço, decidimos que ele já não nos satisfaz e caímos fora. O Cara Certo não é rabugento, O Cara Certo não nos interpreta mal. O Cara Certo não quer ficar um tempo sozinho quando chega do trabalho e queremos lhe contar como foi o nosso dia.

Na geração da minha mãe, as mulheres eram "felizes" no casamento porque a família estava sempre reunida, havia companheirismo, tinha-se um parceiro de verdade, estabilidade e segurança. Hoje em dia as mulheres dizem que também precisam de paixão arrebatadora, incentivo, empolgação e mais umas 50 coisas que nossas mães nem chegavam a considerar. Entretanto, de acordo com dados sobre satisfação matrimonial compilados por David Popenoe, do Projeto Nacional de Casamento da Universidade Rutgers, as mulheres dos casamentos de antigamente eram mais felizes.

Contudo, como eu tinha uma ideia distorcida do que significava ser "feminista", minhas prioridades eram confusas.

O que a mulher *deve* querer?

Caroline, 33 anos, é uma compradora de moda que me disse considerar-se "feminista", mas ainda quer que "um homem seja homem".

Nas palavras dela:

— Não preciso de um homem para tomar conta de mim, mas não ficaria com um que não tivesse condições de fazer isso. Quero ter uma carreira quando for mãe, mas quero ter a opção de não trabalhar, se mudar de ideia.

Achei interessante — quando lhe perguntei quais qualidades procurava em um relacionamento — ela citar romance, paixão e química, mas não mencionar nenhuma coisa prática que lhe daria a opção de não trabalhar.

Há também as mulheres, como muitas de minhas colegas de faculdade, que, quando estavam namorando, ofendiam-se se não fossem consideradas adequadas para o casamento por um sujeito que quisesse se casar com uma mulher que ficaria em casa tomando conta das crianças. Elas achavam que esses caras — aparentemente modernos que também queriam uma estrutura familiar mais tradicional — reduziam ainda mais o número de homens disponíveis. Entretanto, para sua surpresa, a maioria dessas mesmas mulheres acabou se tornando mães muito felizes, que trabalhavam meio-período ou nem trabalhavam. Elas não eram tão progressistas quanto se achavam em outros tempos, e se satisfaziam porque não se esperava que colaborassem com metade da renda familiar.

Em uma coluna do *New York Times* de 2006, John Tierney escreveu que, enquanto a antiga pergunta costumava ser "O que a mulher quer?", as feministas modernas hoje indagam: "O que a mulher *deve* querer?". Ele citou um estudo feito por dois sociólogos da Universidade de Virgínia, Bradford Wilcox e Steven Nock, que analisaram o que a mulher de hoje deseja do casamento. Concluíram que as donas de casa eram mais felizes com os maridos e os casamentos do que as mulheres que trabalhavam fora, e que, mesmo entre estas últimas, as mais felizes tinham um marido que era responsável por dois terços da renda familiar.

"Atualmente as mulheres esperam mais ajuda em casa e mais comprometimento emocional do marido", afirmou Wilcox a Tierney. "Mas continuam querendo que ele seja o provedor que lhes dê segurança financeira e liberdade."

Não é de admirar: o local de trabalho tradicional não é gratificante para as mulheres que nele estão há 15 ou 20 anos. Com seus horários inflexíveis, políticas da empresa, semanas de trabalho que às vezes chegam a 50 horas para que elas possam "brigar" por uma promoção, e, ultimamente, chefes mais jovens que fazem solicitações irracionais, o conjunto todo não é apenas "um saco", é incompatível com a espécie de vida familiar desejada por muitas mulheres.

O outro sociólogo coautor do estudo, Steven Nock, declarou a Tierney: "A mulher quer equidade, o que não significa necessariamente igualdade".

Por que os homens não conseguem entender as mulheres?

Muitos homens com quem falei dizem que isso afeta a maneira como as pessoas namoram.

— Tenho uma filha, e fico feliz por constatar que ela está vivendo numa época em que as mulheres podem se candidatar à presidência — afirmou Eric, de 38 anos e casado há sete. — Quando eu namorava, a maioria das moças queria poder se candidatar a presidente, mas não queria *de fato* o cargo, queria apenas a *oportunidade* de concorrer. Porque, hoje, quando nós homens as incentivamos, "Claro, vá em frente!", nossas esposas nos dizem querer trabalhar meio-período ou menos horas. Elas querem que metade do tempo cuidemos das crianças e lavemos a roupa, mas não querem ganhar metade da renda. Por isso, embora eu seja totalmente a favor do feminismo, acho isso tudo meio confuso.

Meu amigo Paul, advogado de 30 anos, disse-me que, embora se interesse muito em namorar uma mulher inteligente, não dá importância se ela é bem-sucedida profissionalmente nem ao que faz para ganhar a vida.

— Algumas amigas não compreendem por que os homens não as acham grandes partidos porque aos 30 anos ficaram sócias do escritório de advocacia onde trabalham ou ganham um bom dinheiro em uma empresa fundada por elas mesmas. Mas, sinceramente, para a mulher, ser bem-sucedida é a realização pessoal, para que ela possa se sustentar sozinha. Não é que ela não possa atrair um homem, pois os homens sabem que não podem contar com as mulheres para prover a maior parte da renda. Então estamos mais interessados no tipo de parceira que essa pessoa vai ser. Nós gostamos de passar o tempo com ela? Ela é interessante? Dará uma boa mãe?

Paul me disse ter relutado em falar no assunto por achar que talvez o julgassem machista. Pensou melhor e acrescentou:

— Eu não iria atrás de uma mulher só porque ela é extremamente bem-sucedida, mas conheço muitas mulheres que acham um homem atraente se tiver sucesso ou for rico, e ainda assim se julgam feministas.

Brandon é colega de Paul e, aos 33 anos, é solteiro. Ele me disse que, no escritório de advocacia onde trabalha, as mulheres pensam que eles estão com tudo, porque não têm um relógio biológico contra o qual lutar. Ele concordou que isso era verdade, mas, ao mesmo tempo, quando ele e seus amigos estão prontos para se casar, as mulheres os julgam de acordo com padrões incrivelmente altos.

— Você não pode ser igual a uma mulher; precisa ser ligeiramente mais bem-sucedido que ela. Isso elimina a maioria de seus colegas, e muitos homens em geral. E então, quando você *é* mais bem-sucedido — tem mais tempo na empresa do que elas —, também precisa ser alto e divertido, para merecer *um primeiro* encontro que seja.

Paul, que tem 1,70 m e está começando a ficar careca, me disse que, quando estava namorando uma vendedora de calçados (eles se conheceram quando ele estava experimentando mocassins), suas amigas comentaram que advogados não querem sair com suas colegas de profissão.

Paul garante que isso não é verdade:

— Eu estava namorando a moça por duas razões: a primeira, porque eu gostava dela de verdade, e a segunda, porque ela queria me namorar! As mulheres dizem que seus colegas de profissão não querem namorá-las, mas são *elas* que não querem! Elas se acham, e mantêm distância. E não creio que se sintam muito felizes.

Fortalecidas ou sozinhas?

Paul talvez esteja certo. Cresci interpretando o feminismo como se tivesse algo a ver com fortalecimento, autoafirmação, poder. Não se espera que sejamos apenas fortes e independentes, mas que também nos sintamos *felizes* a respeito. Espera-se que nos concentremos em nossa própria vida e, quando aparece um parceiro, ele é apenas um acompanhamento do prato principal. Não podemos ser felizes em um relacionamento até aprendermos a ser felizes sozinhas.

Durante muitos anos, aceitei essas afirmações, mas no íntimo eu não queria aprender a ser feliz sozinha. Independentemente de como minha vida era ocupada (carreira, bons amigos; depois, um bebê adorável, carreira e bons amigos), sempre quis ter um companheiro na vida. Embora eu não fosse alguém que recortasse fotos de vestidos de noiva ou sonhasse em minúcias com o dia do meu casamento, aceitava como verdade que isso um dia aconteceria. Nunca me ocorreu que minha vida não incluiria um marido, filhos e um escorregador no quintal. De modo que eu certamente não estava tentando ser inovadora ao ter um filho resultante de uma produção independente: apenas queria ser mãe antes que fosse tarde demais.

Mas, aos 40 anos, quando me expus na matéria da *Atlantic* ao afirmar que ansiava por uma família convencional, ao lado de um cara razoável para fazer de mim uma mulher casada, para algumas pessoas soou como se eu fosse o tipo de mulher que estava doida para conseguir alguém. De acordo com certas leitoras, eu era simplesmente uma afronta a todo o movimento feminino. Relaciono abaixo algumas das declarações feitas por elas:

"Minha impressão é a de que você está no auge do desespero."

"É muito triste que seu filho não seja o bastante para você."

"Estou totalmente horrorizada com sua necessidade de ter um homem."

"Você é, sem nenhuma dúvida, uma tragédia."

"Tenha amor próprio!"

"A sua codependência alcançou o nível mais baixo possível."

"Sinto pena por você ter tido um desejo tão forte de reproduzir. Sinto também pena por você ter essa vontade tão grande de se casar."

"Você não acha que deve a você mesma gostar um pouquinho mais de si própria antes de procurar um parceiro?"

"Talvez, se você mudar suas exigências e não for tão carente, possa encontrar a pessoa certa."

"Se minha filha crescer e quiser um homem pelo menos na metade da proporção em que você o quer, saberei que fiz alguma coisa errada ao criá-la."

De alguma forma, depois de Jane Austen, é vergonhoso uma mulher admitir sua solidão e desejar muito ser parte de uma família tradicional. Que tipo de mulher moderna instruída e sofisticada, com uma vida social ativa, tem tempo para ser solitária?

Você está solitária? Construa uma vida! Consiga uma promoção! Dedique-se a um passatempo! Corte o cabelo! Mexa-se, garota!

Eu me lembro de ter assistido a um grupo de mulheres em um noticiário matutino na TV discutindo o fato de que elas preferiam ficar sozinhas a estar com Alguém Razoável. Estariam falando *mesmo* a verdade? Preferiam, aos 40 anos, ir a bares com um grupo de amigas que não prestavam atenção nelas e ficar observando a porta para ver se entrava O Cara Certo? Nenhuma das mulheres do programa era linda, o que não abalava sua crença de que encontrariam o Príncipe Encantado. Uma delas chegou a dizer que preferia estar sozinha, porque nunca se sabe quando se pode encontrar o verdadeiro amor; quem sabe isso aconteceria até em um asilo? *Em um asilo!* Será que ela gostaria mesmo de estar solteira aos 80 anos? E, ainda assim, não se daria conta de que então haveria mais concorrência por um homem solteiro (que provavelmente estaria sofrendo de mal de Alzheimer) no asilo do que há hoje?

Haley, minha colega de 29 anos, disse-me que, embora gostasse de passar a vida com um parceiro, não queria mudar por causa de alguém. Mas isso é autoafirmação ou inflexibilidade? Mudar não é parte integral de saber ceder e conservar um relacionamento maduro? Será que o "poder feminino" nos tornou parceiras egocêntricas e deploráveis?

Provavelmente não é por acaso que, desde que as mulheres adotaram essa atitude "não preciso de um homem", muitas de nós ficamos sem homens. Um artigo de 2007 da revista *Time* intitulado "Quem precisa de um marido?" (bem, eu preciso!) cita Sarah Jéssica Parker, de *Sex and the City*, dizendo que, porque as mulheres não mais precisam depender dos homens para ter apoio financeiro, "minhas amigas estão procurando um relacionamento tão gratificante, desafiador e divertido quanto o que têm com as próprias amigas".

Que ideia idiota! Independentemente do quanto me divirto com minhas amigas, não quero que meu casamento seja como o relacionamento que tenho com elas. Duvido que muitas de nós queiramos isso. Analise as necessidades emocionais, os subterfúgios e as mudanças de humor de suas amigas, e imagine como seria "gratificante, desafiador e divertido" viver com elas 24 horas por dia, sete dias por semana, durante o resto da vida. Sua amiga pode escutar *ad nauseam* as minúcias do seu dia, mas será que ela é mesmo a pessoa com quem você quer criar filhos e dirigir uma casa?

Naquele mesmo artigo da *Time*, certa mulher de 32 anos, produtora de mídia, explicou que terminou um relacionamento de sete anos com seu namorado banqueiro de investimentos porque, embora ela "o adorasse", achou que a vida com ele seria "muito limitada". Explicou que não estava feliz porque julgava que não poderia manter a sua "identidade" se eles se casassem. Não obstante, ela "o adorava" o suficiente para ter ficado com ele durante sete anos. Que vai acontecer a essa mulher daqui a 10 anos, quando ela se recordar dessa decisão?

Ela talvez queira refletir sobre o que certa mulher solteira de 49 anos disse na matéria da revista:

— Houve uma época em que eu não conseguia dar conta dos homens que me procuravam. Não fui muito gentil com alguns deles. De vez em quando eu me pergunto se Deus está me castigando. Há ocasiões em que penso no passado e digo: "Eu gostaria de ter tomado uma decisão diferente sobre aquele assunto".

Outra mulher disse que podia facilmente resolver suas necessidades sexuais sem precisar recorrer ao casamento. E daí? Em uma pesquisa feita em conjunto pela *Time* e pela CNN, citada no artigo, 4% das mulheres declararam que o sexo era o que mais queriam do casamento, enquanto 75% afirmaram que era o companheirismo. Será que aquela mulher pode facilmente resolver *essa* necessidade fora do casamento, em uma base diária, e pelo resto da vida?

Eu sozinha

Reconheçamos ou não, ser solteira é solitário, especialmente quando chegamos aos meados dos 30 e muitas de nossas amigas estão ocupadas com suas famílias. Isso não quer dizer que as mulheres não se sintam completas sem um homem: se nenhum homem é uma ilha, a maioria das mulheres tampouco. Era muito solitário, antes de eu ter meu filho, acordar toda manhã numa casa vazia, tomar sozinha o café da manhã, ler o jornal sozinha, lavar a louça sozinha.

Era chatíssimo ouvir um relato detalhado pós-saída toda semana, garantindo à minha amiga nada haver de errado com ela; o cara é que era um pé no saco, e, depois, ouvir dela o mesmo blá-blá-blá solidário na semana seguinte, com referência a um encontro meu malsucedido. Como era decepcionante desperdiçar minha curta estada neste planeta com uma sequência de encontros temporários, quando eu poderia estar construindo uma vida de experiências partilhadas com uma pessoa compromissada! Por quanto tempo mais poderia eu gastar "n" minutos analisando e-mails ou recados telefônicos, gastando horas falando sobre um cara que sairia da minha vida três dias, três semanas ou três meses depois, quando seria substituído por mais um, mais outro etc.?

Era muito sombrio eu me mudar sozinha para outro apartamento, comprar mantimentos só para mim, não ter com quem conversar nos momentos íntimos antes de dormir, exceto falando ao telefone com amigas sobre o quê? Homens, evidentemente! Era muito chato. Se nós despachávamos caras por serem "um porre", nada podia ser mais tedioso que o infindável carrossel da vida de solteira.

Ter uma criança em casa muda tudo: nunca se está sozinha, e, para ser sincera, você anseia desesperadamente por um pouco de solidão, mas a vontade de ter um parceiro adulto permanece. Quando decidi ser mãe, isso nada teve a ver com afastar a solidão. Teve a ver com minha esperança de encontrar O Cara Certo sem a pressão do tempo do relógio biológico. Embora estivesse a par de que uma criança não seria a panaceia para a falta de um companheiro adulto, eu acreditava, de maneira surpreendentemente ingênua, que poderia apenas inverter a ordem das coisas: filho primeiro, alma gêmea depois. Contudo, por mais difícil que fosse conhecer O Cara Certo antes de ser mãe, não me havia ocorrido que, quando se é mãe solteira, e você envelhece uns 10 anos nos primeiros 10 meses, como também não tem tempo para tomar banho, comer, urinar de maneira adequada, nem de sair de casa exceto para trabalhar, onde passa todo momento acordada enquanto seu bebê está na creche, é mínima a possibilidade de que um homem — muito menos O Cara Certo — vá bater à sua porta e se juntar *àquela* dupla.

Existe também o problema de aonde ir para conhecer homens solteiros quando se é mãe. Eles certamente não comparecem a festinhas de aniversário nem frequentam lojas de roupas para crianças, e os poucos solteiros que eu encontrava no supermercado com certeza não tinham vontade de conhecer melhor uma mãe cantando "Ciranda, cirandinha" para distrair o bebê sentado no carrinho. (Se a situação fosse inversa, é claro que as consumidoras estariam *dando mole* para o pai solteiro.)

A solidão que eu sentia não diminuiu após ter meu filho; era diferente e talvez até mista. É, ao mesmo tempo, a solidão de uma pessoa solteira, e a solidão de não partilhar os pequenos momentos da vida do meu filho com uma pessoa que se importe com ele tão profundamente quanto eu.

Mas dizer isso em voz alta constrange as pessoas. Lembro-me ter recebido um e-mail de certa mãe solteira que nunca se casou: ela me disse que, quando expôs sua solidão a um grupo virtual de mães solteiras, as pessoas lhe disseram para deixar de ter pena de si mesma e "ir à luta". Uma das mulheres chegou a lhe sugerir que, como se sentia tão infeliz sendo mãe solteira, devia dar o filho para adoção!

— Todo mundo me condenou por dizer que às vezes me sinto sozinha — disse essa mãe solteira —, mas ninguém recriminou essa outra mulher por dizer que eu devia dar meu filho para ser adotado!

Por que é tão difícil aceitar que as solteiras se sentem solitárias e desejam ter um companheiro? Existe alguma coisa de errado com nosso amor-próprio ou nossos valores porque queremos dividir nossa vida literal e metaforicamente com alguém? Nós nos preocupamos muito em não nos "contentarmos" com o que estiver disponível, mas aí nos vemos infelizes por não fazer isso, por vivermos sozinhas em nosso apartamento de solteira, por pedir o jantar por telefone e comê-lo vendo TV, e esperando que apareça um cara com quem possamos compartilhar a vida.

Quando perguntei a várias mulheres o significado de *feminismo*, recebi muitas respostas que se resumiam a ter as mesmas oportunidades dos homens. Quanto mais falávamos, porém, mais concluíamos que nossas necessidades são distintas e que é bem possível que não *queiramos* as mesmas coisas. E, quando se trata de namorar, não temos as mesmas oportunidades que os homens, especialmente à medida que envelhecemos.

Isso pode parecer óbvio, mas pensei que podia ter um filho de produção independente, deixar minha vida romântica em suspenso por um ou dois anos e depois voltar a participar do jogo amoroso. Pensei que "igualdade" e "ter tudo" significassem isso.

Então, quando eu estava pronta para voltar a namorar, fui a um evento de encontros-relâmpago numa quinta-feira à noite. Eu já tinha mais de 40 anos, e tudo havia mudado.

Vou contar a você sobre essa noite de quinta-feira.

4

O fiasco dos encontros-relâmpago

Há anos eu ouvia falar de encontros-relâmpago, mas essa era minha primeira tentativa de realmente conversar por cinco minutos com cada um dos completos desconhecido, antes de atribuir-lhes pontos num cartão. Pode parecer uma forma estranha de conhecer parceiros, mas o que faltava em substância no formato calculei que seria compensado por volume e eficiência. Basicamente, termos miniencontros às cegas durante uma hora. Se, no final da noite, você assinala "sim" ao lado do nome de um cara, e ele faz o mesmo ao lado do seu nome, vocês dois recebem informações de contato para continuar a conversa depois.

A experiência que escolhi para aquela noite de quinta-feira era para solteiros entre 40 e 50 anos. Aos 41, eu poderia ter me inscrito no grupo dos 30 aos 40 anos — a empresa responsável pelos encontros-relâmpago informou haver um período de carência de um ano —, mas achei melhor restringir-me aos caras da minha própria faixa etária.

Enquanto me vestia para o evento, ia me empolgando. Afinal de contas, estava prestes a conhecer 10 homens solteiros, o que era muito mais do que a ausência de homens solteiros que estava ocorrendo comigo durante um dia típico de trabalho. Achei que seria divertido voltar a fazer parte do jogo da conquista, mesmo que eu não conseguisse nenhuma ligação romântica. Que mal poderia haver nisso?

Um avião me trouxe aqui

Às 7 da noite, cheguei a um restaurante da moda perto da praia. Em um canto reservado, duas mesas principais estavam dispostas em fileiras. Outras nove mulheres — sete das quais não pareciam ter mais de 42 anos — já estavam lá. Seis tinham um homem sentado do outro lado da mesa, à sua frente. Essa foi a primeira surpresa: havia apenas seis homens disponíveis para 10 mulheres.

Observei os seis homens. Surpresa número 2: todos menos um pareciam ter mais de 50 anos, e um deles parecia tão velho que era a cara do melhor amigo do meu pai. (O tal período de carência de um ano havia ido para o espaço.) Lá estávamos nós: oito mulheres de 40 e poucos anos, duas mulheres de 40 e tantos anos, um homem de 45 ou 46 anos e cinco homens de mais de 50. Fomos instruídos a saber quem era a pessoa sentada à nossa frente até ouvirmos a campainha, quando então os homens mudariam de uma cadeira até a mesa seguinte.

Designaram-se os assentos. A campainha tocou e chegou a hora de começar.

Meu Cara nº 1 foi Sam. Ele era careca e enrugado, e usava um blazer xadrez com cotoveleiras. Tínhamos apenas cinco minutos para bater papo, mas, depois do primeiro minuto, eu me perguntei como iria fazer para aguentar os outros quatro. Nossa conversa começou de modo inocente. Ele perguntou:

— Você é de Los Angeles?

Sorri e respondi que sim, e perguntei de onde ele era:

— De Nova York.

— Sei... — disse eu, tentando achar positivo o fato de estar sentada em frente a um sujeito que parecia um avô em Las Vegas. — O que o trouxe à Costa Oeste?

— Um avião — ele disse, mal contendo um risinho, como se fosse a primeira pessoa a fazer essa piada. Sorri de leve. Fez-se uma longa pausa.

— Na verdade, é uma história muito longa — continuou ele, apesar do fato de que aquele era um encontro-relâmpago. Um simples "Gostei do clima", "Vim para cá por causa da faculdade" ou "Havia uma oportunidade de trabalho" teriam sido suficientes. Em vez disso, ele me contou que não se dava bem com a família, por isso se mudou para o lugar mais longe que conseguiu; que ele não pôde concluir sua tese de mestrado porque seu orientador acadêmico teve um enfarte; que ele tentou se transferir de faculdade, mas não conseguiu vaga; que foi morar com uma mulher com quem achou que ia se casar, mas ela o deixou por outro cara; que ele acabou trabalhando para uma agência de empregos temporários, e que isso não deu certo porque... aí soou a campainha, felizmente, e ele se transferiu para a mesa ao lado.

O Cara nº 2 foi Paul. Ele também parecia um avô, com cabelo grisalho rareando e papada flácida. Quando lhe perguntei seu tipo de trabalho, ele respondeu que estava “em transição”. Indaguei-lhe então do quê e para quê. Ele disse que antes trabalhava como professor, o que ele amava, mas odiava a política da área e agora estava apenas jogando muito golfe. Gostaria realmente de se mudar do seu apartamento espremido de um quarto, mas, como não estava trabalhando, não podia pagar o aluguel de um apartamento de dois quartos. Queria mudar de carreira, mas isso era difícil aos 55 anos, porque as empresas só queriam saber de contratar “jovenzinhos”. Ele estava no meio de uma crítica veemente ao diretor do seu colégio quando tocou a abençoada campainha. O cara a seguir se sentou em frente de mim.

O Cara nº 3 foi Sandy, bonitinho e o mais jovem dos homens que estavam lá; devia ter uns 45 anos.

— Todo mundo me pergunta qual é o meu nome, porque Sandy é abreviatura — ele disse, no instante em que nos olhamos, embora eu não tivesse perguntado. — É a abreviatura de Sanford, o mesmo nome do Sandy Koufax, o jogador de beisebol que morreu. O nome dele também era Sanford, Sanford Koufax. — Ele sorriu, orgulhoso.

Sandy era um veterano em encontros-relâmpago, fazia isso havia anos. Ele me contou uma porção de piadas que achei que contava também havia anos. Sua gramática era terrível, e, cada vez que ele errava, perguntava qual era a palavra certa: “Porque você deve saber, sendo escritora”. Ele era um amor, tinha um jeito de garotinho, mas nós éramos como óleo e água; depois de cinco minutos daquele papo-furado, eu estava ansiosa pelo toque da campainha.

O Cara nº 4 foi Roger. Ele fazia o estilo do bonitão mais maduro, tipo Bill Clinton. Depois de algumas “abobrinhas”, Roger me contou que havia se mudado para Los Angeles em 1973, e me perguntou: “Você se lembra da escassez de gasolina e da espera nas longas filas?”. Tive vontade de dizer que naquela época eu tinha *6 anos*, mas acabei sorrindo sem graça e lhe perguntei qual era seu ramo de trabalho. Ele tinha uma agência de empregos, mas os negócios iam mal. Ele me perguntou o que eu fazia, e lhe respondi que era escritora.

Roger se inclinou para frente e indagou:

— Você precisa de emprego?

Achei que ele estava brincando, então, respondi:

— Atualmente não, mas eu lhe direi se a situação mudar. Talvez aí você possa me ajudar.

Ele não entendeu a brincadeira e me disse:

— Você não deve esperar entre um emprego e outro para tentar encontrar uma colocação; deve procurar enquanto o ferro está quente.

— Obrigada — agradeci, para agradar-lhe. — Vou me lembrar disso.

— Escritores têm vida mansa — ele continuou. — Que é que você faz o dia inteiro? Fica zanzando de pijama?

— Não é bem assim — respondi.

— E a *Oprah*?

— Como disse? — perguntei.

— Você assiste à *Oprah* todo dia? Todos os escritores com quem trabalho não *fazem* nada.

A campainha tocou. Roger me passou seu cartão de visitas e disse, ao se encaminhar para a mesa seguinte:

— Eu posso te ajudar, de verdade.

Eu não sabia se devia rir ou chorar.

A *filha* dele tem 34 anos

Depois dele não houve o Cara nº 5 nessa rodada, por causa da decepcionante desproporção entre homens e mulheres, e em todos os momentos quatro das mulheres ficaram sentadas sozinhas. O coordenador do evento se sentou à minha frente para ajudar a passar o tempo. Ele era bonitinho, teria uns 30 e poucos anos, e era divertido. Eu lhe disse que aquela era minha primeira experiência com encontros-relâmpago, e lhe perguntei se não estava acertado que a faixa etária oscilaria entre 40 e 50 anos.

"Sim, é verdade", ele concordou, solidário, "nós acreditamos na palavra dos candidatos, mas eles mentem sobre a idade; isso acontece todas as vezes. Os quarentões não comparecem ao evento porque, sabe como é, querem namorar mulheres na faixa dos 30. Já pensamos em impor o limite etário, mas, se dissermos aos homens de 40 que não podem ir aos eventos com mulheres mais jovens, vamos perder todos os nossos clientes."

O atraente coordenador foi então fazer companhia a outra mulher solitária, de 40 e poucos anos.

Fiquei sozinha também na sexta rodada. Comecei a conversar com a mulher ao meu lado, que também estava sem parceiro. Era uma dentista alta e loura, e usava um vestido sexy de camurça. Ela era engraçada, inteligente e extrovertida. Descobrimos que ambas corríamos no mesmo parque, e havíamos acabado de ler o mesmo livro. Depois de batermos papo durante cinco minutos, achei que podíamos ser amigas. Pela primeira vez na naquela noite, fiquei chateada quando soou a campainha.

Finalmente o Cara nº 5 veio até onde eu estava. Seu nome era Kevin, e tinha uma empresa de filtragem de água. Eu estava à procura de filtros d'água e lhe perguntei se o sistema que ele vendia filtrava flúor.

— Aquela dentista ali me perguntou a mesma coisa! — exclamou ele, atônito com a coincidência. — Que estranho!

Eu não achava estranho que uma dentista perguntasse sobre flúor, nem uma mãe com um filho pequeno, mas ele repetiu pelo menos três vezes que achava a coincidência muito esquisita. Depois de finalmente concluir seu comentário, ele respondeu à minha pergunta assim:

— Não tenho certeza. O flúor é um composto?

Eu me perguntei como ele podia ser dono de uma empresa de filtragem de água e desconhecer algo tão básico. Água fluoretada não devia ser um tema desconhecido para quem ganha a vida filtrando água. A maioria do suprimento de água do país é fluoretada.

Nesse meio-tempo, ele soube que eu era jornalista e tentou me vender a ideia de escrever um artigo sobre sua companhia. Eu me esforcei para me desviar do assunto várias vezes: disse-lhe que não escrevo sobre negócios; tentei mudar totalmente o tema e lhe perguntei o que ele fazia nas horas vagas, mas ele não se tocou, e passou os três minutos restantes me enchendo o saco para que eu escrevesse um artigo sobre sua empresa. Desesperada, estava a ponto de lhe dizer que eu não era jornalista coisa nenhuma — *Eu estava brincando, entende? Na verdade, sou contadora. Meu emprego nada tem a ver com jornalismo ou com água ou com escrever sobre água* —, mas não tive oportunidade de dizê-lo porque — Deus é pai! — ouvi a campainha tocar.

O Cara nº 6 se sentou. Ele se chamava Robert, era viúvo, inteligente, atencioso e trabalhava como advogado. Devia ter sido um homem lindo uns 30 anos antes. Nunca antes comparecera a um evento de encontros-relâmpago. Ele contou que, "para ser totalmente franco", na verdade tinha 60 anos, mas não havia eventos de encontros-relâmpago para gente da sua idade. Eu não havia pensado nisso: que fazem as pessoas solteiras aos 50, 55 anos? E se eu continuar solteira quando chegar a essa faixa etária? Como é que vou conhecer homens?

Antes, durante os intervalos em que não havia um homem conversando comigo, eu havia observado que as duas mulheres mais velhas, que pareciam ter quase 50 anos, prestavam atenção a todas as palavras de Robert, que não olhava muito para elas. Ele estava seguindo os procedimentos, mas as mulheres estavam flertando, estavam dando o maior mole para ele. Estavam muito... ansiosas. E não tinham a menor chance. Pensei: *Vai ver vou estar assim daqui a 10 anos.* Na hora percebi: *eu estou assim.*

Estou participando do mesmo evento, conhecendo os mesmos homens que aquelas mulheres. Essa agora também é a minha vida.

Nos poucos minutos em que conversei com Robert, achei-o interessante e gentil. Ele admitiu que comparecer ao evento naquela noite foi ideia de sua filha, que tem 34 anos. Pensei: *A filha dele tem 34 anos!* Perguntei se sua filha já tinha ido a um evento daqueles. Ele riu e respondeu:

— Não, ela é casada. Na verdade, acabei de ser avô de novo!

— De novo? — repeti, com voz baixa, enquanto me esforçava para não começar a chorar à mesa. — Ela tem dois filhos?

— Não, meu filho também tem um — respondeu Robert —, de dois anos.

Perdi a fala. Os filhos daquele homem eram casados, e tinham filhos. Meu filho era da idade do neto dele. Fiquei olhando fixo para a mesa e Robert quebrou o silêncio ao dizer:

— E você? Já foi casada?

Não, pensei, e, do jeito que as coisas vão, *nunca me casarei.*

Recuperei-me o bastante para responder:

— Ainda não — e então, no que depois pareceu uma eternidade, soou a campainha.

Como eu já tinha conhecido os seis homens candidatos, fiquei sentada sozinha nas últimas duas rodadas e marquei meu cartão, no qual assinalei "não" ao lado de todos os nomes.

O *post-mortem*

E foi assim que aconteceu: o evento acabou. O atraente coordenador fez com que nós mesmos nos aplaudíssemos, como se dissesse *Parabéns! Vocês superaram muito bem o sofrimento desta noite!* Depois, pediu que lhe entregássemos os cartões de contagem de pontos. Enquanto as mulheres mais jovens pegavam as bolsas, o coordenador reparou na nossa expressão decepcionada e nos disse: "Tentem de novo. Quem sabe não vai ser diferente?", acrescentou, sem nos convencer.

Na saída, passei pela área do bar do restaurante. Homens e mulheres elegantes e sorridentes conversavam e moviam-se lentamente. Ninguém parecia ter mais de 30 anos.

No carro, voltando para casa, fiz a conta da noitada decepcionante: inscrição para participar: 30 dólares. Pagamento à babá: 40 dólares. Estacionamento: 8 dólares. Tempo gasto tomando banho, depilando as pernas, secando o cabelo, aplicando maquiagem e escolhendo a roupa: uma hora e meia. Tempo de ida e volta na hora do rush: 1 hora. Noite perdida que eu poderia ter passado com meu filho adorado: incalculável.

Não culpei o patrocinador do evento pelo fiasco: culpei a mim mesma. Concluí que era simplesmente a consequência de ter tomado decisões amorosas erradas quando era mais nova. Eu sabia que as pessoas se conheciam o tempo todo por meio dos encontros-relâmpago. Eu até conhecia alguém que comparecera a um desses eventos na faixa entre 25 e 35 anos quando estava com 29 anos, e foi lá que conheceu o marido, de 32 anos. Ela me contou que havia ido a três desses eventos e em todos eles havia o mesmo número de homens e mulheres. Alguns dos caras eram uns bocós, mas a maioria tinha um papo agradável. Eles não tinham muita experiência de vida nem histórias emocionantes. Se moravam em apartamentos que eram uma droga, tinham carreiras promissoras. Eles não lhe lembravam os pais dos seus amigos. Depois, perguntei a uma amiga solteira de 40 anos sobre sua experiência com encontros-relâmpago. O meu teria sido fora do comum?

— De forma alguma — ela me respondeu. — Foi típico dos encontros na faixa entre 40 e 50 anos.

Ela contou que, aos 38 e 39 anos, havia ido a uns dois eventos desse tipo para pessoas entre 30 e 40 anos, e, embora os caras fossem muito mais atraentes — ela havia marcado "sim" ao lado de vários deles —, só estavam interessados em mulheres de 30 e poucos anos.

Sempre ouvi dizer que quanto mais se envelhece mais difícil fica namorar, mas nunca antes levei isso realmente a sério. Não levei em conta que *uma* decisão — digamos, abrir mão de um cara legal porque "lhe faltava alguma coisa" — poderia mudar o rumo da minha vida para sempre. Quando eu tinha 20 e 30 e poucos anos, ainda não havia falado com mulheres quarentonas e cinquentonas que se arrependiam amargamente por terem terminado com um sujeito maravilhoso por razões tolas, e que hoje vivem, nas palavras de uma designer de 48 anos a quem nunca faltaram namorados, "uma existência sem homens, que consiste em ter vida social só com mulheres".

Pensei em Júlia, minha amiga de 30 anos que havia rompido com Greg, o cara que não ligava para dinheiro, e estava agora namorando Adam, o cirurgião sedutor, mas não conseguia se decidir entre os dois. Tive vontade de ligar para ela e lhe dizer que devia definir logo suas prioridades, e resolver em que ela estava disposta a ceder, porque, se ela terminar com esses dois caras agora, *eles* não estarão presentes, daqui a 10 anos, em nenhum evento de namoros-relâmpago quando tiverem 40 ou 50 anos, mas que *ela* talvez esteja.

Em vez disso, telefonei para Rachel Greenwald, uma especialista em encontros que se dedica a orientar mulheres solteiras de mais de 35 anos, para verificar que conselhos ela teria para mim.

Porque — poxa! — eu tinha 41 anos, mas não estava morta; precisava ouvir alguma coisa que me desse esperança.

PARTE DOIS

Da fantasia à realidade

As ilusões agradam à nossa mente porque nos salvam da dor e nos permitem desfrutar do prazer em seu lugar. Devemos, portanto, aceitar sem reclamar quando às vezes colidem com um pouco da realidade e se desintegram naquilo que são: uma ilusão.

— Sigmund Freud

5

Envelhecendo e querendo ficar mais sábia

Rachel Greenwald é o que se pode chamar de otimista sensata. Ela usa muitos pontos de exclamação nas mensagens de e-mail, e pude até ouvi-los na sua voz entusiasmada quando liguei para Denver. Ela quer que as pessoas encontrem o amor: isso é sua paixão. Mas, se ela pode parecer absurdamente pornográfica em seu primeiro best-seller — *Find a husband after 35* —, é apenas porque ela conhece a realidade: o mundo dos encontros muda quando se chega aos 30 anos.

É certo que há alguns anos a *Newsweek* admitiu que sua matéria publicada na década de 1980 estava errada: não era verdade que mulheres acima dos 40 anos tinham mais probabilidade de serem mortas por um terrorista que de se casar. Pelo contrário, as probabilidades que elas tinham de se casar chegavam a 40%. Supostamente, isso era animador, mas pense um pouco: *mais da metade das mulheres com mais de 40 anos nunca se casaria.* Além disso, algumas dessas mulheres não se casarão a tempo de ter filhos. E é mais provável que desposem um homem divorciado com filhos e tenham as dificuldades de outra família para enfrentar.

Rachel me disse que a primeira coisa de que eu precisava me lembrar era que não estava sozinha na minha busca:

— Você pode ser maravilhosa, mas existem inúmeras outras mulheres maravilhosas iguais a você, e a quantidade de homens disponíveis está diminuindo. Há uma curva invertida de poder que você deve levar em consideração à medida que fica mais velha.

Ela citou um número do Censo no seu livro: 28 milhões de mulheres solteiras com mais de 35 anos *versus* 18 milhões de homens. Quando examinei os números do Censo referentes às pessoas solteiras entre 30 e 44 anos, descobri que havia 107 homens solteiros para cada 100 mulheres solteiras, mas, para pessoas de 45 a 65 anos, existem apenas 72 homens solteiros para cada 100 mulheres solteiras. Se essas cifras são assustadoras, Rachel disse que, no mundo todo, existem ainda probabilidades mais negativas para mulheres da minha idade. Por quê? Porque muitos homens querem — e conseguem — casar-se com mulheres mais jovens, e porque os homens que querem assumir um compromisso e começar uma família não são os que ainda estão disponíveis depois dos 35. Assim, as mulheres com pouco mais de 30 provavelmente acabam namorando sujeitos com problemas e passado mais complicados — da mesma forma que *elas*.

— Posso tomar como exemplo duas mulheres fantásticas de 25 anos — disse Rachel. — Essas mulheres são igualmente atraentes. Contudo, se vivenciarem duas experiências distintas nos 10 anos seguintes — uma se casa e a outra continua solteira — e depois forem colocadas lado a lado aos 35 anos, elas estarão totalmente diferentes. A mulher que tem um casamento feliz de 10 anos acha que o mundo é bom, e a mulher que continuou solteira nesse período é cínica e pessimista; acontece a mesma coisa com os homens. Quando um sujeito tem um casamento bem-sucedido e o outro passa pelo processo lento e laborioso de namorar e ter relacionamentos fracassados, os dois caras são obviamente diferentes. É isso que é diferente sobre namorar pessoas mais velhas: elas tendem a ser mais desanimadas, não são tão esperançosas nem tão atraentes quanto costumam ser as solteiras mais jovens.

Eu disse a Rachel que não considerava esses fatores quando era 10 anos mais nova, esperando que o homem certo surgisse na minha vida. Parecia-me razoável pensar que, quanto mais eu demorasse, melhor seria o cara com quem eu acabaria. Rachel, porém, me disse:

— Essa lógica é falha: quanto mais você esperar, menos provável será que encontre alguém melhor do que já encontrou.

O *checklist* de uma mulher de 25 anos

Não se trata de achar que todos os homens mais velhos disponíveis são "fracassados", como reclamam muitas mulheres que namoram. O caso é apenas que eles não se parecem em nada com a pessoa que você imaginou quando era adolescente. Se você tivesse conhecido esse homem quando ele tinha 27 anos, ele estaria muito mais próximo da idade mental do cara que você imaginava que seria seu marido. Mas esse mesmo sujeito aos 45 anos — mesmo que ele aparente essa idade, tenha ex-mulher e dois filhos e já tenha vivenciado decepções — pode ainda assim ser um ótimo cônjuge. Segundo Rachel, o segredo é compreender que "realista" não é um palavrão.

— O objetivo é se casar com alguém que você ame de verdade, que vai tratá-la muito bem e fazê-la feliz — disse Rachel —, mas nada do que acabei de dizer tem alguma coisa a ver com a idade de um homem, se é careca ou não, todas as coisas que fazem parte da lista de exigências de uma moça de 25 anos. Se você está com 40 e limita sua imagem mental do Cara Certo, vai se decepcionar.

Rachel acrescentou que, para um grande número de mulheres, seus critérios de procura são estes: "Estou com 40 anos e quero ter um bebê, e só me interesso por alguém com pelo menos 1,78 m de altura e menos de 45 anos, porque sou muito ativa e tenho aparência jovem. Sou judia e ele também precisa ser. Prefiro um homem sem filhos, mas, se ele os tiver, prefiro que não sejam pequenos ou que não morem com ele", e a relação de exigências não para por aí.

Fiquei feliz por Rachel e eu estarmos ao telefone, porque me sentia enrubescer a cada frase: eu era *culpada de todas as acusações.* Só queria saber qual o problema de querer todas aquelas coisas. Será que Rachel diria a um homem mais velho: *Ei, lembra de todas as mulheres que não o atraíam nem lhe interessavam quando você estava com 20 e poucos anos? Bem, sabe de uma coisa? Elas ainda estão disponíveis, algumas divorciadas, e você devia ser mais flexível.*

— De jeito nenhum! — insistiu Rachel. — Não estou dizendo que você deva ficar com um cara feio e mala, mas certas mulheres são tão exigentes que não conseguem nem encontrar um fulano com quem sair! Não estou absolutamente afirmando que quero que as mulheres se conformem com qualquer homem. É evidente que você precisa ter química com alguém, mas como você pode dizer que vai haver essa química se não lhe dá a mínima oportunidade, se ele não se enquadra na idade ou na altura que você quer? Talvez ele seja generoso e hilário e tenha outras qualidades não evidentes.

Rachel explicou que um grande problema é termos os mesmos padrões aos 35 e aos 25 anos, mas as coisas que queríamos aos 25 não são tão importantes para nossa vida quanto aos 35. Devemos favorecer coisas como paciência e estabilidade, em vez de sentir um frio na barriga quando vemos um homem.

Na verdade, devíamos procurar aquelas qualidades *aos 25 anos*, para não nos casarmos com o cara aos 25 e compreendermos aos 35 que ele não tem as qualidades essenciais para um bom casamento.

Ela disse: "Eu daria os mesmos conselhos que estou lhe dando a uma moça de 25 anos, mas as moças de 25 não dão ouvidos aos conselhos".

Altruísmo e humildade

É simples o conselho de Rachel: elimine todos os motivos para rompimento que sejam objetivos (idade, altura, faculdade que ele frequentou, tipo de emprego que tem, se é cabeludo ou não, divorciado ou se tem filhos) e concentre-se no que for subjetivo (maturidade, gentileza, senso de humor, sensibilidade, capacidade de assumir compromissos).

Eu disse que era fácil para ela falar: afinal de contas, estava casada havia 17 anos, desde os 28. Como se sentiria agora se ainda estivesse solteira aos 40 e pouco e alguém lhe dissesse para não prestar atenção àqueles critérios objetivos?

Rachel riu ao ouvir isso, mas apenas porque já passara por essa situação. Ela disse que quase não conheceu o marido porque também havia se concentrado muito nos critérios objetivos. Quando voltou à faculdade de administração, ela conversou por telefone com seu marido em um contexto profissional, e gostou da conversa, mas quando viu a foto dele em um anuário da faculdade não o achou nada de mais, e o eliminou como uma perspectiva romântica. Foi só quando o encontrou numa festa e começou a conhecê-lo melhor que passou a achá-lo bonitinho — e mais ainda.

— Quando eu estava procurando um namorado e era solteira — ela contou —, eu queria tudo! Queria homens altos, bonitões, inteligentes e divertidos. Eu era tão seletiva que queria até que o cara tivesse cabelo ondulado!

Embora ela tenha conseguido parte — não tudo — do que procurava, apressa-se em ressaltar que nenhuma das exigências tem algo a ver com sua felicidade no casamento.

— Quando eu namorava, duas qualidades que nunca me pareceram importantes, mas que acabaram sendo fundamentais no nosso casamento, eram altruísmo e humildade — explicou. — Um milhão de vezes, todos os dias, em um casamento você precisa decidir se deve maximizar a sua felicidade ou a da outra pessoa, e meu marido já provou 'n' vezes que valoriza mais a minha felicidade. No namoro, confundimos romance com altruísmo, mas são coisas totalmente diferentes. Gestos românticos como o de mandar flores não são a mesma coisa que acordar de madrugada e tomar conta do bebê para que eu possa dormir.

Ela prosseguiu:

— Além disso, a humildade é essencial, é a capacidade de dizer que realmente não interessa quem está certo ou errado, e que não há problema em ter opiniões diferentes sobre as coisas. Por isso pergunto às pessoas: qual a importância que você dá ao altruísmo e à humildade quando rejeita um homem baseando-se na idade ou na altura dele?

De fato, John Gottman, famoso estudioso do casamento da Universidade de Washington, e autor do best-seller *The Seven Principles for Making Marriage Work*, demonstrou ser capaz de prever o sucesso no casamento com 91% de exatidão ao analisar qualidades fundamentais como comprometimento, tolerância e estilo de comunicação.

Rachel não está descartando os desejos que muitas de nós temos. Pelo contrário, ela está dizendo que, apesar de querermos ter "tudo" em um cara, devemos reexaminar nossos padrões — *sem esperar muito* — se quisermos encontrar o parceiro certo, antes de ficar cada vez mais difícil encontrá-lo.

Ela me disse que, quando conhece mulheres com mais de 35 e avalia suas histórias românticas, elas quase sempre são uma variação dos seguintes fatores: *Permaneci em um relacionamento fracassado durante três anos, e em outro durante cinco anos.* Ou: *Eu rompi e voltei para meu ex-namorado várias vezes, em vez de ficar disponível para conhecer alguém mais apropriado.* Ou: *Depois de seis meses ou um ano, eu sabia que o relacionamento não tinha futuro, mas continuava com ele mesmo assim, esperando que as coisas mudassem.* O que deveria ter mudado era a maneira como essas mulheres escolhiam os parceiros.

De acordo com Rachel, elas desperdiçaram o auge dos seus anos de encontros: "Os homens que as atraíam ofereciam exatamente o *oposto* do que elas realmente queriam no longo prazo: estabilidade, responsabilidade, compaixão, vida financeira estável, maturidade, vontade de ter filhos. Você deve se lembrar de que não tem tempo para desperdiçar com um homem só porque tem uma paixonite por ele".

Minha nossa! *Culpada de todas as acusações — de novo.* Pensei no namorado que me enchia de carinhos a maior parte do tempo, mas se recolhia de repente, com a desculpa esfarrapada de que "estava assustado". Mesmo assim, fiquei dois anos e meio com ele. Houve também uns dois caras incrivelmente excitantes e aparentemente românticos, que acabaram se mostrando mais apaixonados por eles mesmos que por mim.

Quando eu era mais jovem, achava que devia deixar as coisas ocorrerem naturalmente, sem pensar em "discutir o futuro da relação", mas Rachel me disse que é importante ser proativa sem esperar muito, antes de o tempo se tornar um fator imperativo.

— As mulheres que querem se casar e ter filhos precisam pensar no que realmente importa — *e fazer que suas escolhas de namorado sejam coerentes com suas vontades* — antes de acabarem solteiras aos 30 e tantos anos — ela me disse. — Não quero ser alarmista, mas é uma pena ver essas pessoas me procurarem com essas conclusões quando estão em uma idade em que é muito mais difícil do que poderia ter sido, tivessem elas uma perspectiva diferente 10 anos antes. Digamos que você, aos 33, vem tendo um relacionamento há 11 anos, desde a faculdade, e quer formar uma família. Bem, eu consigo providenciar que você saia com um cara legal de 40 anos, que também queira formar uma família. Mas, aos 35, o desafio é maior. A metade da vida produtiva da mulher é perto dos 35 anos. A verdadeira metade é aos 40. Se você tem 40 anos e namora pela internet, nenhum sujeito que queira ter filhos vai sequer estar disposto a sair com você. Os caras divorciados que já têm filhos até saem com uma quarentona, mas muitos deles se submeteram à vasectomia.

Se Rachel me tivesse dito isso quando eu tinha 30 anos, eu teria pensado que ela estava exagerando ou que, no mínimo, eu seria a exceção à maneira como as coisas costumavam acontecer com as mulheres mais velhas. Eu sempre pensava que, "mesmo hoje, ainda dou muito caldo" ou "meu espírito é jovem" ou "não pareço com a idade que tenho". Mas tudo o que Rachel me dizia era verdade. De todas as minhas amigas, solteiras ou casadas, poucas conheciam caras solteiros da minha idade, e talvez os dois que conheciam não queriam sair com uma mulher que tinha mais de 40 anos.

Então, eu tinha de escolher: aborrecer-me com os apuros de uma mulher solteira à procura do amor ou usar essas informações em meu benefício. Como me disse Rachel, havia uma *boa* notícia: eu tinha a possibilidade de recomeçar do zero, e dessa vez agir certo, namorando caras com qualidades e que poderiam acabar me fazendo feliz no longo prazo.

O longo prazo parecia ser o foco de Rachel. Na última década, ela havia colaborado para que várias centenas de casamentos se realizassem. E, embora muitas dessas mulheres a princípio resistissem a reduzir seu nível de exigência e se concentrassem nos critérios subjetivos, nenhum dos casamentos de que ela participou terminou em divórcio, pelo menos que ela soubesse.

Então, ela talvez tivesse razão.

Feliz com o Sr. Normal

Quando mulheres bem casadas me disseram o que achavam importante à medida que se envelhece, assuntos parecidos vieram à tona: o que importa é encontrar o *parceiro* perfeito, não a *pessoa* perfeita. Não se trata de baixar seus padrões; trata-se de amadurecer e ter expectativas razoáveis. Existe uma diferença entre o que representa um bom namorado e o que representa um bom marido. Com o passar dos anos, estabilidade e confiabilidade superam o frio na barriga e os gracejos espirituosos.

Amanda, minha amiga de faculdade, que tem 39 anos e está casada há 12, disse-me que se lembra da pressão da sociedade em geral — e do seu círculo social especificamente — em relação ao tipo de homem com quem ela devia namorar.

— Eu me lembro de que, quando estava fazendo o pós-doutorado, uma professora, que era solteira e infeliz, soube que eu estava namorando o Barry e comentou com uma amiga em comum que eu "poderia arranjar coisa melhor". Recordo que pensei que ela estava por fora, porque ninguém poderia conseguir uma pessoa mais inteligente, legal e com um futuro mais promissor. A história provou que eu estava certa. Barry pode nem sempre se vestir como eu gostaria, fazer os pequenos consertos domésticos em vez de ficar assistindo ao futebol, mas faz qualquer coisa por mim. Ele consegue preparar uma canja usando o que for possível para me dar quando fico gripada, e faz a canja sem sal, por causa da minha pressão. Em resumo: isso é amor, e nosso casamento é maravilhoso.

Amanda contou que as concepções mais erradas que tinha quando solteira eram que consistência equivale a tédio e que compromisso é uma palavra negativa. Ela espera que sua filha tenha os conceitos certos quando começar a namorar.

— Eu poderia não ter me casado com Barry — nem com outra pessoa, aliás — se tivesse cismado com as minúcias irrelevantes pelas quais as mulheres solteiras recusam os caras hoje em dia — ela disse.

Elise, casada há oito anos e com dois filhos, assim descreveu seu relacionamento com o marido:

— Quando fiz 35, tinha acabado de ser dispensada por um cara que tinha as qualidades que eu queria, e fiquei arrasada. Alguns meses depois, conheci o homem que é meu marido; ele tinha apenas algumas daquelas qualidades. Não foi amor à primeira vista, mas ele tinha outros atributos que eu realmente queria: é totalmente íntegro e honesto, não desiste de fazer a coisa certa mesmo que seja difícil, é estável e, mais importante que tudo, ele me ama e me compreende. A razão pela qual eu ainda não havia conhecido O Cara Certo era porque eu estava errada quanto às qualidades que O Cara Certo devia ter.

Suzanne concordaria. Ela, executiva de marketing de 30 anos que mora em Austin, contou-me que se casou a primeira vez com um sujeito que parecia O Cara Certo, mas agora, sim, está casada com o *verdadeiro* Cara Certo. Ela ri ao pensar nos erros que fez ao escolher o primeiro marido, e quase fez o mesmo quanto ao segundo.

— Para mim — ela explicou —, concentrar-me nas qualidades inegociáveis e ao mesmo tempo abrir mão das supérfluas era o segredo básico.

Depois de recusar um terceiro encontro com um cara interessante porque ele usava sandálias e tinha um gato, Suzanne me disse:

— Eu fiquei "iluminada", o que basicamente quer dizer que estava disposta a ignorar os detalhes irrelevantes. E agora aqui estou, com o homem com quem quero envelhecer.

É claro que todos os que namoram sabem que aquilo que Rachel chama de traços subjetivos são importantes. É que costumamos atribuir o *mesmo valor* às características objetivas e às subjetivas, e é difícil encontrar um ser humano que tenha a mesma avaliação de ambas. Se um cara tem mais traços subjetivos do que objetivos, nós o descartamos. Mas, se ele tem as características objetivas, fica mais difícil descartá-lo, porque essas características são mais fáceis de avaliar, e supomos que as subjetivas também façam parte do indivíduo, mas não são aparentes. É óbvio que isso nem sempre é verdade.

Lynn, de 42 anos e divorciada, certamente agora analisa as coisas sob um aspecto diferente. Ela explicou: "Eu tinha um marido bonitão, de queixo quadrado, e, quando ele me traiu pela terceira vez e nos divorciamos, comecei a me dar conta de que as coisas superficiais não importam no longo prazo. O que importa é encontrar alguém com conteúdo. Lamentavelmente, algumas de nós só entendem isso quando chegam à categoria do 'conheço bem isso, já fui assim'".

Lynn me falou sobre dois caras legais do seu escritório que tiveram muita dificuldade em namorar. Um deles, Brad, é atarracado e está ficando careca, mas, quando a gente o conhece, descobre que é espirituoso, íntegro, inteligente e simplesmente adorável.

Várias mulheres não gostaram do aspecto do sujeito careca e do corpo longe do perfeito, e só no mês passado, ao fazer 38 anos, Brad se casou.

— Um homem não precisa ter a aparência perfeita para nos dar segurança — ela continuou. — Meu amigo Brad transmite firmeza, e a mulher que se casou com ele é uma sortuda.

Outro colega de trabalho de Lynn, Mitch, tem 30 anos e é um dos melhores homens que ela já conheceu: ele é tímido, mas, quando a pessoa o conhece bem, é muito divertido e agradável.

Ela prosseguiu: "O penteado dele está fora de moda; ele não tem má aparência, é um cara de aspecto comum, tem muitas qualidades, mas me parece que as mulheres na mesma faixa etária nem olham para ele. Isso me entristece. Do meu ponto de vista, aos 42 anos, sei que há muitos caras mais jovens por aí que querem mesmo encontrar o amor, ter um compromisso, casar-se e ter filhos. Ocorre que quase sempre são rejeitados por mulheres entre 25 e 35 anos, que querem um sujeito perfeito".

Alguém para me incutir um pouco de juízo

Eu sabia que Rachel Greenwald estava certa: eu precisava abordar o namoro de outra maneira, mas, mesmo que tentasse procurar as qualidades mais subjetivas, eu não estava conhecendo nenhum homem.

Pensei em recorrer a uma casamenteira.

Para mim, essa era uma providência radical. Quando eu era mais jovem, nunca me ocorreu contratar uma casamenteira, porque sempre acreditei que encontraria um homem por mim mesma. Ele estaria sentado ao meu lado em um avião, esperando na fila atrás de mim em uma lavanderia automática, seria meu colega de trabalho, compareceria à mesma festa que eu, frequentaria o mesmo café...

Agora isso me parecia ridículo, em vista da pequena probabilidade de vir a acontecer. Afinal de contas, não submetemos outros aspectos importantes de nossa vida ao puro acaso. Quando você quer um emprego, não fica esperando nas portarias de prédios comerciais, na expectativa de que um empregador puxe papo com você. Quando quer comprar uma casa, não vagueia sozinha pelos bairros, esperando localizar uma casa que por acaso esteja à venda, combine com o seu gosto pessoal e tenha o número adequado de quartos e banheiros. Isso é aleatório demais. Se esse é seu único método de procurar uma casa, você pode acabar virando uma sem-teto. Por isso, você contrata um corretor imobiliário para lhe mostrar casas que potencialmente atendam às suas necessidades. Da mesma forma, por que não contratar uma casamenteira que lhe apresente parceiros em potencial?

A ideia de olhar para o outro lado de um ambiente e encarar um desconhecido ainda me parecia mais atraente, mas exatamente em que ambiente eu encontraria esse desconhecido atraente? No meu escritório, que consistia em mim e apenas em mim? Na minha sala de estar ou na cozinha, para onde eu ia quando não estava no escritório? Em um bar, que não era bem um ponto de convergência de homens de categoria?

As mulheres solteiras com quem falei reclamaram do mesmo problema: em que diabo de lugar uma executiva moderna "esbarraria" com O Cara Certo? Durante a semana, muitas mulheres solteiras seguem a seguinte programação: acordam, vão para o escritório, trabalham o dia inteiro, dão uma passada na academia ou no "clube da Luluzinha" do qual fazem parte, esquentam o jantar no micro-ondas, assistem a um pouco de TV, respondem a e-mails e vão para a cama. E nos fins de semana? Almoçam com as amigas, fazem as tarefas para as quais não tiveram tempo durante a semana, pagam contas, abrem a correspondência, malham e passam mais uma noite de sábado em uma festa ou em um bar da moda, esperando flertar com algum bonitão desconhecido do outro lado do ambiente. Não estou dizendo que isso seja impossível. Eu mesma já saí umas vezes com esses bonitões desconhecidos, mas nunca me casei com nenhum deles. Por isso, eu não queria mais deixar que a Sorte ou o Destino se encarregassem de resolver esse tipo de coisa.

Eu queria a ajuda de uma casamenteira, mas não que ela eliminasse completamente meus critérios objetivos: desejava apenas alguém para acrescentar perspectiva e bom senso à minha procura, da maneira sugerida pela Rachel. Eu estava em busca de alguém que pudesse dizer: "Escute, talvez ele não pareça ser seu tipo, mas pode confiar na minha opinião". Eu queria que ela me lembrasse do que é importante e me ajudasse a romper com meu padrão de eliminar caras legais baseada nas razões erradas.

Portanto, telefonei para Wendy, uma casamenteira da minha cidade, Los Angeles, de quem eu tinha ouvido falar, e combinamos tomar um café. Uma semana depois, acompanhada de xícaras de café escaldante, contei-lhe a história de meus fracassos amorosos: o músico com quem vivi nos meus 20 anos (bonitinho, inteligente e criativo, mas a teoria de que os opostos se atraem não funcionou quando fomos viver juntos); o advogado que seguiu músico (bonitinho, inteligente, divertido e bem-sucedido, mas se tornou tão possessivo que mesmo minhas amigas mais liberais o achavam assustador); o brilhante empresário (bonitinho, divertido e bem-sucedido, mas enlouquecedoramente não confiável e egocêntrico); o redator de TV que não estava pronto para um relacionamento de horário nobre (bonitinho, inteligente, divertido e criativo mas desinteressado de se comprometer comigo); o sedutor banqueiro de investimentos que ficou comigo em uma festa na qual — eu soube depois — ele deveria ter sido o acompanhante de outra pessoa (isso já deveria ter me alertado, não é?); o jornalista que morava longe (bonitinho, inteligente, divertido, criativo e o cara mais legal do planeta, mas não conseguimos decidir onde morar e o tipo de vida que queríamos); o consultor político com quem eu partilhava muitas afinidades e que parecia muito legal na maior parte do tempo, exceto quando estava sendo corrupto ou não tomava seus antidepressivos e ansiolíticos (bonitinho, inteligente e talentoso, com uma personalidade tipo Jekyll e Hyde); o cineasta sexy do site Match.com[6] (inteligente, divertido e bem-sucedido, mas não daria um bom pai).

Eu disse a Wendy que todos esses caras eram, em princípio, atraentes, mas eu — era evidente — tinha uma tendência a fazer as escolhas erradas. Será que ela poderia me ajudar?

Wendy achava que sim. Na verdade, ela já tinha alguém em mente para me apresentar.

[6] Site de relacionamento. (N. T.)

6

3.500 dólares era quanto custava o amor

Não sinto orgulho disso, mas quase rejeitei o primeiro cara que Wendy me mandou. Veja bem: eu ainda nem tinha conhecido o sujeito, nem visto sua foto. Na verdade, de acordo com o que Wendy me havia dito, ele parecia ser o tipo de pessoa que eu estava procurando. Tinha quatro anos a mais que eu (ao contrário dos cinquentões dos encontros-relâmpago), já havia sido casado (e queria casar de novo), tinha filhos (e amava crianças), era muito instruído (mas tinha os pés no chão), colecionava primeiras edições de livros (e as lia) e era financeiramente estável (e gostava do seu trabalho).

Ainda assim, quando eu soube que: 1. havia um ano, ele ficara arrasado com seu divórcio (ultimamente, eu só saía com caras que passavam o tempo todo recapitulando o desmoronamento do seu casamento); 2. ele tinha quatro filhos ("Se nós ficássemos juntos", eu disse a Wendy, "seriam cinco crianças na família. Isso não é uma família, é uma ninhada!"); 3. ele era fanático por esportes (o que era um "corta tesão" para mim) e 4. ele cresceu em um lugar que eu associava a sujeitos que amassavam latas de cerveja e tinham sotaques broncos, e meu "tipo" eram intelectuais sofisticados. Por tudo isso, eu quis saber a quem mais ela poderia me apresentar.

Ela ouviu minhas preocupações, mas me pediu para reconsiderar. Passaram-se alguns dias, durante os quais trocamos vários e-mails. Ela me assegurou que esse cara estava longe de ser "um fissurado por esportes que arrotava e tinha o sotaque rude dos que nascem no Bronx"; pelo contrário, formara-se numa das melhores faculdades dos Estados Unidos e era refinado, como convém ao advogado de uma grande empresa. Sobre minhas perguntas referentes a cabelo, estatura e sagacidade, ela respondeu que ele tinha "boa altura, cabelo e bom humor".

Wendy não fez rodeios: "Nós simplesmente não podemos ser elitistas (o cara pode ser de Manhattan, mas não do Bronx; pode ter dois filhos, mas quatro não; pode gostar de esportes, mas não em excesso)". Ela escreveu que minha mente demasiadamente analítica estava "correndo o risco de me banir de qualquer ligação humana!".

Eu confiava em Wendy. Ela não era uma casamenteira do tipo vendedor de carros usados que força a barra, que só queria meu dinheiro e não me mandava candidatos que lhe custavam pouco tempo e esforço para encontrar. Ela não era uma empresa impessoal que inscreve qualquer um que apareça, em vez de selecionar criteriosamente os candidatos da comunidade. Tampouco era a mulher estereotipada e muito satirizada de meia-idade vestida com um muumuu[7] que lê a sua aura e afirma ter um "sexto sentido" sobre as pessoas.

Ela era uma mãe bem casada de 30 e poucos anos, perspicaz, atualizada, com um histórico muitíssimo bem-sucedido de combinar casais e que havia se tornado, por acaso, uma casamenteira de Los Angeles. Ela não anunciava seus serviços. Só aceitava clientes recomendados por pessoas que conhecesse. Nos últimos anos, havia conseguido juntar seis pares que se casaram, e, recentemente, um casal que noivou. E achava que o cara que tinha em mente e eu combinaríamos.

Finalmente, concordei em conhecer esse pretendente.

— Ressalte os aspectos positivos — ela escreveu, e me deu o nome dele para eu esperar um telefonema.

Foi aí que me toquei de que havia chegado a um radicalismo absurdo: fiquei decepcionada com o *nome dele*. Sei que parece piração, mas é um nome que se daria a um sócio *nerd* em um filme, um nome que provocaria gozação com um garoto no parquinho. Era como aquela cena em *Feitos um para o outro*, quando Sally insiste que teve uma transa maravilhosa com um cara chamado Sheldon, e Harry comenta: "Sheldon? Não, desculpe. Um cara chamado Sheldon pode fazer sua declaração de imposto de renda. Além disso, se você precisar tratar um canal, ele tem competência para isso. Mas o ponto forte de Sheldon *não é na cama*".

[7] Veste havaiana. (N. T.)

É a isso que se chama ter a mente aberta! Não apenas eu havia analisado profundamente os antecedentes desse homem como também havia julgado importante uma coisa tão irrelevante quanto o nome dele! E a coisa piora: digitei o nome *nerd* dele no Google, achei uma foto e pensei: *Ih, o rosto dele é gordo.*

Vamos recapitular a situação: o cara, a quem passarei a chamar de "Sheldon", parecia interessante: inteligente, divertido, bem-sucedido, gentil, adorava crianças e queria um relacionamento sério — e a bocó aqui perdendo tempo analisando o nome dele e se ele seria capaz de perder 10 quilos! Felizmente, caí em mim e nada comentei com Wendy. Quando fui dormir, compreendi que, dos homens com quem vinha me encontrando, ele era o namorado mais interessante em potencial em muito tempo, e fiquei muito animada para conhecê-lo. Esperei ansiosamente que me telefonasse, o que aconteceu no dia seguinte, quando eu não estava em casa. Ele deixou um recado muito simpático. Eu retornei a ligação e deixei um recado. Depois chegou o fim de semana e não tive mais notícias dele.

Na terça-feira, Wendy trouxe más notícias para mim. Sheldon lhe telefonou na segunda à noite e lhe disse que, nos meus seis dias de indecisão quanto a encontrá-lo, ele saiu algumas vezes com outra pessoa (não por meio da casamenteira), e no fim de semana as coisas se intensificaram e os dois estavam agora fisicamente envolvidos. Ele queria saber aonde seu relacionamento florescente iria levar antes de sair com outra pessoa. Sheldon já não estava disponível.

Beleza!

Quando contei às minhas amigas essa história, elas não a compreenderam: "Não dá pra entender", disse uma delas. "Ele *acabou* de conhecer essa criatura. Por que não pode sair com você também?"

Comentou outra amiga: "Essa estratégia de encontro é bem idiota. Ele conhece a outra faz uma semana; como pode saber se não gostaria mais de você?"

Tentei me sentir tranquilizada com os comentários das minhas amigas, mas, em vez disso, só passei a respeitar Sheldon ainda mais: a ideia de encontrar alguém "melhor" não lhe havia ocorrido. Ele não tinha nenhuma das chamadas "estratégias de encontro". Era um cara ético, que não dormia com uma mulher e saía em um encontro às escuras com outra. A abordagem de Sheldon era muito mais equilibrada. A mulher com quem Sheldon estava saindo provavelmente não analisava exageradamente as coisas como eu. Duvido que ela fosse obcecada com a possibilidade de ele ser viciado em esportes, de precisar perder alguns quilos, de ser ligeiramente *nerd* ou ter filhos demais.

Mulheres como eu, que estão solteiras para sempre, costumam pensar dessa maneira. Os relacionamentos são como o jogo da dança das cadeiras: se você demorar muito para se sentar, todas as cadeiras já estarão ocupadas.

E foi isso mesmo que aconteceu. Wendy tentou encontrar outro parceiro para mim, mas isso não é fácil quando se trata de uma mãe solteira de 41 anos. As semanas se passaram enquanto ela explorava a possibilidade de me conseguir um encontro com um promotor público inteligente, divertido e atraente, que era divorciado e não tinha filhos. Porém, quanto mais ela falava com ele, mais percebia que ele não era flexível o suficiente para adequar sua agenda à de uma mãe com um filho; ele simplesmente não fazia ideia do que significava criar um filho.

Ela me perguntou se eu aceitaria sair com alguém de outra religião, e, embora eu preferisse especificamente um judeu, acabei concordando. Contudo, quanto mais ela falava com outro candidato em potencial, mais concluía que a religião seria um problema para *ele*. Ela procurou outras pessoas, mas não havia ninguém de sua pequena rede na categoria 40 anos-divorciado-com-filhos que estivesse disponível e interessado. Ela teria de ampliar seu círculo de probabilidades e procurar.

Quando hoje penso nesse incidente, gostaria de acreditar que parte das minhas picuinhas iniciais em relação a Sheldon tinha a ver com o fato de que eu havia pago 500 dólares por dois encontros e, a 250 dólares por encontro, era razoável desejar o melhor candidato possível. Mas o que significava "melhor"? Wendy não tinha como prever a química entre mim e Sheldon, e ele era, objetivamente, um companheiro com bom potencial.

Para ser muito sincera, acho que minha relutância em me encontrar com Sheldon na verdade se relacionava a uma coisa que eu até então não havia admitido para mim mesma: eu ainda não havia chegado a um acordo com a realidade de ser solteira e, com minha idade, nunca ter me casado. Eu não estava pronta, em nível visceral, para eliminar a ideia de ser a primeira e única esposa de alguém, de ser a Mulher Certa de alguém e ter a exclusividade de nossa própria unidade familiar.

Eu queria um arranjo mais convencional, sem horários de visita complicados, negociações sobre onde passar as férias ou problemas com uma ex-mulher. Mas que cara solteiro com a idade adequada, sem filhos e ex-mulher, se interessaria em assumir uma mulher que já havia passado da idade de ter filhos com ele e cujo tempo e energia fossem principalmente dedicados ao seu filhinho? Parecia que minhas opções mais promissoras eram homens divorciados e com filhos, e que eu teria não apenas de aceitar isso como também respeitar.

Quando desprezei homens muito legais aos 20 e 30 e poucos anos, nunca parei para refletir como é complicada a equação do namoro na meia-idade, considerando como fatores a pouquíssima oferta de homens disponíveis no mercado, a pouquíssima oferta de homens disponíveis que interessem, a pouquíssima oferta de homens disponíveis interessados em sair com alguém da sua idade e a bagagem logística inerente a todos nós, à proporção que envelhecemos. Só agora comecei a entender, mas foi quando deixei que outra mulher ficasse com Sheldon e fiquei chupando o dedo que me dei conta de que minhas opções eram restritas.

Nem a casamenteira da cidade conseguiu me arranjar outro encontro.

Faça o que eu digo; não faça o que eu faço

Enquanto Wendy procurava um novo parceiro para mim, eu precisava encontrar uma forma de conhecer mais homens. Mas, como? Se recorrer a uma casamenteira oferecia os conselhos e a perspectiva que não se consegue de um namoro virtual, a maior desvantagem era o número limitado de candidatos inscritos na rede pessoal da casamenteira. Por outro lado, quanto menos, melhor — quando se sabe o que vem pela frente. Se eu tivesse compreendido que seria Sheldon ou ninguém, eu teria saído com ele — apesar das restrições que lhe fazia — para ver como seria o encontro. Em vez disso, eu ainda estava presa à mentalidade do namoro virtual: a de que, se você não gosta de alguma coisa em um sujeito, há uma variedade aparentemente infinita de outros caras na fila. Achei que uma empresa de encontros amorosos ofereceria um meio satisfatório, com mais perspectivas do que uma casamenteira particular, e mais orientação do que na internet.

Peguei a lista telefônica e comecei a pesquisar. Depois de eliminar agências que pareciam concentrar-se em formar casais de milionários com mulheres lindas — uma delas até se chamava Mulheres Lindas & Homens Bem-Sucedidos, o que resumia nossos principais desejos — e as que eram grandes e impessoais, com filiais no país inteiro, selecionei a Make Me a Match [algo como Encontre um Parceiro para Mim], dirigida por duas irmãs. Acessei o site da empresa, preenchi um pequeno formulário com meu nome, telefone, sexo, como tinha tomado conhecimento da existência da empresa, e esperei que alguém me contatasse.

Algumas horas depois, recebi a ligação de Kathy Moore, uma das irmãs. Ela começou com uma breve técnica de vendas, falando-me das conquistas da empresa: 550 casamentos, atendimento personalizado e a experiência de saber o que dá certo. Ela me pareceu objetiva e profissional. A essa altura, concentrou a conversa em mim:

— Fale-me de você.

Expliquei que eu era jornalista, tinha 41 anos, nunca havia me casado, era mãe solteira...

— Que foi que você fez? Recorreu a um banco de esperma? — ela me interrompeu.

Fiquei calada um instante. Achei meio ousado ela fazer essa pergunta a uma pessoa que conhecera havia três minutos, mas respondi:

— Bem, foi isso mesmo.

— Fez muito bem! — exclamou Kathy. — *Eu* devia ter feito isso.

Quê?

Essa casamenteira era uma criatura solteira de 45 anos que desejava ter tido filhos quando ainda era fértil. Perguntei-me como isso era possível: como poderia ela encontrar maridos para centenas de mulheres, mas não para si mesma?

— Você não precisa estar doente para ser uma boa médica — ela me disse, mas não engoli essa explicação. A analogia nem sequer fazia sentido: Kathy não era uma médica saudável curando pacientes enfermos; era, sim, uma médica doente que não conseguia curar-se da mesma doença na qual se especializara: *solteirice.* Não fazia sentido. Quando ressaltei esse fato, ela disse:

— Bem, acontece que eu não saio com meus cliente.

Pensei, então: *Tudo bem, é compreensível, mas por que não procurava alguém on-line, ou contratava uma casamenteira que lhe encontrasse alguém?.*

Kathy tinha resposta para tudo:

— Meus clientes me conhecem — o que supus quisesse dizer que eles sabiam o que ela fazia para ganhar a vida. — Os homens se sentem intimidados de sair comigo.

A situação parecia meio maluca: deveria eu pedir a uma pessoa solteira para encontrar um pretendente para mim, quando ela não conseguia fazê-lo para si própria? Ao mesmo tempo, eu estava descobrindo que não éramos as pessoas mais indicadas para encontrar um parceiro para nós mesmas, e que às vezes precisamos de uma perspectiva externa para contrariar as fantasias sobre com quem devemos estar.

Eu lhe perguntei sobre os tipos de homens que recorriam a ela. Que espécie de homem se inscreve numa agência de encontros amorosos? Kathy reconheceu ter muito mais clientes mulheres do que homens, mas ainda assim achava que podia achar alguém para mim: quando ela não tinha um parceiro para uma cliente, recorria a outras casamenteiras. Ela também pesquisava os sites de encontros na internet, e, se alguém lhe parecia interessante, ela se encontrava com ele para verificar se seria um candidato adequado. Gostei da ideia de alguém examinar um monte de parceiros virtuais, para que eu não precisasse me encontrar com uma série de homens em cafés.

O próximo passo seria eu ir à sede do Make Me a Match, para que Kathy e a irmã me conhecessem e concluíssem que tipos de homens se enquadrariam no meu perfil. Pareceu-me que valeria a pena, até que ela soltou a bomba. Quando lhe perguntei o custo do processo, ela não respondeu, e disse que poderíamos discutir os detalhes quando nos reuníssemos. Insisti em saber de antemão e, depois de se esquivar por alguns minutos, ela acabou cedendo: por seis encontros no período de um ano, a taxa era de 3.500 dólares. Peguei a calculadora e fiz a conta: a cifra representava 583 dólares por encontro! O site das irmãs fazia parecer que elas prestavam serviços a pessoas normais, não apenas aos super-ricos! Um encontro que custava 583 dólares é *muito* caro! E ela queria que eu pagasse por seis deles!

Kathy disse:

— Eu sei, essa quantia é assustadora, mas você recebe em qualidade pelo que pagou. Você deve ficar aqui no escritório pelo menos três horas quando a conhecermos. Depois, cada vez que combinarmos um encontro entre você e um candidato, receberemos um *feedback* minucioso. É possível que o tenhamos logo no primeiro encontro, mas demora um pouco para aperfeiçoá-lo. Você estará pagando pelo atendimento personalizado.

Eu disse a ela que estava interessada, mas não tinha como pagar aquela quantia e perguntei:

— Que tal três encontros por 1.000 dólares? — Eu não conhecia o protocolo: pode-se barganhar com casamenteiras?

— Trabalhamos muito para conseguir pretendentes por 1.000 dólares — ela respondeu. — Para nós, não vale a pena.

Senti que ela queria ir adiante. Dava para ouvir que seu telefone não parava de tocar, e imaginei que não devia haver escassez de mulheres dispostas a pagar a taxa de 3.500 dólares.

— Minha sugestão para pessoas como você — ela disse, de uma forma que me deu a impressão de que ela já havia falado com "pessoas como eu" antes — é acessar o JDate.

Ela se referia ao site de encontros para pessoas judias solteiras.

Eu lhe disse que já tinha acessado o JDate, que havia encontrado meu último namorado na internet, mas queria a ajuda de uma casamenteira para escolher os homens apropriados. Meu último namorado era inteligente, sexy e divertido, mas, nos quesitos marido e pai, ele era completamente inadequado. Eu já não confiava na internet para escolher meus namorados. Precisava de orientação.

— Bem, tenho uma sugestão — disse Kathy. — Economize até os centavos. Não quero me sentir como se estivesse ficando com a poupança de toda a sua vida, mas poupe. Não faça nenhuma viagem, desista de comprar os sapatos de que você gostou e economize para sua vida amorosa. Faça dela uma prioridade.

Ela não entendeu que não se tratava de escolher entre uma viagem de férias (o que eu não fazia desde criança), um par de sapatos Manolo Blahnik (que eu nunca tive) e minha chamada "vida amorosa". Tratava-se do que realmente as pessoas comuns podem pagar. Quando esclareci isso, ela comentou: "Só aceitamos clientes financeiramente estáveis".

Sua definição de "financeiramente estáveis" era bem diferente da minha.

Fiquei mais frustrada do que nunca. Desconfiei de que, se eu fosse homem, ela diminuiria a taxa ou até não cobraria nada, simplesmente para ter mais homens disponíveis no seu banco de dados. Eu não agregava nenhum valor à sua empresa. Isso me lembrou do sistema de dotes, no qual é preciso ter muito dinheiro para casar a filha. Seria esse o moderno dote americano? Uma mulher com mais de 35 anos precisa ter muito dinheiro para *se* casar?

Isto é o mais triste: embora eu tenha me recusado a me inscrever no Make Me a Match, não descartei totalmente a empresa. Em vez disso, pensei em maneiras de "economizar até meus centavos". Estou certa de que Kathy Moore sabia que isso aconteceria. Talvez ela não ache que se comporte como uma predadora em relação às solteiras vulneráveis dispostas a fazer qualquer coisa para encontrar um cara legal, mas suponho que várias mulheres que comparecem à reunião inicial de três horas e ficam chocadas com o custo do processo só vão embora depois de assinar um cheque e um contrato. Também suponho que mulheres como eu, que dizem "não" ao telefone, acabam voltando a Kathy, pegando dinheiro emprestado com os pais ou estourando os limites dos cartões de crédito, porque ela lhes incute uma pergunta impossível: *Quanto custa o amor?*

Depois de uma semana, um mês ou um ano sem namorar ou, se tiverem sorte, um relacionamento fracassado, essas mulheres talvez acabem concluindo: o que Kathy Moore está vendendo não é exorbitante, mas inestimável: a esperança de que elas não vão acabar sozinhas.

Aulas ministradas por uma professora casamenteira

Lisa Clampitt é coproprietária do Matchmaking Institute de Nova York, o único lugar do país que treina e concede habilitação de casamenteira. Eu lhe telefonei e perguntei por que esse tipo de serviço era tão caro. Afinal de contas, o que sabem as casamenteiras sobre o que garante uma boa ligação romântica que as solteiras que procuram ajuda não sabem?

Fiquei sabendo que Lisa não trabalhou sempre como casamenteira; ela foi assistente social dos serviços de proteção infantil do Bellevue Hospital. Ela gostava de trabalhar com gente, mas depois de 13 anos lidando com traumas e doenças, não suportou mais. Nesse período, estava sendo bem-sucedida em formar pares românticos, e, um dia, teve uma ideia ao ler um artigo no jornal sobre casamenteiras. Antes, ela não havia considerado ser uma profissional da área — na verdade, na época ela nem sequer sabia que isso existia —, mas adorou a ideia e achou que lhe permitiria "praticar os elementos divertidos da assistência social".

Lisa explicou que, para ser uma "casamenteira habilitada", é preciso fazer o seguinte: comprar do seu site um kit caseiro de estudo que, segundo ela, tem tudo que se precisa saber sobre a indústria casamenteira, incluindo como pré-selecionar uma cliente, entrevistar uma cliente, treiná-la, montar um negócio e fazer contratos. Depois, a pessoa se submete a um teste; se passar, frequenta um treinamento de habilitação de um dia ou dá seis consultas pelo telefone. Depois a candidata apresenta um plano e *voilà*, está habilitada como casamenteira.

— Para ter isso — perguntei — as clientes pagam 3.500 dólares? O que pode saber uma desconhecida que frequentou um seminário de um dia sobre a pessoa com quem eu posso combinar romanticamente?

Lisa disse que a arte de combinar pessoas certas não é um bicho de sete cabeças: "Hollywood nos faz acreditar que o difícil é encontrar O Cara Certo", ela continuou, "mas o relacionamento é que é. Hoje de manhã, meu marido e eu discutimos sobre a hora em que eu ia sair para o trabalho".

Ela acha que as mulheres solteiras tornam a procura mais difícil e angustiante do que precisa ser. Ela acredita que, embora a beleza seja importante, as mulheres gastam tempo excessivo com a aparência, quando na verdade seu maior obstáculo é não serem realistas o suficiente quando são mais jovens, e se tornarem ainda *mais* irrealistas depois.

— Um grande número de mulheres me procura quando, de súbito, percebem que precisam fazer algo de outra maneira porque têm 37 anos e continuam solteiras. E então me dizem o que querem, e acham que, porque pagam a casamenteira, vão conseguir os homens que pedem na sua entrevista, mas a realidade não é bem essa.

Ele é um bom negócio; vou nessa!

Lisa, quarentona, sabe disso por experiência própria. Ela não teria conhecido seu marido se não tivesse sido realista.

"Meu marido é adorável, mas pensei: 'Meu Deus, por que estou tão nervosa?'. Não havia razão. Ele foi superamigável, queria um relacionamento estável, tem doutorado e é professor. Dou muito mais importância à inteligência do que ao dinheiro. Por isso pensei: 'Ele é um bom negócio, vou nessa!'".

Um "bom negócio" é um termo que Lisa usa muito, e é uma forma estranha de descrever seu cônjuge. Entretanto, na opinião dela, escolher passar sua vida com alguém implica decidir que "pacote" — que "negócio" — funciona melhor para você, com base no que você quer da vida: "Todo mundo tem seus pontos fortes e fracos", ela disse, lição que aprendeu com seus dois casamentos, muito diferentes um do outro.

O casamento número 1 foi clássico: ela e seu primeiro marido se conheceram por meio de amigos quando estavam na casa dos 20 anos. Ambos fizeram doutorado, e ela o achou bonitão e leal; ele era inteligente e trabalhava com finanças, mas não era dinâmico nem determinado.

Depois de dois anos de casamento, ela o deixou.

Teria sido a decisão correta? Divorciar-se de um cara legal por causa de uma força intangível de vida que ela talvez não encontrasse em outro homem? É uma pergunta difícil.

Ela disse: "Acho que, se eu fosse mais madura, provavelmente poderia ter feito meu casamento dar certo. Na época não era minha prioridade ter uma família, mas hoje acho que ele teria sido um pai maravilhoso, e sua família — que era grande — era fabulosa. Eu não sabia respeitá-lo, e dizia que ele era um chato. Mas há alguém melhor que será um parceiro realmente leal? É maravilhoso ter um ótimo pai para seus filhos. Pode-se ter prioridade um casamento divertido, mas eu nem mesmo tentei! Estava concentrada demais no fato de poder haver homens melhores do que ele. É isso que acontece quando se é jovem e não se tem experiência de vida".

Lisa continuou: "Isso também acontece com as mulheres que conheço com 30 e tantos anos, que rejeitam homens sem lhes dar uma oportunidade justa".

Lisa parece ter chegado a um final feliz: aos 39 anos, ela conheceu e se casou com um homem que *era* dinâmico e *tinha* determinação, mas era uma faca de dois gumes que a obrigava a ceder em certas coisas, o que ela não teve de fazer no primeiro casamento. Uma delas foi desistir de ter um filho biológico. Ela e o marido tentaram ter filhos durante anos, utilizando caros tratamentos de fertilidade, mas isso não adiantou, algo que provavelmente não teria sido um problema 10 anos antes. O casal planeja adotar um filho. Financeiramente, também, a situação dela é outra no atual casamento: um homem que trabalha com finanças ganha muito mais do que um professor. Fora o fato de que seu marido *é* dinâmico, o que é ótimo na maior parte do tempo, mas há casos em que se deve ter cuidado com aquilo que se deseja.

— Meu marido é um criador de casos — ela disse —, e eu adoro isso, mas preciso descobrir como me comunicar com ele quando está agressivo, quando estamos tentando planejar alguma coisa juntos ou quando ele esquece de pagar as contas e preciso dizer: "Ande logo, mexa-se, homem!". Isso nunca teria acontecido no meu primeiro casamento.

O que ela estava tentando não era reclamar do marido, mas afirmar que não existe homem perfeito: "Há uma porção de caras com quem você pode fazer o relacionamento funcionar, mas, se você não perceber isso, pode acabar a vida preocupando-se se vai ter de se conformar com qualquer um. Muita gente julga com visão retrospectiva e avalia mil coisas diferentes. Estou sempre cercada por caras ricos, e poderia ficar pensando: *Eu bem que podia estar desfrutando disso!* Meu marido também poderia estar pensando isso sobre outras mulheres. Vocês dois precisam achar que fizeram um bom negócio. A compatibilidade no longo prazo tem a ver com respeito, valores em comum e com a construção de alguma coisa sólida, e não com julgar as imperfeições do seu par".

O incidente da água da torneira

Como casamenteira, Lisa constata esse tipo de julgamento o tempo todo. Vou me concentrar no incidente da torneira.

— Apresentei uma mulher a um cara muito legal; eles saíram para jantar e, no restaurante, ele não pediu água mineral, dizendo que água da torneira não era problema — contou-me Lisa. — A mulher me telefonou depois do encontro e disse: "Ele não pediu água mineral ao garçom, foi de metrô me encontrar, nem sequer tomou um táxi à noite. Ele é unha-de-fome". Na verdade, o sujeito era alto, bonitão e rico, por isso eu disse: "Pode ser que ele não ligue para água mineral ou táxis, mas, se isso for importante para você, talvez ele compreenda, e vocês dois possam preparar um orçamento juntos. Essas são coisas que vocês podem discutir, se acabarem se gostando. Pelo menos saia com ele de novo". Ela, porém, não aceitou; não estava a fim.

Eu disse que gostaria de conhecer o Sr. Água da Torneira, mas Lisa já o havia "escalado" para sair com outra pessoa, e o encontro deles acabou dando certo. A mulher que o achou unha-de-fome continuava disponível.

Lisa combina as pessoas assim: "Em primeiro lugar, vejo se os dois têm objetivos de relacionamento em comum. Em segundo lugar, considero os valores, coisas como independência, família, religião, lealdade. Em terceiro lugar, quais são as qualidades essenciais que essa pessoa precisa ter. Não se conseguem mais que cinco; por exemplo, o cara precisa ser muito inteligente. Em quarto lugar, analiso as afinidades. Os interesses partilhados são ótimos porque unem as pessoas, são estimulantes e divertidos, mas as outras coisas são mais importantes no longo prazo. Por essa razão coloco em quarto lugar os interesses partilhados".

Eu disse a Lisa que quase havia colocado os interesses partilhados em primeiro lugar. Não basicamente, é claro, mas em princípio me sentia atraída por um homem *por causa* de nossas afinidades.

— E isso deu certo para você? — perguntou Lisa, ironicamente.

Tentei imaginar como seria me casar com um cara inteligente, divertido, leal, maduro e com sentido de família, mas cujos interesses fossem totalmente diferentes dos meus.

E se ele fosse fissurado, digamos, por videogames e carros clássicos, e eu, por literatura e caminhadas? E se nós não tivéssemos nenhum interesse em comum? Se bem que muitas das minhas melhores amigas têm passatempos completamente diferentes, ou não gostam dos mesmos filmes e livros, e nunca nos faltam assuntos para conversar.

Lisa disse: "Duas pessoas inteligentes e divertidas com antecedentes semelhantes e que querem coisas parecidas sempre descobrem que têm algumas afinidades. E se vocês dois partilham o interesse de estar casados e criar juntos sua família, os videogames ou as caminhadas não são problema".

Súbito me dei conta de haver negligenciado os dois interesses mais importantes — e básicos — que um cônjuge em perspectiva precisaria dividir comigo: uma vida em família e a criação de filhos. Sabia que esses interesses eram importantes, mas meu *checklist* estava repleto das coisas superficiais que se podem encontrar num perfil do Facebook.

Perguntei a Lisa que espécie de homem ela escolheria para mim. "Um tipo que fosse, sabe, realista." Ela respondeu que escolheria alguém que talvez "não fosse um cara lindo", e sim alguém mais baixo, mais velho e com filhos.

— Você é um desafio para as casamenteiras — ela disse. — Mas é possível arranjar-lhe um par.

É mole? A isso chamo de realismo. Lisa percebeu minha decepção, pelo silêncio estupefato ao telefone.

— Escute — ela falou —, vou lhe dizer a mesma coisa que digo às mulheres mais jovens que não querem ouvir isso. Eu digo a elas: "Se você continuar a agir assim, o que vai mudar?. Você não quer fazer 30 anos e depois chegar aos 45 e pensar: *O que fiz com a minha vida?*". Porque, como você deve saber, à medida que se envelhece, a coisa fica mais difícil.

Eu sabia mesmo, mas estava com dificuldade de aceitar a descrição de "mais baixo, mais velho, com filhos, e que talvez não fosse lindo". Não porque eu "me ache" (afinal, também sou mais baixa, mais velha, tenho um filho e não sou linda), mas porque é difícil, sendo mulher, não ter incutido em si mesma a ideia de que, independentemente de quão comum você possa ser, de alguma forma você "merece" ficar com o *crème de la crème* como companheiro. Leia qualquer matéria sobre namoro em um site dirigido às mulheres ou em um artigo de a revista feminina ou consulte livros de conselhos específicos para mulheres solteiras e vai ver coisas como "Você merece estar com um homem que pague as despesas", "Você merece um homem cuja prioridade seja você", "Você merece estar com um homem que acaricie seus pés à noite". E é claro que esse homem deve ser alto, moreno e bonito.

Será que os homens também recebem esse tipo de conselho? *Você merece estar com uma* top model*? Você merece sexo oral todo dia? Você merece estar com uma mulher que voe pelo país inteiro para acompanhá-lo a jogos de futebol?* Não é provável.

Mas, para as mulheres, parece que "ter vontade" se tornou o novo "merece". E é por essa razão que — embora não haja nada de errado com "mais baixo, mais velho e com filhos" — achei que eu merecia coisa melhor.

O fator exagero

— No que me diz respeito, ela está em desvantagem — disse Julie Forman, fundadora do Cupid's Coach, um dos mais populares serviços casamenteiros de Los Angeles, sobre uma cliente em potencial que se reuniu com ela naquela manhã. — Não aceito ninguém que seja demasiadamente exigente.

Eu estava pedindo a Julie que me desse um relato minucioso das mulheres como eu, que têm dificuldade de sair com caras que não são o nosso tipo.

— Para tudo o que eu dizia, essa mulher achava um elemento negativo. — Julie continuou. — Eu lhe mostrava descrições de cavalheiros para que ela as analisasse, e ela dizia que o fulano não servia por causa disso ou daquilo. Ela não era nada, digamos, razoável.

Julie, casada e casamenteira há 20 anos, é a antítese do estereótipo de Los Angeles. Ela é conservadora, muito afável, mulher madura originária do Meio-Oeste, que usa palavras como "cavalheiros" em vez de "caras", e eufemismos como "nada razoável" em lugar de "irracional". Ela declara, muito séria: "Nossa empresa existe para não deixar que as pessoas percam oportunidades por serem exigentes demais".

Como Lisa Camplitt, do Matchmaking Institute, Julie é a primeira a reconhecer que seu marido não era, em princípio, seu ideal do Homem Certo, não que ela não estivesse procurando por ele. Aproximando-se dos 30 anos, com uma carreira sólida no ramo hoteleiro em St. Louis, já havia tido muitos encontros às cegas e estava, francamente, exausta.

Finalmente, inscreveu-se em um serviço de encontros chamado Great Expectations, e conheceu o homem com quem se casou e que se tornou pai dos seus dois filhos. Gil foi seu casamenteiro, e acabou sendo o par perfeito para ela. Embora isso pareça um conto de fadas, Julie se apressa em esclarecer: "Precisei ceder em alguns aspectos. Ele tinha 14 anos a mais que eu e era judeu. Eu fui criada na religião católica. Ele usava uma barba desgrenhada que eu abominava, e suas roupas eram de mau gosto. Minha mãe sempre dizia: 'Você vai saber quando encontrar o homem certo quando vocês dois se respeitarem e você se sentir inteiramente à vontade com ele'. Eu nunca dei ouvidos a ela, mas aí conheci o Gil e não me senti atraída por ele, mas me senti muito bem sendo sua cliente".

Foi tão intenso que, enquanto Gil lhe mostrava os possíveis candidatos, ela se perguntava por que ele não a convidava para sair. Certo dia, ela pôs as cartas na mesa: perguntou-lhe por que ele não estava no livro de clientes. Ele respondeu: "Não quero convidar minhas clientes para sair". Julie disse então: "E se uma cliente convidar você?". Foram, então, tomar drinques e conversaram longamente em um bar próximo da empresa.

Mas o segundo encontro não saiu tão bem: "Foi sem graça", disse Julie, "e então eu pensei que ele não era O Cara Certo". Ainda assim, eles saíram uma terceira vez, que, segundo ela, foi "agradável, mas não senti nenhum frio na barriga". A relação podia ter terminado ali, mas Julie viajou por uma semana, e ela e Gil se falaram por telefone todas as noites e ficaram amigos. Foi então que Julie começou a sentir o coração bater mais rápido. Ela disse que, àquela altura, sua lista do que queria em um casamento continha cinco critérios importantes: um cara família, que quisesse filhos, um cara que a respeitasse e que ela respeitasse, um cara com quem ela pudesse contar, um cara católico, um cara que partilhasse seu interesse em crescimento pessoal.

Ela cedeu no tocante aos itens 4 e 5: "Eu estava disposta a ser flexível quanto à religião, por isso nossos filhos foram educados no judaísmo".

Se Gil não estava disposto a viajar pelo país para assistir às palestras de vários gurus, Julie estava disposta a deixar de viajar e explorar seus interesses localmente, como ioga e meditação, com uma programação mais flexível.

E a atração física? Afinal de contas, Julie não descrevera um retrato muito atraente de Gil, com sua barba desgrenhada e roupas de mau gosto. Julie disse que retirou a atração física imediata de sua lista ao perceber que, havendo certo nível de atração, ela poderia encontrar alguém muito atraente à medida que passasse o tempo.

— A mulher complicada que conheci hoje de manhã — disse Julie — raramente se apaixona com o passar do tempo.

Ocorreu-me que Julie provavelmente também me julgaria "complicada" pela mesma razão. Ela disse ter outra cliente com 1,78 m que não saía com homens baixos, carecas ou que não fossem protestantes. Ela rejeitou a maioria dos pretendentes com os quais Julie tentou combiná-la, até que Julie não tinha mais alguém aceitável a quem apresentá-la. Depois essa mulher mudou-se para Washington e se apaixonou por um cara que tinha 1,73 m, careca, e não era protestante. Ela se casou com ele. No papel, ele não era o que ela procurava, mas era o que ela buscava na vida real.

Procuram-se mulheres solteiras de 30 anos

Quando você se inscreve para receber os serviços de Julie — que custam 2.900 dólares por três encontros em três meses, e podem chegar a 15 mil dólares —, ela se dedica a conhecer você, por meio de currículo, entrevista pessoal e fotos, e depois seleciona cinco pretendentes adequados a você. Julie rapidamente enfatiza a parte "a você": ela baseia sua avaliação em quem você é, quem você espera conhecer, quem está disponível em determinado período de tempo, e eis o segredo: *com quem ela acha que você pode ter a probabilidade de dar certo.* Julie permite que os clientes acessem seu banco de dados à procura de parceiros com quem combinem, mas apenas ela pode providenciar os encontros.

— Você pode examinar o banco de dados e achar que Neil é legal, e que é O Cara Certo para você — disse Julie, referindo-se a um sujeito que era um candidato bem cotado. — Mas eu sei em quem ele está de olho, e não é em você, por isso não aproximo vocês dois.

Neil, de 42 anos, quer sair com mulheres mais jovens, mas Julie não tem muitas clientes na faixa dos 30 e poucos. Quando isso acontece, normalmente é a mãe que inscreve a filha, como a médica de 33 anos que sempre diz "não" aos homens que Julie escolhe para sair com ela.

— Ela alega estar muito ocupada ou que o cara não tem boa altura. As trintonas querem encontrar alguém, mas se mantêm exigentes demais porque acham que O Cara Certo vai surgir de alguma forma. Essa candidata afirma querer se casar e ter filhos. Bem, ela não compreende que, se quer ter filhos, é melhor se resolver logo!

A maior parte das mulheres recorre a Julie quando se aproxima dos 40 anos; a maioria das suas clientes tem entre 40 e 50 anos. As quarentonas são especialmente difíceis porque já têm história: ou muitos ex-namorados ou alguns relacionamentos de longo prazo, e Julie tem de saber por quê. Será que elas estão sempre procurando o que há de errado com as pessoas em vez de o que há de certo? São essas mulheres que Julie desejava que a tivessem procurado quando tinham 29 anos.

Julie diz às mulheres de todas as idades que prestem atenção nos homens que já estão atraídos por elas, em vez de entrar em uma sala esperando encontrar o homem mais atraente.

— Os homens receptivos a vocês são os que vocês devem incentivar, e costumam ser os rejeitados pelas mulheres.

Ela comentou comigo sobre outra cliente, de 38 anos, que quer um homem alto, bem-sucedido e que não seja careca. Em todos os candidatos que Julie lhe apresentou faltava algo. Eu então lhe disse: "Tudo bem, você pode ter pretendentes altos e bem-sucedidos, mas me facilite quanto ao cabelo, certo?".

Da mesma forma, se o nível educacional for um critério prioritário da cliente, sem problemas, desde que ela não rejeite um cara por causa do seu jeito de vestir. As mulheres geralmente resistem a isso.

— Às vezes é preciso que elas cheguem ao ponto do desespero ou do pesar para ficarem levemente flexíveis. Certa mulher de 47 anos ligou hoje, e era tão exigente e complicada quanto a mulher de 37 que veio ao escritório esta manhã. As oportunidades vão mudar drasticamente para essa mulher quando ela tiver 50, da mesma forma que vai acontecer com a mulher de 37 quando ela fizer 40. Eu digo a essas moças: "Estão dispostas a reconsiderar sua decisão?". Se elas responderem que sim, terão muito mais possibilidade de encontrar um homem com quem vão querer se casar. Contudo, se sempre repetirem não serem capazes de reconsiderar, eu realmente não posso ajudá-las.

Embora certas casamenteiras falem em romance, Julie nem sequer gosta de usar a palavra. Para ela, o romance acontece com o desenrolar do relacionamento, como ocorreu com seu próprio casamento. O aspecto mais animador da sua própria relação foi aprender como uma pessoa pode surpreender. Um cara talvez não pareça empolgante na superfície, mas pode oferecer algo mais animador no longo prazo: maneiras interessantes de analisar o mundo; a capacidade de fazer você rir depois de um dia puxado de trabalho; uma forma gentil de desafiá-la a se tornar a melhor versão de si mesma; ser um pai maravilhoso. O homem dos seus sonhos? De jeito nenhum: ele apenas não aparece da mesma forma que nos seus devaneios.

— As mulheres entram na minha sala e dizem: “Eu não me conformo com qualquer um”, diz Julie. — E eu respondo: “Não lhe peço que se conforme; peço-lhe apenas que amplie suas fantasias”.

Um instrutor pessoal de amor

Nos dias seguintes, fiquei pensando nos maridos de Julie e Lisa. Pareciam sujeitos que eu nem levaria em consideração se uma casamenteira me apresentasse homens como eles, mas fazem as esposas muito felizes. Portanto, quando as casamenteiras pedem às suas clientes para considerar o sujeito que é muito ou pouco daquilo, elas na verdade estão dizendo algo muito simples: você pode ter rígidas expectativas e tentar encontrar alguém que as cumpra, ou pode livrar-se de preconceitos e encontrar alguém por quem se apaixonará.

Depois do incidente com Sheldon, achei que precisava de mais que uma casamenteira. Precisei contratar os serviços de Evan Marc Katz, famoso instrutor de namoros que se equipara a um “instrutor pessoal de amor”. Minha curva de aprendizagem seria muito mais complexa do que eu esperava, mas ele poderia me ensinar a perspectiva masculina sobre fazer as coisas da maneira certa. Se havia alguém para me pôr no caminho, eu sabia que seria Evan.

7

O quê versus *por quê*

Quando Evan entrou na minha casa para nossa primeira sessão de treinamento de namoro, num dia quente de outono, as sobrancelhas da minha babá se arquearam. Evan é, basicamente, um cara comum. Ele usava bermuda e camiseta no corpo bronzeado, e seu cabelo espesso e ondulado parecia ligeiramente úmido, como se tivesse acabado de sair do banho. Aos 35 anos, ele aparentava ser 10 anos mais novo. Tenho certeza de que a babá se perguntou como eu havia conseguido um "gato" daqueles, mas Evan ia se casar dali a dois meses.

Essa era exatamente a razão pela qual eu queria sua ajuda: ele havia aprendido a ser realista e feliz. Estava na iminência de se casar com uma mulher encantadora, diferente de todas as outras que ele havia namorado. Sua noiva era bonitinha, mas não linda. Tinha 39 anos, e aparentava a idade. Ainda não havia conseguido nenhuma realização pessoal impressionante. Não deixava as pessoas sem graça com nenhum gracejo sarcástico. Não sobressaía, de forma alguma, em um jantar. Era, para ser bem objetiva, bastante comum. Mas Evan estava loucamente apaixonado.

Para mim, isso era fascinante. Eu conhecia Evan havia anos, e, embora ele tivesse a reputação de ser um treinador de namoros muito bem-sucedido, sagaz e objetivo, eu achava divertida a profissão que escolheu. Ele me dava a impressão de ser mulherengo, sempre com uma mulher diferente quando eu o via. A CNN chegou a rotulá-lo de "namorador em série". Um dia, pouco tempo depois que lhe telefonei, encontrei-o numa palestra, e a mulher a quem me apresentou não era apenas mais uma namorada, era sua noiva.

Até mesmo Evan, um solteirão convicto, ia se casar.

Ao telefone, uma semana antes de nos reunirmos, Evan reconheceu que, se tivesse encontrado sua noiva na internet, nunca lhe teria enviado um e-mail, e, se ela lhe houvesse mandado um e-mail, ele teria respondido com uma recusa bem-educada. Ela não fazia o tipo dele: era muito "velha", não era intelectual e nem da mesma religião que ele.

— Mas as pessoas que no passado me atraíram não eram adequadas para mim no longo prazo — explicou Evan. — Percebi que, se eu continuasse a insistir no meu tipo ideal, nunca encontraria a pessoa certa. A definição de insanidade é fazer a mesma coisa um número incontável de vezes e esperar resultados diferentes.

Evan conheceu sua noiva em uma festa. Não estava interessado em manter um relacionamento sério com ela, mas começaram a sair, e, quanto mais tempo passavam juntos, mais Evan gostava de estar com ela. Era calorosa, gentil, apoiava-o e era flexível. Ela não tolerava as bobagens dele, mas tampouco esperava que ele fosse um mítico Príncipe Encantado. Ela não ficava, nas palavras de Evan, "sempre no meu pé, me dizendo todos os aspectos em que eu devia mudar". Não era exigente nem autoritária, como a namorada que fez Evan morrer de saudade quando lhe deu o fora, embora ela o tratasse como se ele fosse "uma porcaria" quando eles namoravam. Evan e a noiva fizeram concessões e resolveram suas diferenças. Eles se aceitaram como eram. Se ele era naturalmente mais divertido do que ela, ela era naturalmente mais organizada e menos intensa na vida cotidiana do que ele.

Ainda assim, Evan disse que nenhum dos dois era o que o outro havia imaginado como A Pessoa Ideal.

— Sou um judeu de convicções firmes, e reclamo muito das pequenas coisas da vida — ele disse. — Passo tempo demais trabalhando, mas isso também quer dizer que tenho um forte sentido ético. Sou um cara voltado para a família e quero ser um ótimo pai. Sou leal e divertido quando não estou reclamando. Sou introspectivo e tento ser uma boa pessoa. É possível que minha noiva não goste de eu não ser otimista nem atlético o suficiente, ou de não ter o tipo de emprego que me permita viajar com facilidade, embora ela adore viajar. Seu ideal talvez fosse um sujeito alto e católico menos neurótico, mas nós dois compreendemos que nossos ideais não eram realmente o que nos fazia felizes.

Eu disse a Evan que também estava tentando não ficar tolhida por ideais, mas não sabia em que transigir. Aparência física? Senso de humor? Senso estético? Todos esses elementos? Como eu podia saber se estava sendo exigente demais ou de menos?

— Você precisa fazer as contas — respondeu Evan. — Acabo de falar com uma cliente ao telefone e ela me fez a mesma pergunta. Essa mulher tem 35 anos. Ela me disse estar disposta a ceder, mas, quanto mais falávamos, mais parecia ter uma ideia fixa do homem com quem quer ficar. Ela precisa de um homem com mais de 1,83 m. Ela tem 1,65 m. Então eu lhe disse que cerca de 15% dos homens têm mais de 1,83 m, e 80% das mulheres os querem. A maioria desses 80% não cede quanto à altura do homem. Faça a conta! Como é possível que 80% das mulheres consigam 15% dos homens?

Ele me pediu para fazer o cálculo: "Escreva as características que você procura, e depois calcule a porcentagem dos homens que satisfazem esses critérios".

Fizemos as contas juntos ao telefone. Multiplicamos os números: porcentagens estimadas de homens inteligentes o bastante, sofisticados o bastante, divertidos o bastante, direcionados para a família o bastante, bem-sucedidos o bastante, gentis o bastante, atraentes o bastante (tenham cabelo, estejam em boa forma física e me causem frio no estômago), que gostem de crianças, estejam emocionalmente disponíveis, tenham minha faixa etária e morem em Los Angeles... e chegamos à conclusão de que *5%* da população masculina da cidade preenchia esses requisitos.

Depois fizemos outro cálculo. Mesmo que 5% atendam a meus requisitos, quais são as probabilidades de eu atender aos deles? Quantos *desses* homens estão procurando uma mulher de 41 anos? Minha porcentagem de homens viáveis para namorar subitamente se reduziu a cerca de 1%. Ah, e se eu quiser alguém que seja da minha religião? De acordo com Evan, os caras judeus formam mais ou menos 2% da população americana, sendo 6% habitantes de Los Angeles. Eu teria de incluir esse fator no irrelevante 1% de homens de qualquer religião que poderia ser candidato em potencial. Resultado final: 0,1%.

Nossa! Eu era mesmo tão exigente assim? E as outras mulheres também eram?

Aparentemente, sim. Evan disse que algumas de suas clientes têm critérios ainda mais específicos, que reduzem os números de homens disponíveis. Critérios como: *Eu simplesmente adoro cachorros, e o homem que estiver comigo tem de amar animais.*

— Francamente — ele disse —, se alguém tolerar sua obsessão, você é uma pessoa de sorte.

Evan acredita que uma coisa é um parceiro aceitar seus interesses, outra é partilhá-los com você. E, quanto mais exigências você tiver, menores as probabilidades de obter um companheiro.

Não era surpresa parecer não haver homens disponíveis. De acordo com meus critérios, não havia.

Aquelas porcentagens podiam não ser cientificamente exatas, mas faziam sentido. Considerando que eu queria alguém não apenas inteligente, mas instruído; não apenas atraente, mas que não fosse careca; não apenas da minha faixa etária, mas cuja aparência não fosse de mais de 42 anos, 1 entre 10 mil homens disponíveis que sairia comigo parecia o número certo.

— Vai ser muito difícil encontrar alguém, a não ser que você seja mais flexível com seus critérios — avisou Evan. — Quanto mais você transigir, mais homens passarão pela sua peneira.

— Mas e se eu tiver razão para peneirar? Não posso sair com qualquer um!

— Talvez sua peneira seja muito estreita — disse Evan. — Com quantos homens você saiu recentemente?

Não precisei responder; eu sabia que ele tinha razão. Não se trata de haver apenas 1 cara em 10 mil que sairia comigo, trata-se de eu rejeitar sujeitos que poderiam elevar aquelas porcentagens.

Nas cinco semanas que faltavam para o casamento de Evan, ele ia me ajudar a ampliar meu leque de opções. Combinamos nos encontrar às segundas-feiras ao meio-dia, mas antes ele me perguntou se eu tinha algum encontro marcado. Se ele ia me treinar, precisaríamos achar homens para sair comigo.

Falei-lhe sobre Wendy, a casamenteira, e que ela ainda não havia encontrado nenhum novo pretendente.

— Isso não é problema — comentou Evan; ele ia me introduzir no campo de batalha dos encontros on-line.

O efeito "menos é mais"

Sinceramente, nunca tive muito jeito para o namoro virtual. Eu excluía caras baseada em um critério ("ele é muito a fim de música punk") ou tentava ter "a mente aberta", mas logo me dava conta de que não conseguia me empolgar com nenhum dos candidatos quando a gente começava a se corresponder. No final, acabava procurando as mesmas qualidades que sempre havia procurado, mas que nunca me levavam a encontrar a pessoa com quem eu queria passar a vida. Comecei a me perguntar se eu sabia mesmo o que queria.

Algumas semanas antes de telefonar para Evan, falei com Dan Ariely, economista comportamental do MIT. Ele havia escrito o livro *Predictably Irrational.*

Contei-lhe minha situação e ele me disse que já ouvira todas aquelas coisas antes; na verdade, chegara até a estudá-las.

— A ideia de que as pessoas sabem o que querem é ridícula — ele disse de cara. De acordo com Dan, não apenas somos confusos sobre o que queremos no momento como deixamos de considerar que nossos desejos mudam com o tempo, à medida que lidamos com circunstâncias da vida como doenças, problemas financeiros ou filhos.

Ele disse que, se não sabemos o que queremos, namorar pode ser difícil, mas o namoro virtual é ainda mais difícil. Afinal de contas, os perfis na internet fazem o que se está procurando parecer mais objetivo (baseado nos dados do perfil), quando, de fato, a ligação verdadeira entre as pessoas é extremamente subjetiva.

É essa ilusão de subjetividade que nos condena.

Disse Dan:

— Quanto menos você souber sobre um candidato em potencial, melhor, porque deixa espaço para que se forme uma fantasia. Quando os namorados virtuais se conhecem pessoalmente, já têm tantas informações anteriores, que sobra pouco espaço para a descoberta. E, quando você vê uma falha na outra pessoa, acaba a fantasia. Por isso, em vez de dar uma oportunidade a ela, você vai para casa e acessa o computador para encontrar outra que pareça um bom candidato no papel.

Eu disse a Dan que, quando marcava encontros on-line, sempre queria ter muitas informações antes de sair, para não desperdiçar meu tempo. Na verdade, eu nem respondia aos perfis que não contivessem muitas informações. Estava errada?

Dan respondeu afirmativamente. Saber muito sobre alguém que não se conhece pessoalmente dificulta sentir interesse por ele. Em um estudo feito por Dan, pessoas que marcavam encontros na internet receberam características sobre um parceiro em potencial, como aquelas que se recebem em um site de encontros. Quando deram aos participantes características de um companheiro em potencial, eles acharam que a pessoa era menos parecida com eles do que quando tinham uma listagem menor de características. Quanto mais dados você tem sobre uma pessoa, mais informações você tem para eliminá-la.

É a isso que ele chama de "efeito menos é mais"; se você se descrever em termos mais ambíguos no seu perfil, será mais simpático.

— Se você escrever "Gosto de música", e eu estiver lendo seu perfil, vou imediatamente supor que você gosta da mesma espécie de música que eu, mas, se você informar o tipo específico de música de que gosta, nossas preferências podem ser diferentes, o que me atrairá menos.

Malabaristas da internet

Não é apenas o excesso de informação que torna confusos os encontros on-line: é a variedade de opções. Há umas cinco "combinações" que chegam ao seu e-mail todo dia. Mesmo se nenhum deles for interessante, você não fica esperançosa de que no próximo lote de cinco e-mails haja alguém que seja O Homem Certo?

Observei que o Match.com incentiva os participantes a manter muitos projetos em andamento. Logo que você manda um e-mail para um pretendente em potencial, a confirmação na tela que diz "Seu e-mail foi enviado" automaticamente exibe a mensagem: "Dê uma olhada no perfil de outros participantes como [o nome da pessoa a quem você acabou de enviar um e-mail], e então lhe apresenta várias outras pessoas que talvez lhe interessem". Antes que a primeira pessoa sequer *receba* seu e-mail, oferecem a você novas escolhas a considerar.

Dan prosseguiu: "Quando isso acontece, nós iludimos as pessoas de uma forma que não seria possível se houvesse menos opções". Em um estudo, ele e seus colegas coletaram dados de um site de encontros na internet e verificaram pessoas que rotularam como "malabaristas", as que estavam empenhadas em lidar com 15 ou mais comunicações ao mesmo tempo.

— Os malabaristas escreviam e-mails de péssima qualidade entre si mesmos. Se você precisasse enviar 20 e-mails, que nível de qualidade teriam? Por isso eles possivelmente se tornavam menos interessantes para as pessoas a quem os mandavam, porque eram feitos escritos de qualquer jeito, e a gramática era péssima — disse Dan.

Ele ainda disse que, ao mesmo tempo, porque os riscos são tão baixos, fica difícil se desvencilhar das pessoas. Se tudo de que é preciso para considerar alguém para sair é um e-mail, por que não se corresponder com essa pessoa, e com outras 10? No mundo real podemos ser considerados muito exigentes ao eliminar as pessoas prematuramente antes de conhecê-las, mas, no mundo dos encontros na internet, pode ser que queiramos fisgar peixes demais na nossa rede, e ficamos incapazes de eliminar alguém.

— Quando essas pessoas mandam muitos e-mails, não prestam atenção àqueles que combinaram melhor com elas. Mas, como não sabem quem são essas pessoas, continuam enviando um monte de e-mails e acabam sem ninguém.

Foi exatamente isso que aconteceu quando Dan acompanhou os resultados da ação desses malabaristas. Ele analisou as pessoas que haviam trocado números de telefones ou marcado encontros e descobriu que as que faziam menos malabarismos não apenas escreviam e-mails mais longos e atenciosos como também chegavam a sair juntas. Nesse meio-tempo, os malabaristas "de carteirinha" ficavam em casa, sozinhos, enviando e-mails.

Tudo bem, e daí? Que acontece quando as pessoas se encontram? Dan não acompanhou esse aspecto, mas descobriu que, de maneira geral, esse tipo de encontro não sai como se espera em razão das expectativas exageradas.

— Mas os/as malabaristas não aprendem! A cada vez, eles/as não param e pensam: "Da próxima vez minhas expectativas serão mais realistas". Pelo contrário, continuam exagerando.

Isso porque, apesar minuciosidade dos perfis, é muito difícil dizer como é uma pessoa com base no que é, essencialmente, um catálogo. Ou, como ele diz: "É a mesma coisa que ler os ingredientes numa caixa de alimento e imaginar o sabor do prato".

Isso supondo que a lista de ingredientes esteja correta. Parte do problema com os perfis on-line é que nem sempre temos uma perfeita percepção de quem somos, nem a capacidade de nos descrever bem em um questionário. Lembro-me de olhar a avaliação da minha personalidade no site eHarmony.com alguns anos atrás e achar que não captou absolutamente o que eu era. Seria porque respondi às perguntas com uma falta de percepção, ou porque a avaliação deles não conseguiu captar as sutilezas do meu temperamento? Restou-me um dilema *post mortem*: eu não gostaria de sair com o tipo de cara que quisesse sair com o tipo de mulher que esse teste revelou que eu era. Eu me tornaria a palhaça dos encontros virtuais.

Para impedir esses problemas, Dan e seus colegas criaram um site diferente de encontros na internet. Em vez de ter um perfil, cada pessoa seria representada por, digamos, um quadrado vermelho ou um triângulo verde, e você se movimentaria num espaço virtual. Se você estivesse perto de alguém, poderia começar a falar. Poderiam percorrer juntos uma galeria de arte e conversar sobre a exposição. Vocês conheceriam a personalidade de cada um. Vocês basicamente participariam de um encontro virtual nesse mundo virtual, sem nada saber um do outro.

Depois, disse Dan, essas pessoas tiveram de fazer parte de um encontro-relâmpago. No evento, algumas delas já haviam acessado o site de Dan e outras não. Quando acabou, perguntaram a cada participante com quem eles gostariam de sair num segundo encontro. Os resultados?

— A porcentagem dos que se conheceram por meio do nosso site e estavam dispostos a sair com a mesma pessoa foi o dobro das de outros sites — disse Dan. — A altura e a cor do seu cabelo não importam, embora as pessoas digam o contrário. Acho que, nos encontros, o problema é não sabermos o que é importante para nós.

O teste dos M&M's

Estava começando a achar que tampouco tinha ideia do que era importante para mim, especialmente quando contei meu histórico de namoros a Eli Finkel, psicólogo social da Universidade Northwestern recém-casado. Eu contei a ele que sempre procurava o mesmo tipo de homem, mas ele necessariamente não me fazia feliz no longo prazo. Seria possível que eu não soubesse as características que realmente queria em um companheiro?

— Se você é como a maioria das pessoas, é isso mesmo — ele disse.

Eli me falou de um experimento que realizou com o colega Paul Eastwick, para verificar se as características que as pessoas *diziam* querer num parceiro eram de fato as que elas julgavam importantes.

Primeiro, eles pediram às pessoas solteiras que definissem em uma escala sua procura por certas características: traços físicos, potencial de ganhos, calor humano. Os participantes atribuíram notas de 1 a 9, em termos de importância. Depois essas pessoas tiveram encontros-relâmpago. Após esses encontros, classificou-se cada uma delas na sala quanto às características que haviam afirmado procurar. Em seguida, elas "davam notas" a seu interesse romântico em cada candidato. Se depois elas saíssem com um dos pretendentes, fariam um pequeno relatório sobre o encontro.

O resultado foi que as preferências declaradas pelas pessoas não funcionaram com relação ao pretendente com quem queriam sair nem ao grau de divertimento que tiveram.

De acordo com Eli:

— Houve uma falta de correlação entre os desejos que as pessoas informaram no questionário e o que realmente escolheram quando se encontraram com alguém ao vivo.

Por que isso acontece? Como podemos estar tão fora da realidade do que realmente queremos?

Eli me explicou a razão, recorrendo ao meu doce favorito quando criança, as pastilhas de chocolate M&M's: "Se você perguntar às pessoas por que gostam de M&M's, elas talvez respondam que é por causa da casquinha, mas, se você lhes der outro doce com a mesma casca, elas não vão gostar tanto quanto gostam da casquinha dos M&M's. Isso quer dizer que o motivo não é a casca; deve ser outra coisa que as faz preferir os M&M's".

Em outras palavras: *sabemos* que gostamos dos M&M's, mas não conseguimos explicar o *porquê*.

Que tem isso a ver com namorar? Tudo, segundo Eli: "As pessoas são capazes de afirmar com exatidão *do que* gostam, mas não *por quê*. Portanto, se uma mulher diz: 'Estou atraída por esse homem', isso está exato: ela *está* atraída por ele. Mas, se ela diz que é porque ele ganha muito dinheiro, essa talvez não seja uma explicação correta; na verdade, pode ser porque ele é generoso".

Esse é o erro que muitas de nós cometemos: as coisas que julgamos imprescindíveis e os motivos para acabarmos um relacionamento são o "o quê", quando deveriam ser "por quê".

Paul, o colega de Eli, me explicou assim o assunto: "Você talvez pense: 'Eu gostaria de conhecer um advogado que tenha uma vida financeira estável'. Na verdade, você também seria feliz com um compositor que trabalha em uma canção de cada vez. Como é possível que seja assim? Paul diz que é porque, de fato, você queria alguém instruído e intelectual. Você pensou que queria um advogado porque ele tem uma carreira estável, mas na verdade era aquele tipo de *mente* que a atraía".

Paul acredita que o problema "o quê/por quê" seja formado por outro problema: ter padrões muito específicos. Ele trouxe isso à tona quando mencionei uma amiga que é historiadora de arte de um museu da cidade, que busca um cara que "entenda" o mundo artístico.

Paul riu e disse: "Ele não precisa conhecer tanto de arte quanto ela. Parece-me que o que ela realmente quer é alguém inteligente e solícito. Por isso, se o pretendente se interessar por política e assistir ao C-SPAN,[8] ela provavelmente aceitará de bom grado essa preferência dele".

Não me admira que marcar encontros pela internet seja tão difícil. Se não sabemos exatamente o que queremos, provavelmente estamos procurando coisas erradas.

Portanto, não surpreende que, de acordo com um estudo feito pela Pew, em 2005, sobre os hábitos americanos de encontros virtuais, cerca de metade dos solteiros que haviam tentado marcar esse tipo de encontro na verdade tinha saído com uma pessoa, e apenas um terço deles havia construído relacionamentos de longo prazo. Por isso, se somente uma fração desse um terço se casou, as probabilidades não eram favoráveis, mas o casamento não era algo impossível. Conheci várias pessoas que se casaram com alguém que conheceram na internet.

A pergunta era: como poderia eu aumentar minhas probabilidades? Eu estava contando com Evan Marc Katz, o treinador de namoros/encontros amorosos, para me ajudar a resolver a questão.

[8] Canal americano que só trata de política. (N. T.)

8

As segundas-feiras com Evan

Primeira sessão: as porcentagens

— Por favor, abra o jogo — eu disse a Evan, quando nos sentamos à frente do meu computador na nossa primeira sessão de treinamento de encontros. — Você acha que vou encontrar alguém com quem serei feliz se eu fizer isso?

Evan me pediu para resumir o que era realmente importante em um cônjuge, e eu estava tendo dificuldade em fazê-lo.

Na noite da véspera, ele me disse para me inscrever em dois sites de relacionamentos. Agora, estávamos preenchendo minhas preferências de procura considerando porcentagens realistas.

No quesito altura desejada, eu quis escrever entre 1,78 m e 1,83 m. Evan me lembrou de que tenho 1,58 m e me informou que a altura média do homem americano é de mais ou menos 1,75 m.

— Qual a importância da altura do homem para a felicidade no longo prazo? — ele me perguntou, e tinha razão. Diminuí a altura para 1,70 m. Evan forçou mais a barra. — Que importa se um cara tem mais 20 ou 5 centímetros que você?

Ele sugeriu que eu ampliasse a gama de possibilidades para 1,65 m, mas digitei 1,68 m. Eu sabia que isso não devia importar, mas insisti. Eu simplesmente não me imaginava com um cara de 1,65 m de altura.

— Não quero sair com uma pessoa com quem não me casaria — expliquei.

— Você só pode saber com quem vai se casar se sair com ele — respondeu Evan. — Você pode conhecer um homem com 1,65 m legal e espirituoso, e nesse caso a altura não interessa.

Mantive a altura de 1,68 m, e Evan arqueou a sobrancelha e disse:

— Você não está enfrentando a realidade das porcentagens.

— A realidade é um saco — comentei.

— A realidade não é um saco — opôs-se Evan. — Se você não tivesse a ilusão, a realidade seria ótima.

Em seguida, escolhemos a faixa etária que eu queria. Fiquei orgulhosa de mim mesma quando selecionei entre 35 e 48 anos:

— Viu como posso ser flexível? A diferença é de 14 anos.

Evan riu e disse:

— As pessoas são sempre flexíveis quanto aos detalhes que não importam. Elas são flexíveis na extremidade mais jovem, ao invés de onde realmente interessa, que é a extremidade mais velha. Não é nenhum sacrifício dizer que vai sair com alguém mais novo ou mais alto. Que tal aumentar a idade para 52 anos?

Digitei 50. Esse tipo de coisa continuou por mais 10 minutos; cedi o máximo que consegui em todas as categorias, enquanto Evan me lançava olhares dúbios.

Chegamos então ao ponto de começar a procura por candidatos.

Bati de leve no meu teclado, e dúzias de homens apareceram. Analisei alguns e excluí um que parecia interessante, mas escreveu "qualquer" quanto ao nível de instrução desejado para sua companheira em perspectiva. Em outras palavras, "ensino médio" poderia ser o nível maior de instrução de sua parceira.

— Por que alguém com doutorado quer sair com uma mulher que só tenha estudado até o ensino médio? — perguntei. — Obviamente, ele não quer sair com uma pessoa que tenha o mesmo nível de instrução dele. Ele não quer uma mulher inteligente.

— Ou talvez — disse Evan — ele preferisse sair com alguém muito instruído, mas tem vista larga porque acha que pode conhecer uma mulher inteligente que não seguiu o caminho tradicional e não fez faculdade para chegar onde está agora. Não acho que ele tenha dito conscientemente: "Ensino médio, preciso de uma mulher com esse nível de instrução!". Acredito que ele apenas tenha clicado na tecla "qualquer". Talvez esteja apenas sendo imparcial. Você o está julgando por ser imparcial?

Acho que estava. Ao desqualificar um cara que não discriminava, estaria eu discriminando em excesso?

Consideramos outro perfil, de um sujeito bastante atraente, com idade adequada, com características bem explicadas. Contudo, quando li o que ele queria de uma parceira, fiz um sinal de polegares para baixo, que mostrei a Evan. O cara falava de banhos românticos juntos, passeios românticos na praia, manhãs de domingo românticas, enfim, *tudo* era romântico! Deduzi que ele não seria uma combinação para mim, mãe solteira com pouco tempo para aquela espécie de romance. Eu estava procurando o tipo de romance inerente à vida cotidiana em família, numa domesticidade satisfatória. Eu precisava de um homem que compreendesse a vida rotineira de uma mãe com um filhinho.

Evan sorriu e disse:

— Você concluiu que essa é uma representação literal do que essa pessoa é. Ele deve ter gasto cinco minutos respondendo à pergunta de maneira idealizada. Só porque ele não disse: "E, se você é mãe solteira, vou massagear suas costas depois que você acabar de limpar o vômito do bebê", você nem sequer vai levá-lo em consideração? Se você esmiuçar assim todas as pessoas, ninguém terá condições de sair com você.

Refleti sobre minhas porcentagens e acrescentei o Sr. Romântico à minha lista de "candidatos especiais". Depois cliquei no perfil seguinte. Não achei o cara superatraente, mas era um médico que fazia transplantes e, em vista de meus próprios antecedentes na área científica, ele parecia muito interessante. Li mais a seu respeito. Ele foi criado na Costa Leste, o que me agradou: tiquei esse aspecto. Já havia sido casado: tiquei de novo. Tinha filhos: mais um tique. Seus passatempos eram andar de barco, de moto, viajar, esportes, bingo e jogar canastra (?!).

— Bingo? Canastra? — eu disse. — Ele tem só 45 anos, mas age como um sessentão. Fala sério! Canastra???

— Você vai rejeitar esse cara por causa dos passatempos dele? — perguntou Evan.

— Não se trata apenas do bingo. Motocicletas cortam o meu barato — expliquei. — É uma subcultura que acho repulsiva. E olhe só: ele diz que "lê" audiolivros. Ele nem sequer lê, e eu sou escritora.

Dava para saber que Evan já tinha passado pela mesma coisa com outras clientes. Ele arqueou as sobrancelhas, deu um sorriso sagaz, esperou que eu terminasse minha lenga-lenga e disse:

— Você está se esforçando demais, está reduzindo o significado do assunto de uma forma que vai prejudicá-la. Sua evolução para encontrar um relacionamento feliz se baseia em compreender que não podemos mudar os homens, eles são o que são, de modo que você tem de ceder em alguns pontos. Não estou dizendo que deve sair com esse cara, mas ele é um exemplo perfeito de um sujeito que não está tendo uma oportunidade.

Sacudi a cabeça e disse:

— Bingo, motos e audiolivros? Nós não somos compatíveis.

Evan retrucou:

— Você não tem ideia se são compatíveis. O que você precisa se esforçar para fazer, porque não virá naturalmente, é sua lista de qualificações. Você pode ser feliz com alguém que tenha a maioria dos requisitos que procura.

Nesse instante localizei um homem que era exatamente o que eu buscava.

— Opa! — exclamei, clicando num atraente cara de 40 anos. Comecei a ler. Seu perfil era interessante. Ele era engraçado, tinha um emprego moderno e parecia consistente. Gostei do que escreveu sobre o que estava procurando numa parceira; em grande parte, descrevia minha personalidade.

— Só tem um problema — disse Evan.

— Qual? — perguntei. Esse fulano parecia muito promissor. O que poderia haver de errado com ele?

— A faixa etária que ele quer está entre 28 e 35 anos, e ele diz querer filhos.

— Eu tenho um filho!

— Ele não está procurando por alguém com um filho. Se estivesse, teria indicado mulheres de mais idade. Ele quer uma pessoa com quem possa ter filhos.

— Mas, se ele me conhecesse, provavelmente nós simpatizaríamos um com o outro. Temos personalidades e interesses parecidos. Por que eu não lhe mando um e-mail para ver se ele responde?

— Você pode fazer isso — disse Evan, mas o que você faria se um homem de 55 anos lhe enviasse um e-mail? Para ele, você equivale ao mesmo que um cara de 55 anos para você. Não há uma diferença muito grande entre a sua idade e a que ele quer, mas esses poucos anos podem ser fundamentais, porque ele quer ter filhos. Provavelmente ele não vai responder ao seu e-mail. Você vai desperdiçar tempo. O que você precisa fazer é se concentrar nas pessoas que procuram uma mulher como você. Não importa quem estiver procurando se ele não estiver procurando por você.

— É tão injusto ser descartada assim! — comentei, embora eu costumasse rejeitar candidatos daquela mesma forma.

— Você se acha acima das regras porque tem muitas qualidades — disse Evan —, mas as coisas não funcionam assim, como você já deve ter notado. É um trabalho árduo, muito mais difícil do que era antes, e concordo que não é justo. Esse homem provavelmente *gostaria* de você em pessoa, mas provavelmente também se preocuparia por você já haver passado da idade de ter filhos com ele. Assim, você pode tentar ir contra as normas e ficar frustrada, ou pode tentar agir de acordo com o que é realista em termos de porcentagem, e encontrar O Cara Certo para você.

Dizer "sim" ao invés de "não"

Evan clicou num item do Match.com chamado "procura oposta", que mostra homens que atendem a suas exigências, mas também estão procurando alguém como você. Não me surpreendeu que nenhum cara estivesse na faixa etária entre 35 e 45. O mais jovem que vi tinha 46.

— Eis o que quero que faça na semana que vem — disse Evan. — Quero que escolha um entre todos os 20 caras que aparecerem na sua lista de procura oposta. Isso representa apenas 5% dos homens que satisfazem as características escolhidas por você hoje.

Isso era perfeitamente factível, mas Evan tinha mais uma sugestão. Sempre que houvesse coisas que eu não achasse atraentes numa pessoa, deveria ser mais compreensiva e menos crítica. Se, por exemplo, um cara me mandar um e-mail longo e canhestro, isso não quer dizer que ele seja um imbecil. Talvez ele estivesse nervoso, fosse novo no assunto de namoros virtuais ou se interessasse o suficiente para gastar tempo e enviar um bilhete pessoal, em vez de dar uma rápida cantada.

— Procure razões para dizer "sim" ao invés de "não", ele me lembrou. — Acrescente determinadas pessoas ao invés de rejeitá-las. Sempre se pergunte: se um cara interessante estivesse bem à sua frente, você realmente o mandaria passear por causa de alguns quilos ou centímetros ou de uma frase no perfil de que você não gostou? Se for isso mesmo, tudo bem, mas depois não se queixe se não achar ninguém adequado, se você despachou todos os pretendentes em potencial por causa de um detalhe irrelevante. Porque, se esses homens eliminaram pessoas por causa de simples minúcias, provavelmente tampouco sairiam com você.

Essa doeu! Eu não tinha pensado dessa maneira antes. Eu havia me concentrado tanto em estar interessada por um cara que nem me toquei se ele se interessaria por mim. E então Evan me disse para escrever todas as razões pelas quais um cara *não* ia querer se encontrar comigo, todas as coisas que um namorado em potencial teria de suportar se escolhesse ficar comigo.

Anotei umas coisinhas e entreguei a lista a Evan, que a examinou e perguntou:

— É só isso?

— Por quê? — perguntei. — Falta alguma coisa? — Eu havia escrito que sou baixinha, neurótica e que gosto muito de ter privacidade.

— Sei não — respondeu Evan. — Talvez você deva acrescentar que é perfeccionista...

Não entendi o que havia de errado nisso; não é uma coisa boa?

Evan me disse que eu estava cometendo um erro clássico: como nós "nos achamos", seja lá o que estiver "errado" conosco não será problema para um parceiro em potencial. Nós pensamos: *E daí que sou perfeccionista? Isso quer dizer que sou conscienciosa!* Raramente pensamos: *Pois é, sou perfeccionista, e isso me torna muito rígida e de difícil convivência.*

Ele continuou dizendo que é por isso que muitas pessoas listam coisas que, na verdade, parecem positivas: *Sou muito ambiciosa (em vez de "sou implacável"); Sou muito franca (em vez de "sou insensível"); sou muito prestativa (em vez de "sou carente"); sou muito independente (em vez de "sou viciada em trabalho"); sou muito analítica (em vez de "sou muito crítica").*

— Pense em alguma coisa que uma pessoa precisaria *mesmo* suportar para ficar com você — ele disse. Tentei de novo, e logo me lembrei de coisas como: *sou extremamente sensível. Na cozinha, só sei fazer massas. Posso ser patologicamente indecisa, o que sempre leva meus namorados à loucura. Eu me estresso facilmente, e o resultado não é nada bonito de ver. Tenho vários hábitos profundamente irritantes, como o de insistir em que minhas coisas fiquem exatamente no lugar onde as coloquei, mesmo que estejam atrapalhando alguém. Não uso celular porque acho que causa tumores cerebrais; por isso, se você quiser falar comigo, eu terei de estar perto de um telefone comum. E a lista não parava de crescer.*

Não era de admirar que eu tivesse ferrado minha vida afetiva: eu queria me sentir segura e tranquila em um relacionamento, mas, se estivesse com alguém tão cheio de defeitos quanto eu, me sentiria insatisfeita porque ele seria muito diferente do meu ideal. E, se esse homem cheio de falhas se empolgasse comigo, eu diria que ele estava forçando a barra ou, pior ainda, que estava desesperado. Mas, se o segundo candidato mais próximo do meu "ideal" quisesse me namorar, eu ficaria constantemente tensa, tentando ficar "ligada" e ser divertida, e me sentindo insegura porque esses homens sempre tinham incontáveis mulheres disputando sua atenção. Os homens imperfeitos sempre se empolgavam por mim, e os homens que eu idealizava não se mostravam suficientemente empolgados.

Eu sabia que aceitar meus defeitos era importante para aceitar as falhas das outras pessoas, mas, de repente, ao vê-los no preto e no branco, eu me perguntei como é que alguém alguma vez quis sair comigo.

— Muito bem — riu Evan. — A próxima vez em que você estiver na iminência de eliminar um cara porque ele não é seu ideal, tente concentrar-se nas qualidades dele, porque um cara vai ter de concentrar-se nas qualidades que você tem, embora ele talvez queira alguém mais serena ou mais alta. Toda vez que você começar a dissecar um cara, observe que ele está de bom grado ignorando esse fato para sair com você. Queremos ser tolerados por nosso mau humor, mas queremos uma pessoa que nunca fique mal-humorada. Queremos nos sentir atraentes quando engordamos, mas queremos um homem que esteja em boa forma. Isso não é hipocrisia?

Parecia mesmo hipocrisia: eu queria que os homens me aceitassem como sou, mas não estava disposta a fazer o mesmo em relação a eles. No passado, sempre havia me concentrado nas coisas em que teria de ceder para ficar com outra pessoa, mas não levava muito a sério a segunda parte: que estar comigo não era bem ganhar na loteria... O que não era de admirar. Como a maioria das mulheres, minhas amigas sempre me diziam que eu era o maior baú, que qualquer homem seria "sortudo" em me ter, e que eu nunca deveria transigir ao escolher um par.

Mas Evan disse que aquilo que muitas mulheres consideram como "transigir" significa apenas "aceitar."

Evidentemente, ele não estava sugerindo que eu fizesse um transplante e, de súbito, me transformasse numa maria-vai-com as outras; ele estava apenas dizendo que, para reduzir o número de exigências que eu fazia para selecionar os homens, precisaria mudar minha perspectiva. É fácil descobrir as coisas de que não se gosta em uma pessoa, porém é mais produtivo descobrir as coisas de que se gosta.

Ele me falou de uma psicóloga chamada Judith Sills, que escreveu um livro maravilhoso chamado *How to Stop Looking for Someone Perfect and Find Someone to Love*. No livro, Judith diz que toda pessoa é um pacote completo: *não há substituições*. Você precisa aceitar os hábitos irritantes e as características desagradáveis: é o prato econômico do dia, junto do resto da refeição em uma lanchonete. Você talvez tenha de aceitar um acompanhamento metafórico — de que você não gosta — do prato principal.

Judith escreveu: "Se você exige que alguém se enquadre na sua imagem ideal, vai ter um relacionamento de longo prazo com suas fantasias".

Era exatamente isso que Evan estava tentando me explicar. Ao se levantar para ir embora, ele me lembrou da minha tarefa: escolher um entre 20 caras que atendessem a meus critérios de procura, e que também estivessem procurando por mim. Mandar um e-mail para três deles. Na segunda-feira seguinte, analisaríamos as respostas.

9

Não é ele, é você

Eu estava sentada em frente ao meu computador, tentando escolher um entre cada 20 caras no Match.com, quando minha amiga Lisa telefonou e perguntou o que eu estava fazendo. Contei-lhe sobre a tarefa de Evan e sugeri que ela fizesse o mesmo. Lisa, que tem 35 anos e é solteira, suspirou. Ela disse que o plano parecia bom, mas ela estava completamente exausta quanto a namoros, virtuais ou não. Naquela noite, não queria discutir o assunto, que só a fazia sentir-se mais aterrorizada sobre ainda estar solteira.

— Vamos falar sobre filmes, livros, aquecimento global, o mais recente episódio de *Weeds*, qualquer coisa, menos de homens.

Quanta diferença de dois anos antes, quando Lisa tinha 33 e só falava sobre homens... Ou, melhor dizendo, sobre *um* homem: seu namorado. Lisa estava namorando Ryan havia um ano, advogado de 33 anos por quem ela estava com os quatro pneus arriados. Eles se divertiam muito juntos, tinham o mesmo objetivo de formar uma família e pareciam compatíveis como amigos e amantes. Ryan já fazia até comentários sobre casamento, mas alguma coisa não estava certa.

— Ele não me paparica — disse Lisa, quase ao final do primeiro ano juntos. — Essa não é a maneira como estou habituada a ser tratada pelos meus namorados.

Na época, entendi perfeitamente o que ela queria dizer: ela não se sentia *adorada* pelo namorado. Ele afirmava amá-la, mas nunca disse que era *o cara mais sortudo do mundo* por tê-la encontrado. Dizia que ela era bonita, mas não *a mulher mais linda que ele conhecia.* Ele levava Tylenol quando ela estava gripada, mas nunca a presenteava com flores, mesmo que não houvesse motivo. Ele era gentil e afetuoso com ela, mas não demonstrava. Ele não a punha num pedestal, como haviam feito os outros namorados. Não tinha nada a ver com o fato de ela tampouco não o pôr num pedestal. Esperava-se que ele *lhe* fizesse a corte, não?

Certo dia, depois de mais um comentário sobre casamento, Lisa discutiu suas dúvidas com o namorado:

— Acho que você não está totalmente apaixonado por mim — ela disse.

— É claro que estou! — garantiu ele. — Ele não conseguiu entender por que ela pensava daquela forma, e Lisa não conseguiu explicar: era apenas uma sensação, mas persistia. Toda vez que ela trazia o assunto à tona, ele ficava perplexo, e ela se sentia rejeitada. Ele então tentava todos os tipos de gestos românticos para demonstrar seu amor, por exemplo: de manhã deixava um bombom com um bilhete amoroso no travesseiro dela, telefonava no meio do dia só para dizer que a amava. Lisa ficava encantada com esses gestos, mas não confiava neles: "Quero que ele *tenha vontade* de fazer essas coisas, mas agora ele só está fazendo porque eu *pedi*".

Ainda assim, Lisa se sentia segura, porque, mesmo se os gestos lhe parecessem forçados, Ryan era um amor ao fazê-los. Mas então, dois meses depois, Lisa e Ryan estavam numa festa de noivado e o noivo disse, ao brindar à sua noiva, que jamais conseguiria amar outra pessoa com a intensidade com que a amava. Lisa embatucou com isso, e, quando ela e Ryan estavam no carro a caminho de casa, ela lhe fez esta pergunta:

— Se alguma coisa me acontecesse e eu morresse jovem, você acha que poderia amar outra mulher tanto quanto me ama?

Ele pensou um instante e respondeu:

— Bem, seria um tipo de amor diferente do que sinto por você.

— Diferente quer dizer que você teria me amado mais? — indagou Lisa.

— Diferente quer dizer... de outro modo — ele respondeu, pegando-lhe a mão e lhe perguntando: — Que importa isso? Quero estar com *você*, não com outra mulher hipotética. Não quero pensar em você morta, eu amo *você*. Seria difícil encontrar alguém que eu amasse tanto, mas se eu morresse gostaria que você se apaixonasse de novo, e o relacionamento seria diferente do nosso, mas eu desejaria que você continuasse com sua vida.

Três semanas depois, Lisa rompeu com ele.

— Eu queria que ele fosse absolutamente *tarado* por mim — disse Lisa agora, dois anos depois. — O fato de ele poder se imaginar amando outra mulher tanto quanto me amava, me fez achar que eu não era o amor da sua vida. Eu queria que ele dissesse: "Posso me imaginar me casando de novo, mas nunca amaria minha segunda mulher tanto quanto amo você".

Perguntei a Lisa o que aconteceria se a situação hipotética fosse ao contrário: se ela tivesse se casado com Ryan, e ele morresse jovem, ela podia se imaginar apaixonando-se de novo?

Fez-se longa pausa e depois ela admitiu:

— Posso. Acho que sei, pelo menos intelectualmente, que se pode amar plenamente mais de uma pessoa na vida, mas no meu coração quero que um cara só se apaixone uma vez, e por mim.

Na ocasião, eu a apoiei totalmente, mas hoje, ao refletir sobre o que Evan chamou de "expectativas insensatas", quando cliquei nos perfis on-line, de súbito me dei conta de que Lisa também não estava sendo sensata. Entretanto, em outras áreas da nossa vida, éramos consideradas pessoas razoáveis. O que estava acontecendo?

Qualificadas demais para um relacionamento apenas comum

O Dr. Michael Broder, psicólogo da Filadélfia especializado em relacionamentos, acredita que muitas mulheres solteiras hoje em dia transferem uma perigosa sensação de "merecimento" para os namoros. Ele acha que querer ser adorada dessa maneira fantasiosa é mais uma exigência insensata que faz parte dos já não razoáveis *checklists* de algumas mulheres.

— Estou cansado de ouvir mulheres me dizerem: "Se eu não conseguir um cara que seja assim ou assado, prefiro ficar sozinha" — ele me disse. — Aí eu respondo: "Tudo bem, mas esteja preparada para a segunda hipótese, porque, com esse sentido de *direito adquirido*, você provavelmente vai acabar mesmo sozinha".

Ele continuou: "Para essas mulheres, não apenas o cara que elas imaginam é uma fantasia, como também o é um relacionamento verdadeiro".

Afinal de contas, há limite para o que um relacionamento pode proporcionar, e o Dr. Broder acha que as mulheres com esse estado de espírito procuram um relacionamento baseado no que o homem pode *lhes* oferecer — isto é, uma coisa muito egocêntrica — em vez de querer algo mais recíproco.

Uma de suas pacientes, por exemplo, recentemente lhe disse, sobre seu namorado: "Por que devo aceitar um cara menos bem-sucedido do que eu? Prefiro ficar sozinha!".

O Dr. Broder diz perceber hoje um senso reivindicatório mais elevado, que as gerações anteriores não tinham. Talvez nossa mãe tenha desejado, mas não esperado, seu marido sempre a agradando, que ficasse atraído por ela, a divertisse, gostasse de partilhar todos os seus interesses e fosse a pessoa mais atraente do local. Pelo contrário, ela sabia que o casamento abrangia saúde frágil, envelhecimento, tédio, períodos de estresse e distanciamento, hábitos irritantes, problemas com filhos, provações e mal-entendidos de todos os tipos. Mas hoje em dia muitas mulheres procuram uma união espiritual idealizada ao invés de um relacionamento conjugal realista.

— O resultado é que hoje há mulheres que se consideram qualificadas demais para se permitirem um relacionamento comum — afirma o Dr. Broder —, mas pergunte a mulheres bem casadas e elas provavelmente lhe dirão que seu casamento nada tem de incomum.

Então, como foi que "comum" se tornou o beijo da morte dos namoros?

Será que ele está à minha altura?

Talvez seja uma questão de ego. De todas as conversas sobre mulheres com baixo amor-próprio, o Dr. Broder afirma que muitas interpretam tão ao pé da letra a mensagem de "poder feminino" como *Eu sou o máximo!* que ninguém as merece.

Pensei em uma conhecida minha de 29 anos para quem marquei um encontro com um cara que — eu disse isso a ela antes do encontro — me fazia lembrar dela.

— Ele é bonitinho e adora filmes antigos — contei. — Tem muito a ver com você.

Ela saiu com o fulano, e voltou insultada: "Como você pôde dizer que ele era como eu?".

Não entendi o que ela quis dizer.

— Você não me falou que ele era tão magricela!

Bem, ela também era.

— E ele tem um cabelo esquisito!

Era verdade, mas havia um ano ela tingira uma faixa roxa no seu próprio cabelo. Perguntei-lhe então o que ela esperava dele.

— Alguém mais dinâmico. A gente conversou sobre filmes antigos e ele foi um amor, mas, quando você disse que ele tinha muito a ver comigo, eu estava esperando uma pessoa mais...

Seu tom de voz baixou, mas eu sabia que ela estava tentando dizer: "Você acha mesmo que esse cara é do meu nível?".

Bem, sim, eu achava, sim. E também achava que, se ela se visse como era e não como Angelina Jolie, poderia ter gostado muito do fulano. Ambos eram bonitinhos, legais e gente perfeitamente agradável, mas não chamavam a atenção pela aparência nem pelo carisma ao entrar em um lugar. Eram pessoas comuns. *Como a maioria de nós.* (É claro que ele está noivo de alguém muito parecido com ela, mas sem sua atitude negativa. E ela, é claro, continua solteira.)

Quanto mais eu conversava com o Dr. Broder, mais me perguntava se esse tipo de egocentrismo era uma grande parte do que tornava difícil encontrar um cara. Será que chegamos ao ponto em que nos achamos tão especiais — tão extraordinariamente excepcionais e atraentes — que perdemos inteiramente a perspectiva? Eu costumava pensar: *pois é, tenho padrões elevados e não posso evitar se tenho bom gosto.* (Falando em bom gosto, deixa pra lá que os caras que eu *escolhi* tampouco eram fabulosos.) Sempre dizem à nossa geração para ter muito amor-próprio, mas parece que as pessoas que se "acham" correm o risco de "viajar" tanto no seu ego que impedem qualquer ligação romântica. Quanto melhores nos achamos, mais críticas somos com caras perfeitamente legais.

É quase como ser um juiz nas Olimpíadas que dá aos homens uma classificação de "marido": todo mundo começa com um 10, depois o juiz tira pontos de qualquer imperfeição. Ele não é divertido o bastante? Menos dois pontos. Suas sobrancelhas são cerradas? Menos um ponto. Não seria melhor, em vez disso, começar um namoro a partir do zero e ir atribuindo pontos por qualidades como gentileza e cordialidade?

Sempre diminuí pontos mentalmente antes de marcar um encontro com alguém. Se, por exemplo, eu queria alguém inteligente, divertido e bonitinho, e ele fosse inteligente, divertido, bonitinho e *nerd*, eu esquecia tudo sobre "inteligente, divertido e bonitinho" e me concentrava no fato de ele ser *nerd*. Eu me concentrava nos aspectos decepcionantes, em vez de me achar sortuda por ter encontrado os aspectos positivos.

É isso que um elevado senso de automerecimento pode fazer.

Vocês dois são deficientes

"Ser menos exigente não ajuda apenas nos namoros, mas também nos casamentos". Foi isso que me disse Gian Gonzaga, psicólogo e cientista sênior do eHarmony.com, que conheceu sua mulher enquanto trabalhava no famoso "laboratório de casamentos" da Universidade da Califórnia. Sua pesquisa, que abrange 600 casais no período de vários anos, concentra-se na satisfação do relacionamento e nos prognósticos de sucesso no casamento.

— Os casais felizes no casamento acreditam que seus parceiros sejam melhores do que a média das pessoas, embora isso seja estatisticamente impossível — explicou Gian. — Chamamos a isso de "ilusões positivas". O que não quer dizer que as pessoas não reclamem de seus cônjuges, ou que não discordem entre si. No final do dia, elas continuam achando seus pares superiores à maioria das pessoas.

Ele diz que nos namoros isso funciona de maneira oposta para muita gente solteira que não consegue encontrar a pessoa certa. Em vez de olhar as pessoas que estamos namorando por uma lente positiva, nós *nos* vemos como superiores. Por isso, as pessoas costumam atribuir o que está faltando no relacionamento ao seu par, mas Gian afirma que isso funciona nos dois sentidos.

— Temos a tendência a ficar atraídos por pessoas parecidas conosco em termos de estabilidade emocional, intelecto e competência — ele afirma. — Por isso, se você namora uma pessoa que se comporta sempre fora dos padrões normais, você provavelmente também é assim. Se essa pessoa é neurótica, você também provavelmente é. Para atrair o tipo de pessoa que você tem em mente, precisa *ser* esse tipo de pessoa. Não quer dizer que todos os caras que você namorou não estivessem à sua altura. As pessoas precisam se dar conta de que elas levam o próprio ego para todo esse processo.

Gian continuou: "Nos relacionamentos bem-sucedidos, os casais consideram as qualidades um do outro, em vez de se concentrarem nos defeitos, porque todos nós os temos".

Certa mulher em Indiana tentou me dizer a mesma coisa. Laura, casada havia 12 anos, observou: "Nós, mulheres, gostamos de nos considerarmos deusas que merecem a adoração e a dedicação total de um homem, e ficamos irritadas quando ele não nos dá isso. Lamentavelmente, acordamos com o cabelo desgrenhado, mau cheiro corporal, temos rugas, 'pneuzinhos' e atitudes negativas. Nós não desculpamos facilmente essas coisas nos homens, mas esperamos que os homens não se importem com elas."

Preciso falar sobre *Sex and the City*

Estou careca de saber — é um enorme chavão falar de *Sex and the City* e quase perco a vontade de abordá-lo, mas não posso resistir porque está relacionado a esse tipo de percepção de merecimento.

Por outro lado, a mídia fez uma enorme "onda" quando o filme baseado no livro e na série de megassucesso rendeu quase 200 milhões de dólares só nos Estados Unidos, porque isso mostrou que as plateias pagavam para ver mulheres fortes e bem-sucedidas na telona. Mas acho que o fato provou também outra coisa: que não sabemos a diferença entre "fortes" e "egocêntricas".

Caso você tenha sido uma das poucas mulheres solteiras que não assistiu ao filme, Samantha diz ao seu maravilhoso namorado, que ficou ao seu lado quando ela teve câncer de mama, que vai romper com ele porque "amo você, mas me amo mais!", e as plateias vibraram! O namorado era leal, amoroso e um tesão, tolerou as exigências dela e a apoiou na luta contra a doença; apesar disso, ela decidiu deixá-lo porque estava apaixonada por *si mesma*. E se concordou que isso era uma demonstração de fortalecimento do poder feminino. Se invertêssemos os sexos (ela o apoia numa extenuante fase de câncer de próstata, mas ele cai fora do relacionamento!), aposto que a plateia inteira o vaiaria e o chamaria de um completo babaca.

Samantha não é a única personagem com um intenso sentido de automerecimento. Carrie é um pesadelo, uma *noivazilla* que fica indignada quando seu noivo lhe diz que gostaria de se casar na Prefeitura. Ele alega não se importar com o dia do casamento, mas sim em ficar com ela todos os dias.

Então, o que faz Carrie? Ela e suas amigas igualmente egocêntricas vão para o México na lua de mel que Carrie teria com o então marido e — adivinhe! — reclamam dos homens. O espetáculo planejado para o dia do casamento não saiu como esperado e ela agora está na lua de mel sem seu amado suposto futuro marido. Isso é ser "forte" ou "mimada"?

A série de TV não era muito diferente. A cada semana, as personagens examinavam minuciosamente diversos homens. Não havia espaço para imperfeições, e, se O Cara também não achasse que a namorada era perfeita, bem, obviamente, ela lhe dava o fora.

— Se você não está completamente apaixonado e de pneus arriados por mim — Carrie disse certa vez a Big —, e se você não me acha a mulher mais linda que já viu na vida, acho que devo chutar o balde.

Qualquer adulto racional sabe que, no planeta Terra, poucos homens acham que sua parceira é a mulher mais linda que já viram na vida e vice-versa. Mas, como as moças dessa famosa série de TV, muitas mulheres esperam que os homens as paparíquem como se fossem rainhas. É precisamente por isso que outras heroínas de outra maneira atraentes tinham tudo, menos um homem. Elas tratavam o amor como se fossem adolescentes de 16 anos, esquecendo-se de que moças dessa idade não estão nada preparadas para um casamento na vida real.

— Você acha mesmo que existam muitas mulheres como a Carrie? — perguntou-me Elizabeth, uma editora solteira de 31 anos da Carolina do Norte. Antes de eu poder responder, ela continuou, descrevendo um sujeito que lhe escrevia bilhetes amorosos e por quem ela estava se sentindo atraída.

— Ele presta muita atenção a meus problemas diários e me faz um monte de perguntas sobre minha vida. Muitos homens, a meu ver, não agem assim. Ele também responde a todos os meus e-mails e textos de maneira rápida e espirituosa. Ele sempre procura ótimos concertos para nós irmos, e me disse que eu era exatamente a pessoa que ele estava procurando. Que mulher não gosta de ouvir isso?

Ela prosseguiu: "Entretanto, ao mesmo tempo, ele parece pouco à vontade comigo, e seu apartamento é entupido de material esportivo da equipe da Universidade da Carolina do Norte. Acho isso meio imaturo. O lugar parece o quarto de um estudante do ensino médio, menos as fotos sensuais de modelos de revistas, calendários etc. É o equivalente esportivo à pornografia do time da UCN. Ele não costuma fazer caminhadas, nem fala nenhum idioma estrangeiro. Nada disso se enquadra na imagem do cara que eu queria. Será que eu sou mesmo assim?".

Causas para a dispensa

Talvez muitas de nós sejamos. Meu amigo Mark, pai divorciado, mandou-me uma troca de e-mails que manteve com Melanie, uma mulher que nunca havia se casado e que ele conhecera na internet. Eles pareciam combinar, por isso ele e Melanie estavam fazendo planos para se encontrar pessoalmente.

Melanie

De: Melanie
Para: Mark
Enviado em: Sexta-feira, 13 de junho de 2008, às 14:21
Assunto: Nosso encontro

Mark, que tal amanhã, sábado, às 11 da manhã?

Mark

De: Mark
Para: Melanie
Enviado em: Sexta, 13 de junho de 2008, às 23:30
Assunto: Nosso encontro

Tudo bem. Você me encontra em frente ao Aroma?

Melanie

De: Melanie

Para: Mark
Enviado em: Sábado, 14 de junho de 2008, 7:36
Assunto: Nosso encontro
Perdi o interesse. Você está dispensado.

Mark

De: Mark
Para: Melanie
Enviado em: Sábado, 14 de junho de 2008, 7:43
Assunto: Nosso encontro
Sério? Que aconteceu?

Melanie

De: Melanie
Para: Mark
Enviado em: Sábado, 14 de junho de 2008, 7:58
Assunto: Nosso encontro
Você só me respondeu quase no dia seguinte, o que quer dizer que eu não era uma prioridade. Eu não aceito isso.

Mark

De: Mark
Para: Melanie
Enviado em: Sábado, 14 de junho de 2008, 8:10
Assunto: Nosso encontro
Bem, isso vai me ensinar que eu deveria ter um Blackberry, para poder explicar ter ficado longe do meu computador ontem do meio-dia até tarde da noite, ter comparecido à cerimônia de formatura do meu filho na faculdade e depois ter jantado com ele no Irvine. Porque, quando você não responde ao e-mail de alguém depois de algumas horas, não pode nunca ser porque está longe do seu computador, envolveu-se em um acidente, está viajando, compareceu a um evento importante etc. A única justificativa possível é que você considera a pessoa que lhe mandou o e-mail uma baixa prioridade. Obrigado pelo *insight* que apenas uma conclusão precipitada pode oferecer.

Melanie

NÃO RESPONDEU.

Perguntei a Mark se Melanie chegou a contatá-lo depois, e ele respondeu: "Alguns dias depois; ela pediu desculpas e alegou ter estado muito estressada, e que deve ter reagido exageradamente, mas ainda assim não queria encontrar-se comigo".

De acordo com o e-mail de Melanie, "Perdeu-se o ímpeto".

Mark disse que era comum esse tipo de egocentrismo:

— Houve também a mulher sem filhos que eu estava namorando, e que me deu um ultimato. Eu poderia aceitar o convite dos meus filhos para o *Passover seder*[9] na casa deles, ou passar a festa com ela e seus parentes na casa deles. Se eu aceitasse o convite dos meus filhos, podia dar adeus ao relacionamento com ela.

Ele decidiu o quê?

— Você vai ficar atônita por saber que ela e eu não estamos mais juntos — ele disse, ironicamente.

Perguntei a outras mulheres o que achavam da troca de e-mails de Mark e Melanie, e do ultimato que a ex-namorada dele lhe dera. Os comentários variaram entre ela "não bater bem", ser "inflexível" e "egoísta".

Ainda assim, tivemos de admitir que, de maneira destorcida, podíamos compreender por que essas mulheres se sentiram tratadas injustamente: um cara idealizado não deixaria a mulher esperando nove horas pela resposta ao seu e-mail. O cara dos sonhos de uma mulher gostaria de ficar com sua amada em um ritual, mais do que qualquer outra coisa. (Mas é claro que se aceita que a mulher priorize os filhos em lugar do namorado, e, se *ele* pedisse que ela ficasse com ele, seria considerado egoísta.)

O problema é que não existe o homem sonhado (precisamente porque *nós o idealizamos*), e, mesmo que existisse, seria realmente o cara com quem gostaríamos de ficar? Um cara que não tem outros interesses na vida a não ser nós? Um cara que não passa os feriados com os próprios filhos?

Claro que não. Mas imagine as conversas que Melanie e a "Gata da Páscoa", como veio a ser conhecida, tiveram com suas amigas sobre por que foi necessário dar o fora em Mark.

"Ele é um babaca", é o que devem ter dito, enquanto as amigas concordavam com a cabeça e bebericavam vinho em mais um bar só para mulheres, onde elas procuravam homens disponíveis.

---

[9] Festa que marca o início do feriado judaico da Páscoa. (N. T.)

É, ele está com *ela*

Melanie é realmente exagerada, mas muitas de nós, que temos uma noção mais apurada dos nossos direitos ao namorar, nem percebemos. Certa mulher, casada fazia cinco anos, contou-me uma história interessante.

Quando era solteira, Danielle foi a um jantar na casa de uma amiga casada. Ela se sentou ao lado de um fulano e achou que ele tinha um papo muito agradável, mas descobriu que a mulher do lado direito dele era sua noiva. Essa moça era menos atraente, sedutora e espirituosa do que Danielle. (Acredito nisso: Danielle é mesmo atraente, sedutora e espirituosa.) Depois que todos foram embora, Danielle estava conversando com sua amiga anfitriã e reclamou estar farta de conhecer homens comprometidos. Ela não conseguia entender como é que tantas outras mulheres conseguiam caras legais, enquanto ela continuava sozinha.

— O que é que ela tem que eu não tenho? — perguntou Danielle, referindo-se à noiva do cara por quem ela se interessou. Sua amiga lhe respondeu, na bucha: — Duas coisas: compreensão e o amor dele. A compaixão é que leva ao amor.

Essa amiga já vira, durante anos, Danielle se empolgar com homens, da mesma forma que ficou em relação ao convidado do jantar daquela noite, mas um mês ou um ano depois ela achava alguma coisa errada neles. Isso foi um alerta para Danielle, que compreendeu naquele instante que, se continuasse a julgar parceiros em potencial e sempre encontrasse defeitos neles, terminaria sozinha. Ela acabou se casando com o namorado seguinte.

— Depois daquela conversa, abordei meu próximo relacionamento de maneira completamente diferente — ela me contou. — Me concentrei em avaliar o que eu gostava nele, e em ser compreensiva sobre as coisas que julgava erradas. E me dei conta de que não havia agido assim em relação a meus ex-namorados.

Danielle reconheceu que antes não percebia que sua noção mais apurada dos seus direitos afetava seus relacionamentos.

— Eu costumava pensar "esse cara não está me dando o que quero", e terminava com o sujeito. Depois, quando conheci meu marido, compreendi que, se eu continuasse com a atitude de esperar coisas dele, em vez de gostar do que ele era, eu estaria me sabotando. Tomei a decisão consciente de ficar satisfeita com o que ele tinha a oferecer no relacionamento, em vez de reclamar sobre o que lhe faltava. E percebi que não tinha o direito de me queixar sobre uma coisa que eu mesma não estava dando. Um dia ele me disse: "Eu gosto de ser romântico, mas não entendo por que só eu tenho de ser assim neste relacionamento". Aí me dei conta de que eu esperava que todos os atos românticos viessem dele, e que talvez fosse bom se eu também tivesse atitudes românticas.

Como explicou o Dr. Broder, sempre esperamos que nosso namorado nos ofereça muitas coisas: elogios constantes, férias, refeições, apoio emocional em todas as horas de todas as semanas, gestos românticos. E os homens que não satisfazem todas essas características recebem um pé na bunda, desnecessariamente.

Certa mulher com quem falei deu o fora num cara porque achava que ele não lhe telefonava vezes suficientes durante o dia para verificar se ela estava bem. Não importava que ele fosse médico e lhe fosse difícil ter tempo livre. Ela queria alguém "mais disponível". O engraçado é isto: ela achava que o problema era que *ele* precisava mudar. Nunca lhe ocorreu que talvez *ela* precisasse ser mais compreensiva. Nunca lhe ocorreu que ela pudesse ser mais feliz e crescer como pessoa, se fizesse algumas mudanças para melhorar seus relacionamentos.

Um barbeiro de Montana disse-me que essa atitude está repelindo os homens. "Eu tenho muitos clientes disponíveis, mas vários deles me disseram que estão decididos a deixar de namorar. Eles dizem que a mulher americana moderna não contribui em nada para o relacionamento, exceto essa ânsia profunda de que ele seja tudo para ela, a não ser que apareça um pretendente melhor."

Ou, nas palavras de um dentista solteiro de Atlanta: "As mulheres estão sempre perguntando: 'Onde estão todos os caras que prestam?'. Eu respondo: 'Vocês não conseguem percebê-los, mesmo que estejam bem à sua frente'".

Pensei em todas as conversas que tive durante anos com amigas solteiras sobre o fato de não haver caras suficientes que prestassem, mas nós os estávamos afastando com nossas expectativas absurdas.

Talvez precisássemos *superar a nós mesmas.*

É uma percepção humilhante, mas eu sabia que era verdade. Eu precisava vencer a mim mesma. Eu também estava sofrendo dessa doença. Era claro que, se eu quisesse conhecer alguém, teria de parar de me queixar dos homens e, em vez disso, concentrar-me em fazer melhores escolhas.

Mas como?

PARTE TRÊS

Fazendo escolhas mais inteligentes

O perfeito é inimigo do bom.

— Voltaire

10

Não seja exigente, seja feliz

Abaixo, duas perguntas dirigidas à colunista de conselhos sentimentais da revista *Slate*:

> *Prezada Prudence,*
>
> *Tenho um dilema. Há pouco mais de dois anos namoro um cara. Houve uma época em que achei que devia me casar com ele... É inteligente, ambicioso, gentil, e não brigamos nem discutimos muito; mas há certas coisas sobre ele que me fazem pensar que não devemos ficar juntos. Recentemente fui morar com ele, "de mala e cuia" e meus dois cães e dois gatos. Eu o amo, mas não acho que nossa ligação esteja nem sequer perto do relacionamento de contos de fadas por que sempre ansiei. O que preciso saber é: existe mesmo o romance dos contos de fadas? Sei que serei sempre amada e protegida por ele, mas será isso suficiente? Será que eu estaria me conformando se concordasse em me casar com ele? Meu último relacionamento durou demais (cinco anos), e eu sabia que nunca nos casaríamos. Eu simplesmente não quero desperdiçar mais cinco anos da minha vida com outro homem e ver que não é meu destino ficarmos juntos. Você acha que devo discutir o assunto com ele?*
>
> — *Confusa*

Prezada Confusa,

Falar com ele e dizer o quê? "Será que você pode ser um pouquinho mais semelhante a um Príncipe Encantado?" A não ser que você tenha uma ideia concreta do que ele poderia fazer para contribuir para a sua fantasia, como enviar-lhe flores todas as sextas-feiras ou deixar poemas no seu travesseiro, não sugiro que você partilhe com ele seu desejo de um romance de contos de fadas. As qualidades citadas por você: inteligência, ambição, gentileza, e as poucas discussões entre vocês certamente pareceriam com as de um Príncipe Encantado para um grande número de mulheres. E, minha cara, ele até aceitou bem seu pequeno zoológico quando você foi morar com ele. Quanto à sua pergunta: será que existe mesmo o romance dos contos de fadas? Eu diria que sim e, na verdade, já vivi um deles. Pena que eles não durem. Contos de fadas são, para o romance, o que os fogos de artifício são para o céu noturno. Esses romances são condições passageiras e, embora sejam temporariamente emocionantes, não devem ser o centro ao redor do qual se construa uma vida.

— Prudie (meu apelido)

Olá, Prudence!

Quando acabou meu casamento de oito anos, passei algum tempo sozinha; porém depois se seguiu uma série de encontros com homens que eram maravilhosos no papel (cultos, tínhamos as mesmas preferências quanto a livros, música, arte etc.), mas uns malas, socialmente inadequados, ou, para resumir, o tédio em pessoa. Estou agora com um cara que, muito possivelmente, é o Homem Certo, e que namoro há quase um ano. Ele é gentil, sensível, um grande ouvinte e um amante fabuloso. Minha única reclamação é que, com ele, não tenho as mesmas afinidades intelectuais de que desfrutava tanto com meu ex. O Joe (vou chamá-lo assim) não se recusa a frequentar museus nem espetáculos que me interessem, mas é evidente, para mim, que não devo esperar dele nenhum novo insight *sobre essas experiências, e que eu sempre serei a pessoa a tentar novas percepções. Amo meu namorado e não quero subestimar suas muitas e excelentes qualidades, mas, prestes a comemorar um ano juntos, me preocupa muito acabar ficando inquieta nesse relacionamento, que não me estimula intelectualmente. Será que estou me concentrando demais numa falha irrelevante ou só estou adiando um rompimento inevitável?*

— Atormentada pela Dúvida

Prezada Atormentada pela Dúvida,
Minha resposta seria outra se você tivesse escrito que conheceu um homem gentil, sensível, grande ouvinte e um brilhante crítico cultural, mas incompetente na cama. Tudo bem que você e seu ex-marido fossem capazes de conversar sobre o mais recente livro de Tom Stoppard até altas horas, mas isso não impediu que o relacionamento se deteriorasse. Você não diz que seu namorado não é inteligente, mas apenas que ele não tem os mesmos interesses artísticos que você. E daí? Se você quiser uma discussão estimulante sobre uma peça teatral ou a exposição de um museu, convide mais um casal para conversar sobre o assunto depois do jantar. Ou vá a um espetáculo com uma amiga que partilhe seus interesses. Provavelmente seu namorado poderia me escrever e afirmar que você e ele combinam em muitas maneiras, mas todas as namoradas que ele teve antes esquiavam maravilhosamente, e eram especialistas em observar pássaros, e ele se pergunta se, com o passar do tempo, ele não se sentirá infeliz em estar com alguém que nunca se equivalerá a elas naqueles assuntos. Você não ia querer dizer: "Não jogue fora o que temos por causa de esqui!"? Mas, se você quer recomeçar sua procura para encontrar a pessoa até aqui não descoberta, que combine com você em todos os aspectos, conclui-se que uma mulher menos exigente rapidamente vai verificar que Joe é perfeito.

— Prudie

De acordo com o cientista social Barry Schwartz, existem dois tipos de pessoas no mundo: as "maximizadoras", que querem sempre mais, e as que se satisfazem com o que têm. As duas mulheres à procura de conselhos que fizeram as perguntas anteriores são do tipo clássico, das que querem sempre mais. Na verdade, elas são como um grande número de mulheres solteiras, inclusive eu.

Isso não é nada bom, especialmente quando se trata de namorar.

No seu livro esclarecedor *The paradox of choice: why more is less*, Barry explica a diferença entre as que querem sempre mais e as que se contentam com o que têm:

digamos que você queira comprar um suéter. Quer que ele lhe caia bem, seja elegante, não provoque coceira, tenha uma cor bonita e custe o que você pode pagar. Digamos que ele precise combinar com determinado traje. A mulher que se satisfaz com o que tem vai a uma ou duas lojas, encontra um suéter que preenche todos aqueles requisitos e o compra.

Assunto resolvido.

Por outro lado, uma mulher que sempre quer mais vai a uma loja, escolhe um suéter que atenda todos aqueles critérios e pensa: *Este suéter é bonito, mas talvez eu deva dar uma olhada naquela loja interessante que fica nesta mesma rua. Talvez lá eu encontre alguma coisa de que eu goste mais, e quem sabe eu possa achar um suéter em liquidação.* Assim, a que sempre quer mais esconde o suéter bonito no fundo da pilha (para que ninguém mais possa comprá-lo) e vai à procura em outra loja (ou outras cinco lojas).

É possível que você pense que a mulher do segundo tipo acaba encontrando um suéter melhor — afinal de contas, ela examinou outras possibilidades —, mas esse não é necessariamente o caso. Uma mulher que se satisfaça com o que tem não está buscando o máximo, embora seus padrões sejam elevados. A diferença é que ela para de procurar quando acha o objeto que satisfaz esses padrões.

Ela quer uma coisa elegante e a encontrou, por isso não precisa ficar em dúvida se vai achar algo *mais* elegante em outra loja. Ela quer algo que possa pagar e a encontrou, por isso não precisa ficar em dúvida se vai achar uma coisa mais *barata* em outra loja. Ela quer algo que fique bem nela e achou, por isso não precisa ficar em dúvida se vai encontrar algo que lhe caia ainda *melhor* em outra loja.

A maximizadora, por outro lado, passa mais três horas ou dias procurando o suéter perfeito, e talvez não o encontre, fazendo-a comprar o suéter que escondeu debaixo da pilha na primeira loja. (Se o suéter ainda estiver lá, o que, a essa altura, é muito improvável: uma conformista já o comprou!)

Mas digamos que a que sempre quer mais encontre um suéter ligeiramente mais bonito, ou um pouquinho menos caro. Será que ela fica mais feliz com sua compra do que a mulher que se satisfaz quando acha o que quer?

Barry afirma que isso não é provável, porque, enquanto uma mulher moderada fica satisfeita com uma coisa muito bacana, a maximizadora só se satisfaz com o *crème de la crème*. E, como nunca se pode ter certeza de que se conseguiu o melhor suéter de todos — não dá pra ver todos os suéteres da cidade; novos estilos surgirão nas vitrines das lojas naquela mesma semana e é possível que você goste mais de um deles —, toda essa transação inclui muita ansiedade.

Entrementes, pense em todo o tempo e energia gastos em tomar essa decisão, tudo isso por um suéter um pouquinho mais bonito ou dez dólares mais barato e que, no longo prazo, não vai fazer nenhuma diferença. Em vez de ter ficado agoniada todo aquele tempo, você estaria agasalhada e elegante, e provavelmente até seria elogiada.

Mas, agora, porque você se esforçou tanto para encontrar o suéter perfeito, os riscos são ainda maiores: será que você escolheu mesmo *o melhor suéter*? É como as mulheres que dizem: "Esperei até aqui pelo Cara Certo, e não vou me conformar com qualquer um *agora*". Quanto mais você esperar e procurar, "melhor" terá de ser o suéter — ou o cara. Você não vai querer enfrentar toda aquela luta e agitação e acabar com um suéter ou um cara "razoável" igualzinho àquele com quem você poderia ter ficado e desfrutado há anos. Isso justifica comprar o suéter bonito o suficiente e a escolha do fulano razoável na primeira vez.

Mas um homem é o mesmo que um suéter?

Tudo bem, obviamente um suéter não é um relacionamento, mas, seja a respeito de um suéter ou de um par romântico, as que se satisfazem com o que têm costumam ser mais felizes do que as que sempre querem mais. As mulheres equilibradas sabem quando encontraram o que querem, mesmo que não seja perfeito. As maximizadoras continuam procurando por alguém melhor e nunca escolhem ninguém, ou escolhem uma pessoa, mas sempre se perguntam se se conformaram com o que têm. Não compreendem que não conseguir 100% do que queremos não é apenas "aceitável" — é normal.

Quando liguei para Barry Schwartz na Swarthmore College, onde ele é professor, ele explicou assim a situação difícil das maximizadoras: "Elas sempre estão procurando para ver se encontram alguma coisa melhor. Quanto mais fazem isso, mais acham inferior seu parceiro ou um parceiro em potencial, embora ele provavelmente tenha tantas qualidades quanto os homens que elas estão buscando".

É por isso que, como as mulheres que escreveram à colunista da *Slate*, a que só quer o melhor do melhor pode namorar um cara durante anos e ainda assim não saber se quer se casar com ele. Ela alega que precisa "ter certeza". Mas Barry garante que não se trata de ela "não ter certeza" sobre seus sentimentos quanto a determinado homem: a realidade é que ela não está certa se pode aparecer *alguém melhor* em pouco tempo. Afinal de contas, será que mais um ano — depois de dois anos de namoro — lhe oferecerá conhecimentos novos e fundamentais sobre seu namorado, alguma qualidade não descoberta que ele manteve oculta o tempo todo?

Ou ela passará aquele ano na mesma situação de ambivalência em que passou o ano anterior?

Em vez de se perguntar: "Sou feliz?", as maximizadoras se perguntam: "Será que esse cara é o melhor que consigo?". Elas vivenciam o que Barry chama de *pesar antes de tomar uma decisão.* No seu livro, ele escreveu isto: "Você imagina como se sentirá se descobrir que havia uma melhor opção disponível. E esse salto da imaginação pode ser o fator suficiente para que você se afunde em um labirinto de incerteza".

A política de devolução de marido

Algumas pessoas lidam com o medo do remorso do consumidor, evitando maiores comprometimentos: moram juntas para que depois possam decidir se vão assumir um compromisso pleno. Compram um suéter razoável, desde que seja possível devolvê-lo. Talvez aleguem que viver junto ofereça mais informações sobre seu grau de compatibilidade no longo prazo. Podem até afirmar ser tão grande a importância que dão a um casamento bem-sucedido que querem fazer o possível para garantir que dê certo. Mas será que o fato de viverem juntos proporciona essa certeza?

Os Centros de Controle e Prevenção de Doenças determinam que a proporção de divórcios de pessoas que vivem juntas antes de se casar é 12% maior do que a proporção de divórcios entre aqueles que não coabitam antes do casamento. E, de acordo com um estudo publicado em novembro de 2008 pelo sociólogo Daniel Lichter, da Universidade Cornell, a proporção de divórcios de mulheres que haviam morado com mais de um homem era o dobro da relativa às mulheres que não haviam feito isso.

Que está acontecendo?

Barry tem algumas teorias. Ele acredita que as pessoas que moram juntas como uma espécie de "teste" tendem a ser maximizadoras; são pessoas que querem ter certeza de que conseguiram "o melhor", mas que nunca se satisfazem plenamente. Além disso, a própria mentalidade de política de devolução — "Se não der certo, a gente salta fora" — pode tornar as pessoas menos satisfeitas se elas resolverem se casar. Ele me falou de um estudo citado no seu livro que verificou que as pessoas ficam mais satisfeitas com as coisas que não podem devolver do que com aquelas que podem.

"Quase todo mundo prefere comprar em uma loja que permita devoluções a comprar em uma que não permita", ele escreve no livro. "Não nos damos conta de que o fato de a própria opção nos permitir mudar de ideia aumenta a probabilidade de que *vamos* fazer isso. Quando podemos mudar de ideia sobre nossas decisões, ficamos menos satisfeitos com elas."

Entretanto, segundo Barry, "quando uma decisão é definitiva" — por exemplo, casar em vez de morar junto — "nós iniciamos uma série de processos psicológicos que ressaltam nossas opiniões sobre a escolha que fizemos quanto às alternativas".

Em outras palavras: quanto mais tempo você fica indecisa, pensando que determinado cara pode ser substituído por outro, é mais provável que você se concentre nos defeitos dele, e ninguém vai alcançar os padrões exigidos por você. Um homem pode parecer nota 10, mas, se você o comparar com outro cara mais inteligente, porém mais passivo, *ambas* as escolhas começam a parecer ligeiramente menos atraentes. O primeiro fulano parece menos inteligente, e o segundo, menos proativo. É fácil escolher entre "ótimo" e "completamente errado", mas é uma insanidade estar sempre escolhendo entre dois homens ótimos. Comparados lado a lado, dois caras ótimos podem começar a parecer medíocres.

Nas palavras de Barry: "Nossos poderes de interpretação podem transformar coisas excelentes em coisas medíocres".

Com o tempo, todo "8" se torna um "6"

Vamos dar mais uma olhada na mulher que mencionei no começo do livro, a que me escreveu e disse que estava procurando um homem 10, mas que 8 estaria de bom tamanho. Na verdade, ela já estava namorando um 8. Lembra-se do dilema dessa criatura? *E se eu quiser outro 8?* Ela sabe que precisa ceder, mas cismou que talvez possa arranjar alguém *melhor*. E talvez possa mesmo. Certamente há diferença entre "ser realista" e ficar com a pessoa errada. Mas também é possível que ela estivesse sofrendo com muitas opções, o que fazia com que todas as escolhas "ótimas" fossem menos atraentes.

Barry me disse que havia também outra possibilidade: talvez ela estivesse presa no processo psicológico chamado "adaptação".

— Nós nos acostumamos às coisas — continuou ele — e as aceitamos como garantidas. É como entrar num aposento com ar-condicionado em um dia escaldante e achar que o ar-condicionado é a melhor coisa do mundo inteiro, mas uma hora depois a pessoa já não se lembra de que ele está lá. A gente se acostuma ao aparelho de ar-condicionado, que aí já não é a melhor coisa do mundo — espera-se que ele funcione. Ele era um 10, mas agora é um 5.

Da mesma forma, para a mulher que queria outro 8, seu 8 pode ser agora apenas 6.

— Qualquer nova pessoa parece melhor temporariamente — disse Barry. — Essa mulher precisa se lembrar de que, com o passar do tempo, todo 8 se transforma em 6. Você pode trocar um 6 por outro 8, mas esse 8 também vai acabar sendo um 6, e você vai trocá-lo por mais um 8.

Se, contudo, você espera sinceramente que a novidade do 8 se transforme na harmonia do 6, não se decepcionará. E, ao reconhecer isso, você se adaptará a qualquer pessoa que vier a escolher, e escolher o "melhor" em vez do "ótimo" não terá tanta importância.

O argumento de Barry é o de que as mulheres que se satisfazem com o que é suficiente não acabam comprando um suéter de qualidade inferior à que deveriam ter, nem escolhem um homem que não as mereça. Elas ficam felizes porque sabem que suficiente *é* suficiente. Compreendem que nada na vida é perfeito — nem empregos, nem amigos, nem suéteres, nem cônjuges —, então faz sentido aceitar a melhor opção possível e apreciá-la.

Maximizadores nocivos

Para ser justa, homens solteiros também podem ser maximizadores. Quem não conhece um sujeito que namora uma série de mulheres aparentemente maravilhosas, mas não consegue comprometer-se com nenhuma delas? Ainda assim, Barry disse que o problema não são esses homens, por si mesmo. O problema é que muitas mulheres desperdiçam o tempo perseguindo esses homens, e rejeitam homens ponderados que podem fazê-las felizes. As maximizadoras namoram maximizadores, e então descobrem que eles são cheios de defeitos, ou eles descobrem que elas são cheias de defeitos. Duas pessoas exigentes não formam um bom casal.

É racional a ilusão de que, se esperarmos o bastante, vamos conhecer O Cara Certo. A lógica seria que as pessoas que continuam solteiras sejam "melhores" porque são muito discriminatórias (afinal, ninguém estava à altura delas). Mas o contrário é provavelmente verdade. As pessoas que se casaram mais jovens, que sabiam ceder e entrar em acordo e sustentar um casamento, são menos exigentes que aquelas que não conseguiram encontrar ninguém do seu nível. Elas são melhores parceiros e pais, e de convivência mais agradável durante os 50 anos seguintes. Mais uma razão não apenas para procurar uma pessoa comedida, mas para *ser* uma delas.

— As pessoas costumam pensar que precisam escolher entre duas características, como aparência e inteligência — disse Barry —, mas é possível ser feliz com alguém que tenha um grau aceitável de ambas.

Em outras palavras, ninguém está pedindo que você escolha entre um cara que tenha aparência que mereça 3 e 8 em inteligência, e outro que tenha 8 de aparência e

3 de inteligência. Na maior parte do tempo, nos deparamos com um fulano que possa ser 6 de aparência e 7 de inteligência, mas 8 em estilo de vida e personalidade; nada superior em nenhum aspecto, mas uma pessoa atraente, de maneira geral.

Quem é maximizador acha que isso é se conformar. Quer alguém que mereça 8 em todos os aspectos. Já os equilibrados consideram esse um bom negócio. Ironicamente, são as maximizadoras que, anos depois, analisam as mulheres ponderadas — com marido e família e vida feliz — e dizem: "Eu queria ter o que *ela* tem". Bem, havia homens disponíveis, mas as maximizadoras simplesmente os rejeitaram.

Afinal, ser moderada não quer dizer aceitar alguém que não tenha as qualidades que você procura; quer dizer encontrar alguém que seja *suficiente*, ao contrário de alguém que seja *tudo*.

O casamento é um jogo

Quando perguntei a Steven Martin, demógrafo da Universidade de Maryland, por que o número de mulheres solteiras em todas as faixas etárias está crescendo, ele me respondeu que não possuía essa estatística, mas tinha uma teoria pessoal. Ele acredita que muitas mulheres consideram o casamento desta maneira:

— Digamos que você supõe que terá 20 relacionamentos na vida. Com cada um deles, você está decidindo se, digamos, o Cara nº 3 é melhor que a possibilidade dos outros 17. Certas mulheres poderiam ficar com o nº 3, mas sempre se perguntariam se os números de 4 a 20 combinariam melhor com elas. Outras mulheres rejeitariam o nº 3 e terminariam ficando com o nº 20, mas gastariam muito tempo imaginando se dar o fora no nº 3 não teria sido um grande erro. Além disso, outras mulheres simplesmente não vão mais ser convidadas para sair, e acabam sozinhas. Esta é uma dica sobre escolha: se você não escolher alguma coisa, acabará ficando sem nada.

— Acho que essas mulheres têm muitos anseios e muita melancolia — ele disse.

Certamente, isso era verdade no que me dizia respeito. Todos os meus prognósticos não me ajudaram a escolher melhor meus namorados no passado, nem iam me ajudar a fazer escolhas melhores no futuro. Sempre haverá mais um suéter bonito e quentinho em outra loja. E, se havia uma coisa da qual eu tinha certeza é que eu não queria morrer congelada enquanto procurava sem cessar pelo suéter perfeito.

11

As segundas-feiras com Evan

Segunda sessão: as suposições erradas

— Você precisa fazer alguma coisa sobre seu reflexo automático de rejeição — disse Evan quando voltou, na segunda-feira seguinte, para nossa sessão de treinamento de namoro. Ele quis saber por que eu não tinha conseguido escolher apenas um dos 20 homens com quem o computador havia me combinado. Por que — nós dois queríamos saber — eu estava tendo tanta dificuldade em liberar minhas tendências maximizadoras?

Em parte, havia a realidade que eu estava enfrentando: meus parceiros não eram o que costumavam ser. Contrariando o conselho de Evan, mandei um e-mail ao quarentão bonitinho da nossa primeira sessão, aquele que queria sair com uma mulher de até 35 anos. Como Evan previu, ele não respondeu.

Contei a Evan que, como experimento sociológico (para não dizer masoquista), durante um dia na semana anterior mudei minha idade para 31 e recebi respostas de vários homens potencialmente interessantes. Mas, quando informei minha idade verdadeira — 41 anos —, o cara mais promissor que me escreveu foi um ex-professor de ginástica de 53 anos para quem as férias ideais significavam jogar em Las Vegas, porém tinha senso de humor e adorava crianças. Nada estava diferente no meu perfil, exceto pela idade: as fotos, os textos e até o fato de eu ter um filho eram os mesmos! Eu queria me tornar alguém que se satisfizesse com o suficiente, mas estava achando isso muito mais difícil com os pretendentes que me eram oferecidos aos 41 anos.

— É claro que é mais difícil — disse Evan. — Mas pense desta maneira: seu valor de mercado pode ser mais baixo do que era há 10 anos, mas é também muito mais alto do que será daqui a 10 anos. Por isso, eu gostaria que você deixasse de julgar com antecedência, porque não quero que tenhamos esta mesma conversa quando você estiver com 51 anos e se perguntando por que rejeitou todos os caras que poderia ter tido aos 41.

Na verdade, eu já havia cometido esse erro. Poucos dias antes, mandei um e-mail para um advogado bonitinho, de 40 anos, que praticava pesca submarina e tinha um perfil excelente. Fiquei toda animada quando ele me respondeu — até eu abrir a mensagem. Ele me lembrou que cinco anos antes me encontrou na internet e me enviou uma mensagem. Trocamos um monte de e-mails e depois nos falamos por telefone — tudo isso, segundo ele, foi bem; mas, quando ele me convidou para sair no final do telefonema, resmunguei uma desculpa esfarrapada para recusar, porque eu achava que nós não combinávamos.

Ao ler o e-mail dele, lembrei-me vagamente do fato, mas não compreendi por que eu não quis conhecê-lo em pessoa. Provavelmente deve ter sido por uma razão ridícula, como não ter sentido uma "química imediata pelo telefone" e, portanto, supus que um encontro seria um desperdício de tempo. Agora, ele era o sujeito mais interessante que descobri na internet, mas não se mostrou receptivo a restabelecer nosso contato. Dessa vez foi ele que me rejeitou.

Portanto, eu sabia que Evan estava certo: com o passar do tempo, eu lamentaria não levar em consideração os homens que estavam disponíveis para mim agora. Ainda assim, achava um insulto receber e-mails de caras tão velhos, que poderiam ser meu pai.

— Por que é um insulto? — Evan perguntou. — Digamos que você trabalha na Universidade de Harvard, que recebe 25 mil pedidos de matrícula. A universidade não fica insultada quando alguém com um GPA[10] ou um SAT[11] baixos concorre a uma vaga. O departamento responsável apenas envia uma mensagem dizendo: "Gratos por sua solicitação". Eles não ficam zangados com as pessoas que se candidatam, mas não são qualificadas. Porém, a diferença mais importante entre você e Harvard é que Harvard aceita 9% dos candidatos todos os anos, e

[10] Grade Points Average, isto é, a média de notas de um semestre e de cursos concluídos em certo período letivo. (N. T.)

[11] O Scholastic Assessment Test, hoje conhecido como SAT Reasoning Test, é um teste padronizado de admissão às faculdades nos Estados Unidos, algo como o vestibular no Brasil. (N. T.)

você nem sequer aceita 9% dos seus pretendentes. Neste exato momento, você só considera 2% dos candidatos.

Era verdade. Dos 50 caras que eu examinei, só mandei e-mail para um — o cara que assinalei como "especial" na nossa primeira sessão, embora eu o achasse "romântico demais". Houve uma troca de e-mails entre nós. Mas depois ele simplesmente desapareceu. E o romance acabou aí.

— Vamos examinar os homens que você escolheu — propôs Evan. — Tenho certeza de que podemos fazer você se interessar por mais alguns.

O reflexo automático de rejeição

Aparentemente, meu reflexo automático de rejeição era terrível. O primeiro fulano em quem Evan clicou eliminei de cara, porque seu filme favorito era *Mensagem para você.*

— Que tipo de homem aponta um filme de Meg Ryan que visa ao público "mulherzinha" como o seu favorito até hoje? — perguntei. — Não é apenas um dos muitos filmes de que ele gosta: é o *favorito* dele.

— Vou lhe dar um pequeno eletrochoque cada vez que você julgar os pretendentes — disse Evan. — Sabe de uma coisa? Eu gostei daquele filme.

— Você só pode estar brincando! — exclamei; não consegui acreditar no que ele disse: um cara hétero como Evan?

— Gostei mesmo! — repetiu Evan. — Na verdade, é uma das minhas comédias românticas favoritas. Isso quer dizer que nenhuma mulher pode querer sair comigo?

— Não, mas porque é uma aberração. Você não gosta de coisas melosas; eu sei os filmes que fazem seu gênero. De modo geral, você não é um cara que goste de filmes como *Mensagem para você.*

— Então, como é que você sabe que esse sujeito não é como eu?

Bem... eu *não* sabia. Não podia discutir sobre isso. Acrescentei à minha lista O Cara Que Gosta de Filmes Mulherzinha.

— Ah, só mais uma coisa — disse Evan —, eu estava brincando, para poder argumentar.

Ah, que raiva!

— Quer dizer que você não gosta de *Mensagem para você?*

— Eu não vi o filme.

— Eu odeio você!

— Tudo bem, mas o que eu disse antes sobre o filme fez você refletir, não fez? — perguntou Evan.

— Continuo te odiando.

Evan deu um sorriso vitorioso e disse:

— Só estou fazendo meu trabalho, querida. Você não pode eliminar um cara baseando-se em preferências distintas quanto a filmes. Não importa se você acha que isso faça diferença. Vai ver, ele escreveu isso porque achou que impressionaria as mulheres e o faria parecer um cara sensível. Ou talvez ele ache a Meg Ryan um tesão. Sabe-se lá? Você precisa parar de fazer suposições erradas.

É um perfil, não uma história de vida

Evan me disse que meu problema era este: eu estava formando histórias inteiras de vida sobre esses caras a partir de uma ou duas informações. Se um fulano estudou numa escola "exclusiva", eu supunha que ele fosse sofisticado. O que não era necessariamente verdade. Se um cara gostava de filmes bregas, eu supunha que ele tinha mau gosto para tudo e que nossas "energias" eram completamente diferentes. De novo, isso não era necessariamente verdade. Se um sujeito não sabia escrever, eu supunha que ele não era inteligente, apesar de minha amiga Joy ser casada com um homem brilhante que não sabia escrever bem. Na verdade, ela conheceu Dave no Match.com, mas, antes de ele postar seu perfil, pediu a um amigo escritor que revisasse o que escreveu, para que o texto ficasse correto. Quando Joy conheceu Dave, soube que ele não escrevia bem, mas percebeu que era inteligentíssimo.

"Eu quase deixei de conhecer meu marido, porque, se tivesse visto seu perfil antes de ser corrigido, nunca teria respondido ao seu e-mail", Joy me contou. "Além disso, não há correlação entre homens que sabem escrever e homens que são ótimos namorados. Todos os caras que namorei e sabiam escrever direito eram meio atormentados, e nenhum deles foi um bom namorado."

Foi exatamente por isso que Evan disse que suposições são muito perigosas: "Escrever mal não quer dizer que o fulano vá ser um mau marido. Há diferentes tipos de inteligência".

Eu sabia que ele estava certo. Isto é, se houvesse sites de namoro virtual na época de Einstein, como seriam seus ensaios? Pensei nos maridos muito inteligentes e competentes de minhas amigas: eu não tinha ideia se eles escreviam bem.

Evan sugeriu que, se eu quisesse encontrar homens que "soubessem mais das coisas", caras intelectuais com perfis escritos correta e inteligentemente, poderia acessar o Nerve.com, mas o site prefere o pessoal mais jovem e não é orientado para relacionamentos. Ele disse que o Match.com era uma boa escolha para mim porque era como um *shopping center*, onde se encontra de tudo. O Nerve é mais como uma butique da moda, enquanto o Match tem desde *fast food* até lojas elegantes de departamento.

— Que tal este cara aqui? — Evan perguntou, clicando em outro perfil.

— Ele não é atraente — respondi.

— Você acha mesmo? Ele tem um sorriso bonito.

Eu ri e disse:

— Isso é o mesmo que dizer: "Ele tem boca". Você conhece alguém que não tenha um sorriso bonito? Todos têm sorriso bonito, a não ser que lhes faltem os dentes da frente...

— O que não é atraente nele?

Olhei de novo e, realmente, nada havia nele que fosse pouco atraente: ele apenas tinha um tipo comum. Além disso, não preencheu o campo referente a rendimentos.

— Ele não tem dinheiro — afirmei. — Não tenho como sustentar mais uma pessoa, já me sustento e ao meu filho: preciso ficar com alguém que ganhe a vida sozinho. Ele diz trabalhar como autônomo, e está escondendo sua renda.

— Como você sabe que ele não tem dinheiro? — Evan perguntou. — Você está fazendo outra suposição que talvez não tenha base na realidade. Conheço muitos homens que deixam esse item em branco porque não querem que as mulheres lhes mandem e-mail só porque eles ganham muito dinheiro.

— Então, duvido que eles recebam muitos e-mails — eu disse. — Pense comigo: os homens não querem que as mulheres lhes mandem e-mails por causa do dinheiro deles, enquanto as mulheres não querem que os homens lhes enviem e-mails por causa da aparência delas. Mas, se as mulheres não anexam uma foto ao e-mail, os homens não nos mandam e-mails! Quando escondemos nossas fotos, os homens supõem que somos feias. Quando eles não informam seus rendimentos, nós supomos que não têm dinheiro. Todos nós fazemos suposições.

Evan suspirou fundo e disse:

— Suponha tudo o que quiser, mas você pode estar abrindo mão de um cara financeiramente estável que não quis informar seus rendimentos a todo mundo. Olhe para ele: tem doutorado em administração; estou certo de que não é pobre. Seu *modus operandi* é "Atirar primeiro, perguntar depois". Mas talvez você esteja atirando no alvo errado.

"Feliz" não quer dizer "gay"

Perguntei como eu podia saber qual era o alvo certo. Não se esperava que eu usasse os perfis como uma espécie de peneira? Eu não podia mandar e-mails para todos os 10 mil homens no site; precisava fazer suposições com base no que eles escreviam.

— É verdade — Evan disse —, mas suas suposições costumam ser ideias errôneas: *Todos os homens que gostam de bingo são avôs. Todos os caras que gostam de audiolivros não gostam de ler livros de verdade.*

Eu sabia que Evan estava me dando bons conselhos, mas eu estava mal-humorada. Parecia óbvio que, quando eu era mais jovem, procurava as coisas erradas em um homem, e agora, em vez de estar bem casada, estava passando minha hora de almoço em uma segunda-feira examinando perfis virtuais com um treinador de encontros amorosos. Eu estava cansada de procurar pelo Cara Certo e de tentar traduzir o que "significava" ele gostar de jogar bingo, ou "ler" audiolivros. Tentar entender o que "significava" queria dizer me deixava tonta e deprimida.

— Olhe este cara aqui — eu disse a Evan, quando cliquei em um perfil. — Ele parece legal, mas sabe de uma coisa? Eu me lembro dele de 10 anos atrás. Qual o problema dele? Por que não consegue encontrar uma namorada? Ele participa do site faz 10 anos!

— E você também — respondeu Evan —, embora não em todos os segundos desses 10 anos. — Nesse período você teve três relacionamentos duradouros e voltou duas vezes com os caras depois dos rompimentos. Talvez isso tenha acontecido também com ele. Talvez ele tenha acabado recentemente um namoro de dois anos. Você precisa parar com essas...

— Suposições — eu disse. — Estou sabendo.

Parecia que um grande número de minhas suposições estava errado, e que eu precisava mantê-lo sob controle, se quisesse conhecer alguém. Acessei minha lista dos especiais, para mostrar a Evan os homens em que percebi potencial. O primeiro era um cara de *marketing* que parecia inteligente, interessante e tinha um apurado senso de humor. Seu cabelo meio grisalho estava rareando, e ele era "cheinho". Certamente parecia mais velho do que os 46 anos que informava no perfil. Mas então surgiu uma mensagem avisando que ele já não estava no site. Eu não consegui acreditar.

— Até ele já saiu do site — eu disse a Evan. — Isso é surpreendente. *Ele* encontrou alguém!

— Isso prova que algumas mulheres são menos críticas que você — disse Evan, esperando que eu fosse rir. — Ou talvez ele esteja dando um tempo porque vai viajar por três semanas.

Evan clicou em outro cara e disse:

— Ele parece interessante.

E parecia mesmo, mas sua foto me fez refletir um instante e depois perguntar:

— Ele não parece *gay*?

— Ele parece é feliz! — retrucou Evan.

— Tudo bem, mas não parece *gay*?

— Com a filha nos braços? Ele não deve ser *gay*.

Para mim, o sujeito parecia totalmente *gay*: não me interessava ele ter sido casado e ser pai. Vai ver, sua mulher se divorciou ao descobrir que era *gay*.

— Lá vai você, imaginando histórias baseada apenas em um perfil — disse Evan. — Talvez ele *seja gay*, mas nada no seu perfil indica isso abertamente. Ele é um cara de aparência viril? Não, mas isso não quer dizer que seja *gay*. Sei que isso é difícil e que, sendo uma mulher de 41 anos no Match.com, você vai se deparar com muitos homens que têm horror a se comprometer, jogadores, caras financeiramente instáveis, caras feios, caras com problemas de sociabilidade, caras divorciados ressentidos, caras muito mais velhos e caras que não querem os filhos que você poderia ter há 10 anos. Olhe na sua caixa de entrada. Não estou dizendo nada que você não saiba. Será que todos os homens legais já não estão disponíveis? De jeito nenhum. O caso é que você não vai descobri-los se continuar com suas suposições.

Descobrindo se ele é um "oba!" ou um "eca!"

Evan acredita que as pessoas façam suposições precisamente porque namorar é muito exaustivo. Elas querem saber logo se o sujeito é O Cara Certo, apesar de a única informação de que disponham ser um perfil de uma página.

— Vocês querem ler a última página do livro antes mesmo de lerem a primeira — disse Evan —, mas não podem. *Só quero saber se ele é inteligente. Quero saber se ele está a fim de assumir um compromisso.* As mulheres querem saber o que vai acontecer. *Se eu encontrar esse cara, ele vai ser assim ou assado.* Por isso, vocês fazem suposições sobre a última página do livro, mas precisam lê-lo para saber como acaba.

Ou, nas palavras de minha amiga Kathy: "Não se sabe nada sobre o potencial de um homem até a gente se encontrar com ele. Mesmo assim, não sabemos se ele é um 'Oba!' no começo que acaba se mostrando um 'Eca!'."

Evan foi clicando e deparou com um homem de 43 anos, solteiro e pai de duas crianças pequenas. Sua idade era apropriada, e ele estava receptivo a sair com alguém de sua própria idade (mas também, segundo reparei, com alguém que tivesse 30 anos). Ele tinha um emprego ligado à contabilidade, sua aparência era jovem e ele era muito simpático. Ele fez referência a uma citação que me agradou.

— Já sei! — disse Evan. — Ele não viu os erros do texto, mas deixe isso pra lá, está bem?

— Não tem problema — eu disse —, estou tentando ser mais flexível.

— Você diz estar tentando, mas há 20 minutos descartou um cara por causa do filme favorito dele.

Reli o perfil do pai solteiro. Era mais ou menos padrão e normalmente não me teria chamado a atenção. Meu instinto me dizia que ele era um mala, mas meu instinto ainda não encontrara um marido para mim.

— Você tem duas opções — disse Evan. — Pode acrescentar pessoas à combinação que poderia fazê-la feliz, ou pode esperar pelos 2% dos homens que você *supõe* atender a suas exigências e esperar que, por coincidência, alguém nesses 2% ache que você faz parte dos 2% *dele*. Mesmo assim, as pessoas que você supõe que satisfaçam seus requisitos podem, na verdade, não ser o par indicado para você. Analise seus ex-namorados e faça isso para a sessão da semana que vem.

Logo que Evan foi embora, escrevi para o pai solteiro. Depois de uns dois e-mails, com as perguntas habituais que desconhecidos se fazem, falamos ao telefone. Minha conversa com Mike não foi maravilhosa. Na verdade, se alguns anos antes recusei um encontro com o advogado bonitinho que praticava pesca submarina apenas porque ele não me provocou nenhum frio no estômago, eu tinha ainda mais motivos para rejeitar um encontro com Mike.

Em nosso telefonema, descobri que ele — aos 43 anos — era fã da banda de *rock* Grateful Dead (que não fazia meu gênero). Quando ele soube a faculdade na qual me formei, comentou: "Ah, você é um daqueles 'crânios'" — indicando, achei, que ele não era. Ele fazia muitos trocadilhos, de forma irritante.

Mas havia também coisas positivas. Tínhamos as mesmas afinidades políticas e a mesma dedicação com respeito aos filhos — ele tinha dois menininhos. Ele atuava como consultor empresarial, mas trabalhava como produtor por anos, de modo que também tinha um lado criativo. O papo fluiu fácil. Ele foi gentil e compreensivo com minha agenda, e se ofereceu para viajar uma longa distância na hora do *rush* para me encontrar perto da minha casa. Por isso, quando ele me convidou para sair, não hesitei e aceitei.

Marcamos um encontro para a noite de sexta-feira.

12

Os homens que foram embora

Agora que eu estava prestes a conhecer Mike pessoalmente, comecei a pensar nos homens com quem não quis sair em razão das suposições que havia feito.

Vários caras me vieram à cabeça, e, quanto mais pensava nos homens com quem nunca saí, mais reparava que eu também fizera suposições sobre os homens com quem *esperava* sair. Se supus que certos caras não combinariam comigo, também supus que outros seriam um par perfeito, apesar de nunca os ter visto.

Portanto, para verificar a exatidão das minhas suposições, decidi rastrear alguns homens do meu passado.

Andy — o cara que supus não ser legal o bastante

Conheci Andy aos 32 anos, quando me mudei fazia pouco tempo para outra cidade. Uma de minhas amigas pediu que eu telefonasse para ele, que me levaria para conhecer a cidade. Na primeira vez em que tomamos um café juntos, conversamos por três horas, e poderíamos ter conversado mais umas 30. Ele era inteligente, interessante e engraçadíssimo. Nós nos sentimos imediatamente à vontade, mas da maneira "velhos amigos", e não do modo romântico. Andy não fazia meu tipo. Ele era meio atarracado e usava cavanhaque. Era ligeiramente *nerd*, adorava informática.

Erro nº1: Supus que ele não era o que eu queria para marido. Uma semana depois, quando ele manifestou interesse romântico por mim, eu disse que "não pensava nele daquela maneira".

Nesse meio-tempo, Andy e eu ficamos grandes amigos. Tínhamos a maior afinidade. Completávamos as frases um do outro, e sabíamos o que o outro estava pensando. Um fazia o outro rir. Partilhávamos brincadeiras espirituosas, jogos de palavras, as minúcias dos nossos dias e opiniões em assuntos que variavam de política a relacionamentos, mas, para mim, éramos mais "chapas" do que qualquer outra coisa. Nunca pensei: "Quero namorar o Andy". Eu apenas me sentia sortuda por nossa amizade.

Pouco tempo depois, comecei a namorar um cara que eu considerava "legal": ele era artístico, empolgante e sedutoramente excêntrico. Mais ou menos na mesma época, Andy conheceu uma moça bonita, inteligente e gentil, e logo ele e Jodi estavam namorando firme.

Cerca de um ano e meio depois, meu namorado legal e eu rompemos (o que o tornava empolgante também o tornava irresponsável; o que o tornava fascinante e excêntrico também tornava inviável a ideia de casar e ter filhos com ele) e Andy ficou indeciso algum tempo sobre a possibilidade de Jodi não ser A Garota Certa. Seria ela estimulante o suficiente? Será que eles tinham muitas afinidades? Será que ele deveria procurar alguém mais bizarro, como ele? Ele estava com 34 anos, pronto para se casar, mas não queria unir-se à pessoa errada. De vez em quando ele dizia: "Onde posso encontrar alguém como você?", mas nós acabávamos rindo disso, como se fosse uma grande piada só nossa. A essa altura eu estava com outro namorado e achava estar me apaixonando.

Certa noite, Andy me convidou para jantar, e percebi que havia um motivo especial: "Tenho uma notícia importante", ele disse no e-mail. Achei que ele finalmente tivesse rompido com Jodi. Em vez disso, quando nos sentamos para jantar no restaurante, eis como ele anunciou seu noivado: "Jodi e eu vamos nos casar. Nós dois queremos as mesmas coisas".

Na ocasião, achei cômico; eu nunca ouvira um modo menos romântico de dizer "Vou me casar". Lembro-me de dizer: "Parabéns!", mas secretamente sentindo pena dele, achando que havia se contentado com o que estava disponível. Lembro-me de pensar que eu nunca me conformaria assim. Lembro-me de pensar que, sem um período inicial de empolgação meio vertiginosa, Andy e Jodi certamente se divorciariam.

Erro nº 2: Supus que Andy fosse um maximizador como eu.

Para minha surpresa, nos nove anos seguintes, Andy parecia realmente satisfeito. Depois que voltei a morar em Los Angeles, recebia constantes e-mails dele com links de fotos suas e Jodi com os três filhos, e, em vez de sentir pena de Andy, senti inveja e confusão. Estaria ele realmente feliz como parecia nas fotos? Não se sentiria solitário em um casamento com alguém que ele certa vez descreveu como "suave"?

Quando lhe perguntei sobre isso agora, ele explicou o termo assim: "Ela é suave em aspectos irrelevantes no panorama geral. Eu falo como um papagaio e adoro brincadeiras, sou intenso em relação às coisas e ela simplesmente não é. Essas coisas eram mais importantes quando namorávamos. Seria bom que minha mulher tivesse essas características, mas isso tem uma influência tão pequena no dia a dia do casamento que hoje é irrelevante".

O casamento dele é perfeito? Não, mas ele não esperava que fosse: "Muitos amigos meus se casam e, quando não têm o tipo de casamento ideal que imaginaram, ficam descontentes, como se tivessem sido enganados por um folheto de agência de viagens quando compraram um pacote".

Andy me disse que quis se casar com Jodi porque, embora não houvesse uma relação emocional intensa entre eles (mas havia química), existia calma e harmonia no namoro dos dois. Eles cresceram na mesma região, seus pais se conheciam e ambos foram criados da mesma forma.

— Quando vi fotos dela criança e depois mais velha e as comparei com fotos minhas — disse Andy —, era quase como se estivéssemos nas mesmas fotos. Isso fez o casamento parecer a coisa certa a ser feita e eu me sentir à vontade. Jodi tinha muitas das qualidades que eu estava procurando: era ética, profissional, tinha uma sólida criação familiar e era atraente e gentil. Quanto às qualidades que ela não tem, pensei: "Será que isso vai mesmo ser importante daqui a cinco anos?".

Andy acredita que as pessoas adaptáveis desfrutam melhores casamentos, porque as prioridades mudam muito com o tempo.

— Ser pai foi um marco fundamental para mim — ele disse. — Quando a pessoa se torna pai ou mãe, compreende que as coisas não giram em torno dela. Estar com uma boa mãe para meus filhos representou para mim uma prioridade muito superior a ir a uma festa superbacana.

Ele se lembra de que, quando estava namorando Jodi, certa vez estava numa videolocadora, gastando muito tempo lendo todas as capas dos DVDs, incapaz de decidir que filme alugaria. Quando finalmente escolheu um, desperdiçara tanto tempo que ficou tarde demais para assistir ao filme. Por isso, começou a pensar: Você vai comprar o filme perfeito ou alugar um e ir para casa vê-lo? Quanto tempo vai ficar na loja antes de simplesmente escolher um filme?. Ele compreendeu então que ficar se perguntando se poderia escolher melhor seria uma tortura, porque, cada vez que se tem a oportunidade de *upgrade*, troca-se uma coisa negativa *conhecida* por uma coisa negativa *desconhecida*.

"O fato de Jodi não ter certas qualidades que eu queria me incomodava, mas concluí que poderia passar o resto da vida alegando razões pelas quais eu não deveria ficar com a pessoa A, B, C ou D. Quanto mais velho fico, mais percebo que a vida é muito curta, e me sinto muito sortudo por ter a vida que tenho. Minha mulher e eu podemos não partilhar brincadeiras espirituosas, mas partilhamos o vínculo maravilhoso de observar nossos filhos conquistarem certas coisas importantes. E é impressionante como somos parecidos quando se trata de criar nossos filhos. Talvez eu não combinasse tanto em termos de vida cotidiana com outra mulher mais animada, e talvez brigássemos o tempo todo. Prefiro vivenciar meu casamento atual a experimentar outro. Tomei a decisão consciente de relacionar as coisas de que gosto e que valorizo em Jodi, e concluí que as características que lhe faltam não justificam eu me sentir infeliz. Tenho amigos que pesquisam no Google até as 10 da noite: *Que tal aquela garota do ensino médio?* Embora seja tentador, é preciso lembrar que a internet não passa de um romance de ficção dos dias de hoje, composto por personagens reais."

A essa altura, dei uma interpretação diferente ao comentário feito por Andy anos antes, quando anunciou seu casamento com Jodi — "queremos as mesmas coisas": a razão pela qual as fotos dele na *web* com sua família me dão tanta inveja é que também espero encontrar uma pessoa que queira o mesmo que eu. Ironicamente, as qualidades dele que eu achava *nerd* são as que hoje acho atraentes a seu respeito. As citações de filmes são encantadoras, e seria divertido transmiti-las a crianças. Ele usou sua tendência para cantar à capela e produzir filmes amadores de maneira hilária nos seus vídeos domésticos sobre a família. Sua falta de malícia é o que o torna um parceiro confiável e sincero. E, a propósito, ele emagreceu e raspou o cavanhaque, e está bem bonitinho.

Não estou dizendo que Andy seja minha alma gêmea nem que daria certo se tivéssemos namorado. Estou apenas dizendo que eu gostaria de ter considerado essa possibilidade quando ela existia. Ao me recordar disso, não acredito que houve um homem na minha vida com quem eu adorava estar e que queria as mesmas coisas que eu, mas nem sequer *considerei* a possibilidade de namorá-lo. Ainda hoje, ele é umas das pessoas com quem mais gosto de bater papo. Se pudesse voltar no tempo, não hesitaria um minuto em namorar alguém como Andy. Não porque eu estaria me conformando com o que havia, mas porque hoje em dia outras coisas são importantes para mim, e deveriam ter sido sempre.

Matt — o cara que supus ser perfeito

Dizer que Matt era meu cara ideal é um eufemismo. Ele era brilhante, criativo, original, bem-sucedido, bonitão e zombava das próprias coisas engraçadas que fazia — pelo menos no papel. Não o conheci pessoalmente, mas li uma matéria sobre ele em uma revista sofisticada e pensei: *Esse é o tipo de homem que eu gostaria de namorar.*

É claro que eu sabia ser muito ilusório fantasiar sobre um total desconhecido, mas a verdade é que eu queria acabar minha vida com um cara como Matt. Se na época você tivesse me perguntado se eu achava que essa ideia era realista, teria dito que não, mas, de alguma forma, estaria mentindo. Na minha sucessão de namoros, frequentemente abri mão de sujeitos como Andy para esperar por homens como Matt.

Quase dez anos depois, fui fazer uma faxina em umas caixas antigas no meu escritório e deparei com o artigo que, aos 31 anos, havia arrancado da revista sofisticada. Ia jogá-lo fora, mas, após conversar com Evan sobre suposições equivocadas, pesquisei no Google para descobrir o que acontecera com Matt. Ele estava com 45 anos e, como a matéria previu, era agora um arquiteto famoso e de grande reputação. Continuava muito bonito e tinha um filho. E, na internet, constava seu endereço de e-mail. Eu lhe mandei uma mensagem falando sobre meu livro e perguntando se poderia entrevistá-lo. Ele respondeu com um e-mail engraçado e disse que estava nessa. "Nossa!", pensei, "o cara dos meus sonhos também é gente fina."

Supus que ele tivesse tudo — ótima aparência, personalidade, talento, charme e uma família amorosa. Supus que sua mulher havia tirado a sorte grande.

E, realmente, quando falamos pela primeira vez, minhas suposições se mostraram corretas. Matt era tão encantador, gentil, carismático e interessante quanto eu imaginava. Os 30 minutos que solicitei se estenderam por três horas. Ele era exatamente o tipo de cara que sempre fez meu gênero. E — preste atenção — não era casado. Nunca se casou. Seu filho resultou da gravidez fortuita de uma ex-namorada. Ele era solteiro e estava disponível.

Como isso era possível? Como um camarada tão atraente em vários aspectos não conseguiu encontrar uma parceira? Quanto mais conversávamos, mais a resposta se tornava óbvia: ele era um maximizador nocivo. Nenhuma mulher estava à sua altura. Nem a namorada que ele engravidara (ela era "fascinante" e "inteligente", mas "sensível demais, e isso me incomodava", e "as mãos dela eram enormes; isso me repelia") e que estava agora muito bem casada (presumivelmente com alguém que sabia lidar com muita sensibilidade e tinha mãos enormes); nem a namorada que "estava errada sobre pequenas coisas a maior parte do tempo, como a direção a tomar em um passeio na autoestrada, o que indicava falta de capacidade mental"; nem a namorada que não se comunicava da mesma forma que ele. Talvez ele e essas mulheres fossem realmente incompatíveis, mas ele permaneceu em dois desses relacionamentos durante cinco e sete anos, respectivamente.

Então, deve ter havido aspectos positivos nesses relacionamentos, certo?

— Não é que eu não consiga ficar com alguém — explicou Matt —, mas na época achei que estaria me conformando se permanecesse com uma mulher. Nunca tive problema em encontrar pessoas com as quais gosto de ficar e que querem ficar comigo. Faz você pensar que, no mundo em que vivemos, posso dispensar essa namorada, porque logo vai aparecer outra.

Hoje, aos 45 anos, Matt me disse que a maioria de seus amigos está casada e tem filhos, o que o faz se perguntar por que ele ainda não está.

Não seria porque ele ainda não encontrou a pessoa certa? Ou porque ele não era realista o bastante?

— Acho que sou realista — ele disse, após longa pausa. — Sempre tive atração por mulheres muito inteligentes, competentes, realizadas, perceptivas, flexíveis e positivas. Mas não digo que nunca namoraria uma mulher divorciada, ou com filhos, nem tenho normas rígidas quanto a isso.

Perguntei-lhe se ele se interessaria por uma mulher inteligente e perceptiva e talvez menos realizada. Ele respondeu que, hipoteticamente, sim, mas não tinha muita certeza.

— Acho que estou ainda menos predisposto a me contentar com o que for possível — reconheceu Matt. — Esperei esse tempo todo e não vou me conformar agora. Muitos amigos meus já se divorciaram.

Eu também costumava pensar isso sobre casais divorciados, mas não me ocorreu que a maioria das pessoas não se casa pensando que está se conformando; a maioria acredita ter encontrado A Pessoa Certa. Duvido de que a taxa de divórcios seja alta porque as pessoas que supostamente se casaram com o que estava disponível desistem de manter a relação. É mais provável que a taxa de divórcios seja alta porque as pessoas que pensaram estar loucamente apaixonadas perceberam que estavam procurando as qualidades erradas no seu par.

Na verdade, ocorreu-me, enquanto conversava com Matt, que as próprias qualidades que me atraíram nele quando li seu perfil em uma revista fazia uma década provavelmente tinham a ver com traços de personalidade que não representavam necessariamente o tipo de marido dedicado à família que eu estava procurando agora. Um cara ambicioso, brilhante e criativo pode ser ótima companhia para um jantar, mas um sujeito que trabalha sete dias por semana, vê o filho só duas semanas por ano (e comentou que, se tivesse mais filhos, "acho que me entediaria com os bebês") e tem pouca tolerância com erros não seria um cônjuge recomendável. Sua personalidade e sua grande inteligência poderiam ser empolgantes em um namorado, mas são raramente compatíveis com alguém que ficaria feliz por desfrutar o cotidiano rotineiro da vida caseira. Todos os especialistas com quem falei afirmaram que os valores partilhados importavam mais do que os interesses partilhados, e, embora, como casal, Matt e eu nunca ficássemos sem assunto, como pais, chefiando juntos um lar, era provável que sempre tivéssemos assuntos sobre os quais discordássemos.

A certa altura de nossa conversa, Matt fez uma pergunta interessante. Ele estava falando sobre seu relacionamento de sete anos, e que, embora quisesse muito que desse certo, um grande número de coisas o incomodava na sua namorada.

— Isso se resume em um grande problema: quanto deve uma pessoa mudar para que um relacionamento funcione?

Não sei se ele se referiu a si próprio, à sua namorada ou a ambos, mas achei curioso que ele — como tantas pessoas solteiras — considerasse que o problema era mudar em vez de aceitar. Porque, como minhas amigas casadas sempre dizem, não se trata de mudar a outra pessoa; trata-se de aceitar as coisas que você gostaria de mudar na outra pessoa, mas não consegue.

Depois, Matt me disse que tentou o namoro virtual, e então pedi para ver seu perfil. Fiquei imediatamente cativada. Há alguns anos, se eu tivesse visto seu perfil, teria marcado a data do casamento na hora em que cliquei "Enviar" no meu e-mail. Mas, quando se trata do tipo de marido que procuro hoje, se eu pudesse escolher entre alguém como ele e alguém como Andy, escolheria Andy sem pestanejar. E não lamentaria. Há dez anos, se alguém me dissesse que eu preferiria Andy em lugar de Matt, acharia isso absurdo, se não impossível. Mas aqui estou eu: ainda solteira, junto de meu ex-Cara dos Sonhos, também ainda solteiro.

Jeff — o cara que supus não ser inteligente o bastante

Em 2006, quando eu estava testando alguns sites com base científica sobre namoro para um artigo que estava escrevendo, descartei um cara que apareceu na minha caixa de entrada. Perguntei na matéria: por que o site de namoros achou que eu seria o par adequado — eu, uma leitora ávida que tem atração por tipos literários — para um cara cujo texto dizia o seguinte:

> *Embora eu leia livros, não lhes dedico muita atenção. Como resultado, exemplares parcialmente lidos de numerosos bons livros (segundo me dizem) ficam espalhados no meu apartamento. Quando eles são postos de lado, é porque estou atrapalhado com uma pilha de revistas. Dali a alguns dias, as revistas cedem a vez aos DVDs.*

Supus que não combinávamos, e descartei-o sem sequer lhe mandar um e-mail. Mas certo dia ele me mandou uma mensagem dizendo que estava lendo a *Atlantic* e ficou perplexo ao se deparar com seu perfil de namoros na internet impresso em suas páginas. Ele observou: "Não é engraçado eu estar lendo uma das revistas literárias mais apreciadas do país e tomar conhecimento de haver sido dispensado por você porque não havia me achado 'literário' o suficiente?".

— Achei essa história hilária — disse Jeff três anos depois, quando lhe telefonei na Califórnia do Norte para falar sobre o mal-entendido. Jeff era um ano mais jovem que eu, altamente instruído, e trabalhava como empresário de programação de informática. Tivemos uma conversa agradabilíssima sobre — acredite se quiser — livros lidos por ele havia pouco tempo. Ele era divertido e autoconfiante e nós parecíamos ter muito em comum, em termos de valores e de interesses. Mas ele, claro, estava namorando (a moça, evidentemente, tinha 30 e poucos anos).

Jeff me disse entender por que eu havia me precipitado na minha conclusão sobre ele baseada no seu perfil, e me disse que aprendeu a não fazer suposições quando se trata de relacionamentos românticos. Com sua atual namorada, por exemplo, ele costumava ficar aborrecido porque os dois tinham tipos de humor diferentes.

— Eu pensava que o senso de humor era um forte sinal de compatibilidade e de como o seu cérebro funciona — ele disse —, e, sob alguns aspectos, isso é verdade: as coisas que nos empolgam intelectualmente são diferentes. Eu gosto de quebra-cabeças, jogos e trivialidades, e essas coisas não interessam muito à minha namorada. Fico meio triste por não poder partilhá-las com ela, mas, nos últimos seis meses, amadurecemos e aprendemos muitas coisas sobre nós dois que nos surpreenderam. Ambos refletimos muito e nos comunicamos bem. Conversamos sobre qualquer assunto sem atacar a opinião do outro. Gostamos de correr, participamos de atividades comunitárias, e nos gostamos e admiramos. Em outros relacionamentos, eu era imaturo. Sempre encontrava defeitos.

Quando vi o perfil de Jeff pela primeira vez, fiz a mesma coisa. Em vez de me concentrar em como ele era atraente, inteligente e divertido, vi um detalhe negativo — ele não amava livros tanto quanto eu — e o descartei de saída. O pior é que minha suposição estava errada. Seu perfil apenas não refletia que ele era instruído, nem que era curioso sobre certas espécies de material de leitura. E no final, mesmo que ele não fosse culto, que importância isso teria no longo prazo, se ele era inteligente e interessante, como descobri em nosso telefonema?

Da mesma forma como aconteceu com Andy, nunca saberei o que poderia ter acontecido com Jeff. Mas já não se trata de Jeff, Andy ou Matt: trata-se de não cometer esse erro com o próximo cara.

13

Inventando outro Sheldon

Evidentemente, percebi que fiz a mesma coisa com Sheldon, o pai solteiro que estudou numa universidade "exclusiva", com quem a casamenteira Wendy tentou fazer que eu saísse havia um mês. Ela pôs em xeque todas as minhas suposições, mas, quando assentei a cabeça, Sheldon já estava namorando outra pessoa.

Nesse meio-tempo, Wendy tentou encontrar outro pretendente para mim, mas, dos homens que ela pesquisou, os caras que nunca se casaram só queriam conhecer mulheres sem filhos, mas na idade fértil (leia-se "com menos de 35 anos"). Os pais divorciados que ela encontrou eram cinquentões preparando-se para matricular os filhos na faculdade nos próximos anos, e não estavam interessados em se envolver com uma mulher que tinha um filho pequeno. (Tampouco se interessavam em conhecer uma mulher na idade fértil sem filhos, mas que queriam tê-los — estavam fartos de criancinhas.) Wendy só trabalhava com pessoas cujas qualidades importantes ela aprovasse: eles precisavam ser gentis, responsáveis, estáveis, querer se casar e ter bom caráter. Isso eliminava os caras que não queriam nada sério, não tinham o comportamento adequado ou eram emocionalmente instáveis (que ainda não tivessem se recuperado do divórcio, ou fossem imaturos e deprimidos).

Comecei a me perguntar onde estavam todos os pais divorciados da minha idade. Poxa, em razão da taxa de divórcios no país, devia haver toneladas deles, certo?

Wendy me disse que os pais mais jovens existem, mas não permanecem solteiros muito tempo, ao contrário das mães divorciadas. Ela também encontra pais divorciados que não querem se casar de novo, nem mesmo se comprometer com uma parceira no longo prazo, porque as ex-esposas os faziam ir à lavanderia, mas eles continuavam a querer a companhia de uma namorada.

Além disso, quando se trata de crianças, os pais solteiros mais jovens são mais "negociáveis", porque as mulheres valorizam um homem que ama os filhos. As mães solteiras mais novas são uma responsabilidade, porque os homens depreciam a ideia de lidar com os filhos de outra pessoa.

Há 10 anos eu não imaginava que namorar fosse tão difícil, e só agora estava realmente absorvendo essa ideia. Pelo menos, era o que eu pensava.

Naquela mesma semana, Julie Ferman, a casamenteira proprietária do Cupid's Coach, gentilmente se ofereceu para encontrar, gratuitamente, um par para mim. Fiquei entusiasmada, por isso preenchi um perfil no Cupid's Coach e marquei uma reunião com ela.

Mais um cara vai embora

A primeira coisa que Julie fez no dia do nosso encontro foi me fazer um monte de perguntas que não constavam no perfil: Que tipo de cara eu já namorei? O que deu certo? O que não deu? Como era minha família? Como foi minha infância? O que era importante para mim? O que me empolgava? Isso levou cerca de uma hora. Depois, ela começou a clicar no computador: estava examinando seu banco de dados sobre a formação de pares amorosos.

— Estou procurando meus cinco principais candidatos — informou, continuando a clicar. — Não apresento mais homens porque é muito opressor. Se eu der às pessoas muitas opções, acaba sendo uma experiência do Match.com, e aí não faz sentido. Então um ano se passa, as pessoas gastaram dinheiro e não mudam em nada sua situação.

Olhei para a tela do computador. Cinco homens me sorriam, dois dos quais eram uma graça. Dois pareciam muito velhos mas, na verdade, eram apenas alguns anos mais velhos do que eu. Se duvidar, também pareço "velha" para eles. É um fenômeno. Observo, desde que fiz 40 anos, que todas da minha faixa etária parecem mais velhas do que eu porque, quando me visualizo, imagino uma imagem mental de mim aos 30. Não atualizei a imagem para refletir minha aparência hoje em dia.

É um problema, porque não tenho a mínima atração por homens de meia-idade. Encontro um cara ou vejo sua foto, e fico certa de que, se me apaixonasse por ele quando ele estivesse na faixa dos 20 ou 30 anos, formaríamos uma família, e passaríamos juntos 10 ou 20 anos, e eu continuaria atraída por ele, porque sua essência ficaria armazenada na minha mente. É como a senhora de 70 anos que ainda acha que seu marido também de 70 é bonitão e estiloso, porque ele já foi assim, e é esse homem que ela vê quando olha para ele, mesmo depois de tantos anos. Mas conhecer esse homem de 70 anos sem ter uma história partilhada, sem a juventude partilhada, sem a imagem mental de 40 anos atrás à qual se prender, não me anima.

Eu sabia que precisava superar isso. Dos homens que Julie me mostrou, o primeiro que escolhi — um roteirista de 30 e poucos anos, com cara de garoto, que nunca se casou e não tinha filhos — era provavelmente o cara menos apropriado para mim. Ela me disse que o escolheu porque não me conhecia bem, como conhece suas clientes regulares — ela não havia completado todo o meu processo de inscrição —, e achou recomendável me fornecer uma ampla gama etária para saber minhas preferências. Entretanto, quanto mais falávamos sobre o roteirista, mais Julie tentava me encaminhar para um cara em quem não reparei: Sean.

Ela me disse que ele era um cara adepto da filosofia oriental e muito bem-sucedido no que fazia: controle de pestes. Isso mesmo: controle de pestes. *Por um lado*, pensei, *tenho pavor de aranha, de modo que esse cara talvez combinasse comigo*. Por outro lado, nunca me imaginei ficar com um sujeito que ganhava a vida matando insetos. Ele era careca, mas de aparência jovem e um "gato". Não parecia ter 46 anos. Morava a uma hora da minha casa. Não era judeu. Tinha mais de 30 centímetros de altura que eu. Mesmo assim, um sujeito verdadeiramente adepto da filosofia oriental mataria insetos?

Fiquei em dúvida e voltei ao roteirista bonitinho, jovem e judeu.

Julia insistiu — de maneira firme, porém amigável: "Se você fosse minha irmã, eu diria a ela para parar de procurar e sair com Sean. Fui eu que encontrei o par para minha irmã, e mereço todo o crédito pelo casamento e pelos filhos deles!".

Tentei me imaginar namorando Sean e conversando sobre como passamos o dia à hora do jantar.

Eu perguntaria: "E aí, que me conta sobre as baratas?". Eu não conseguia visualizar a cena. O roteirista, por outro lado, informou gostar de ouvir *This American Life* e assistir ao *The Daily Show*. Ele era divertido. Acho que esqueci de mencionar que era também adorável.

Julie me disse que eu devia ser mais flexível quanto aos demais homens que ela escolheu. Havia Chris, de 45 anos, proprietário de uma pequena empresa, divorciado e pai de um adolescente. Ele era bonito e seu tipo lembrava um artista de cinema, o que não fazia absolutamente meu gênero: prefiro homens com aparência diferente.

Tudo bem, sei que eliminei um cara porque ele era atraente *demais*. Será que eu podia ser mais exigente? Aparentemente, sim — tampouco achei que ele não era intelectual o suficiente, porque tem uma empresa de materiais de construção e estudou na Universidade Estadual de San Diego (nada a acrescentar sobre não fazer suposições).

Outro candidato era Robert, um gestor autônomo de talentos que era mais acomodado que ambicioso. Ele também tinha 1,67 m, mas isso já não me fazia excluir um cara. Fiquei mais flexível quanto à questão da idade. O problema é que ele parecia medíocre e pouco inteligente; eu precisava de "um crânio".

Jon era um crânio: tratava-se de um judeu de 50 anos, empresário de equipamentos biomédicos, que estudara em uma excelente faculdade e era atlético. Ele escrevia pequenos ensaios inteligentes e sinceros, mas parecia não ter senso de humor, e vivia a mais de uma hora e meia de distância. Logisticamente, como namoraríamos? Finalmente, havia Scott, um advogado ambientalista de 49 anos, divorciado, que morava perto de mim. Ele escrevia ótimos ensaios, mas também tinha dois filhos adolescentes, era católico e me pareceu velho.

Julie também "puxou a brasa" para Scott: nós dois éramos igualmente intelectuais, tínhamos afinidades e interesses similares, e nos empenhávamos em criar bem nossos filhos; mas, dentre todas as opções, escolhi o roteirista.

Não preciso contar como isso terminou. Como a personagem de um filme de horror que ouve um barulho no porão no meio da noite e sabe que devia ligar para 190 e sair imediatamente da casa, em vez de descer os degraus que rangem e ir direto para o PERIGO, pedi a Julie que providenciasse meu encontro pessoal com o Sr. Roteirista-Tesão. Nós nos falamos ao telefone. Ele era divertido, criativo, tínhamos as mesmas referências de cultura *pop*; ele era cordial e gentil, mas precisava fazer vários trabalhos *freelance* para pagar as contas, morava numa quitinete em uma região mal-afamada, não tinha experiência com criancinhas nem se interessava por elas. Frequentava boates e andava com seus amigos solteiros jovens até altas horas. Nós dois gostamos do nosso papo, porém, quanto mais conversávamos, mais se evidenciava que estávamos em fases diferentes da vida. Nenhum dos dois convidou o outro para sair.

Nesse meio-tempo, não contatei nenhum outro candidato que Julie escolheu para mim até algumas semanas depois, quando reanalisei o perfil de Scott.

Dessa vez, enquanto eu lia os ensaios dele, senti-me como se tivesse levado um golpe na cabeça. Ele era exatamente o tipo de cara que eu vivia dizendo que não conseguia encontrar. Não só porque partilhava quase todos os meus interesses; ele me dava a impressão de ser alguém com quem eu ia querer passar muito tempo. E daí que ele parecia mais velho, tinha filhos adolescentes, e nossas religiões não eram a mesma? Nossos valores eram semelhantes. Tínhamos estilos de vida e objetivos parecidos. Ambos priorizávamos o fato de sermos pais. Ambos éramos intelectuais e criativos (seu passatempo era fotografia). Amei seu humor autodepreciativo. Ele queria se casar de novo.

Isso não era novidade: Julie disse tudo isso no dia em que me apresentou a ele, mas eu só conseguia enxergar o roteirista jovem judeu, um "tipo" que sempre foi meu gênero e que namorei algumas vezes, mas para quem eu nunca disse "Aceito".

Mandei um e-mail para Julie dizendo que estava interessada em sair com Scott, e ela me respondeu algumas horas depois: Scott estava namorando outra cliente dela e estava fora do mercado. *Evidente que estava*, pensei. Eu agi da mesma forma que fiz com Sheldon.

Que droga de problema eu tinha? No nível racional, sabia que fazia escolhas que não me levariam à felicidade no longo prazo. Eu sabia que aquilo que as especialistas diziam era verdade, mas tinha um lado irracional que me dominava, deixando-me frustrada e decepcionada comigo mesma. Quantas vezes mais eu permitiria que isso acontecesse? Quando, me perguntei, eu aprenderia a lição? Preocupei-me com o fato de que, se eu não aprendesse rapidinho, ficaria sozinha para sempre.

Alguma coisa precisava mudar. E essa coisa era, obviamente, eu.

14

As segundas-feiras com Evan

Terceira sessão — a verdadeira história dos machos alfa

Na sexta-feira à noite, cheguei ao café alguns minutos antes do meu encontro com Mike, o pai solteiro *deadhead* a quem mandei um e-mail na minha segunda sessão de treinamento de namoro com Evan. Eu estava sentada a uma mesa bebericando café com leite quando ouvi:

— Lori?

Levantei os olhos e, para minha surpresa, Mike era lindo, o que não parecia nas suas fotos na internet. Ele foi gentil e perguntou se eu queria mais café ou ir jantar. Perguntou se eu queria me sentar do lado de fora, porque estava muito barulhento lá dentro. À nossa pequena mesa na calçada, conversamos sobre as eleições, maternidade/paternidade e nosso trabalho. Até descobrimos ter um conhecido em comum.

Evan estava certo ao dizer que não se deviam fazer suposições: fiquei sabendo que o fato de Mike ser um *deadhead* queria dizer que ele gostava da música do Grateful Dead, não que ele dirigisse uma van cheia de adesivos e vivesse chapado. Em pessoa, ele não fazia trocadilhos; talvez estivesse nervoso quando nos falamos ao telefone. Era muito inteligente, mesmo se não se julgasse "um daqueles crânios", e reconheceu nunca haver sido bom aluno. Os julgamentos que fiz quando não o conhecia não correspondiam à verdade.

Ainda assim, eu disse a Evan, na nossa terceira sessão, que parecia que Mike e eu não combinávamos no geral. Mike era muito acomodado no que dizia respeito a assuntos práticos e aspirações profissionais. Ele era muito discreto e não me pareceu ter objetivos. Ele simplesmente não era...

— Ele não é um macho alfa — interrompeu Evan.

— Tudo bem — eu disse —, porque os machos alfa não me agradam necessariamente. Não estou a fim de banqueiros de investimentos, nem de pilotos de corrida, nem de sujeitos supermachos como eles. São os caras intelectuais que me atraem, um médico, advogado ou cientista que esteja fazendo pesquisas interessantes, ou um dramaturgo cujo trabalho eu respeite. Não quero alguém que apenas bata o ponto na hora certa; ele precisa gostar muito do que faz.

— É isso aí — disse Evan. — Eles atraem muitas mulheres, mas essas mesmas mulheres reclamam que é muito difícil sair com esses caras. Nesse meio-tempo, elas não querem se encontrar com caras que não sejam machos alfa. Nem com um sujeito tímido ou que não seja um líder. Os homens confiantes e bem-sucedidos inspiram confiança nas mulheres.

Concordei. Há algo muito sedutor em um homem competente e confiante. Que funde uma empresa, vença um julgamento ou cure uma doença. Que tenha planos, ganhe a vida e tome a iniciativa. Que seja atlético o bastante para derrotar os vilões imaginários. E que — fico sem jeito de reconhecer — possa proteger-nos do mundo, mesmo que não precisemos de proteção.

Um cara legal e "de atitude"

Lembro-me da conversa que tive com certa mulher solteira de 35 anos, executiva de publicidade, que havia cinco anos rompera com um cara que ensinava música a criancinhas porque o emprego dele era muito insípido. Ele acabou se casando com outra pessoa e demonstrou, obviamente, ser um ótimo pai, porque adorava crianças. Nenhum dos advogados ou banqueiros que ela namorou desde então deram certo. Ela duvida que esses namorados machos alfa seriam tão bons maridos ou pais quanto aquele professor. Eles não eram flexíveis o bastante, o que levava a constantes brigas, mas o professor de música, um homem tranquilo, era *conciliador* demais, o que a irritava. Por que o professor não tinha opiniões mais firmes sobre as coisas cotidianas? Por que ele sempre dizia: "Se você quer fazer isso, tudo bem, não me importo"?

— Não é uma coisa racional, mas, se ele dirigisse o programa de música, eu talvez tivesse outra opinião — ela disse sobre o ex-namorado. — Pelo menos ele pareceria mais, sei lá, poderoso. Sempre pensei que, quando crescesse, eu me casaria com um homem que ganhasse pelo menos o que ganho, ou mais; ele ganhava muito menos. Além disso, ele tinha muitas horas de folga, enquanto eu trabalhava. Parecia que ele seria quase a dona da casa, porque eu é que sustentaria o lar, e trabalharia o ano inteiro no mundo empresarial. Sei que isso é feio de admitir, mas ficava constrangida de levá-lo à festa de Natal da companhia e saber que ele diria às pessoas que ensinava crianças de dois anos a bater em tambores de plástico.

Evan me disse estar cansado de ouvir essa história: mulheres reclamando que os machos alfa atraentes são egocêntricos ou não merecem confiança, e os caras legais também não as impressionam.

— As mulheres dizem querer um macho alfa que seja legal — disse Evan — ou talvez um cara legal "com atitude". Querem alguém que as faça sentir empolgadas e, ao mesmo tempo, as proteja.

Nas palavras da executiva de publicidade:

— Quero um homem ambicioso que tenha as qualidades que também fazem tão atraente um cara que ensina criancinhas: caloroso, sensível, generoso, estimulante. Mas quero que ele tenha essas qualidades em casa, e qualidades ambiciosas no mundo dos negócios. Não sei se isso faz sentido...

— Mas você já reparou — perguntou-me Evan, quando toquei no assunto — que esses homens são raríssimos? E, mesmo que você conheça um deles, é isso mesmo que você quer?

Evan disse que os machos alfa são como os *pit bulls* que namorávamos quando estávamos com 20 e poucos anos. Mas, em vez de namorar o roqueiro rebelde que passa 30 semanas fazendo shows pelo país, agora namoramos o quarentão sedutor que nunca se casou e trabalha 60 horas por semana, e sempre somos preteridas pelo seu trabalho e sua liberdade.

Os caras legais, por outro lado, são... maneiros. Querem agradar às mulheres. Gostam de fazer o que a mulher quer. Mas há mulheres, de acordo com Evan, que não querem um homem tão legal assim: querem que ele mande, dirija o carro, tome decisões, em vez de sempre concordarem com qualquer plano que elas inventem.

— Mas os líderes — ele continuou — podem mostrar-se pessoas arrogantes, de difícil convivência, e muito irascíveis. É difícil encontrar uma pessoa que ponha você em primeiro lugar, mas também tenha o tipo de personalidade que goste de assumir a liderança.

Evan me falou sobre uma cliente que se aborreceu com o namorado recente. Ele a levou a um lugar onde a música era muito alta e, ao perceber que ela não estava gostando, perguntou-lhe aonde então ela queria ir. Esse foi um duplo "corta tesão": Não apenas ele escolhera um lugar desagradável para eles irem como quis que *ela* escolhesse uma alternativa melhor para o erro dele. Por que esse cara não tomou uma decisão... e que prestasse?

Evan disse que essa era uma queixa constante das suas clientes: elas querem líderes que se importem com seus sentimentos e saibam também interpretar o que lhes vai na cabeça. Ou querem que o cara seja presidente, mas que elas também tenham poder de veto.

— O único problema — Evan disse — é que você vai discutir com os caras alfa com quem sair, porque, ou você faz o que ele quer, ou então leva um pé na bunda. Você quer que ele a agrade, mas não respeita os caras legais que *tentam* agradá-la.

As clientes de Evan costumam listar qualidades que raramente coexistem: um sujeito incrivelmente motivado que também tenha muito tempo livre para vocês dois fazerem um passeio espontâneo de um dia inteiro; um sedutor bonitão que *não* atraia as atenções das mulheres em uma festa.

— Vocês podem até querer essas duas características — explicou Evan —, mas precisam escolher qual é mais importante. Quando se considera o assunto dessa maneira, a resposta é óbvia. E, a propósito: os machos alfa podem não estar procurando as qualidades que vocês têm.

Os machos alfa não se casam *comigo*

Que diabos isso queria dizer? Por que um macho alfa não sairia comigo?

— Bem — ele disse —, o que acontecia quando você saía com homens como esses caras?

Contei a Evan sobre uns dois machos alfa que me atraíram no passado. Sobre o advogado criminal que queria ganhar todos os debates também fora do tribunal. Sobre o empresário bem-sucedido habituado a que seus funcionários fizessem tudo o que ele queria, e que não estava disposto a ceder em um relacionamento.

Evan concordou com a cabeça e disse:

— Quando namoramos, procuramos pessoas que sejam um reflexo do que somos. A mulher bem-sucedida busca sempre um homem bem-sucedido. Mas essa mesma qualidade que os torna bem-sucedidos também causa atritos, e é por isso que essas duas pessoas voluntariosas não conseguem parar de discutir. Elas exigem toda a atenção, e o emprego é mais importante do que seus relacionamentos. Mas, em vez de procurar alguém que nos complete, e não concorra conosco, continuamos tentando conseguir "melhores" versões de nós mesmos, em nosso próprio detrimento. Um cara pode ser um líder em outras áreas, mas não no escritório.

— Você está me dizendo que as mulheres ambiciosas não devem namorar seus pares? — perguntei.

Evan balançou a cabeça negativamente:

— Não, estou dizendo que você tem de encontrar um homem cujos pontos fortes complementem os seus. Os elementos que você acha impressionantes em um homem não se traduzem necessariamente bem no contexto de um casamento: ambicioso, competitivo, inflexível.

— Mas esses caras sempre se casam — disse eu.

— Certo, mas se casam com *você*?

Pensei nos machos alfa que eu conhecia e em quem eram suas mulheres: mães em tempo integral que desistiram da carreira (e gostavam de ter feito isso), mulheres com uma carreira discreta e flexível e, pensando bem, muitas pessoas cujas profissões ajudam os outros, como enfermeiras. Lamentavelmente, nenhuma delas me incluía.

— Reflita sobre o assunto — disse-me Evan. — Que benefício um macho alfa recebe se namorar você? O mundo gira em torno dele no trabalho. Ele aprecia o estímulo intelectual e as opiniões. Ele gosta de desafios, mas já os tem o dia inteiro. O que ele não obtém no trabalho são coisas como calor humano, apoio, incentivo. Você talvez possa lhe proporcionar isso, mas sua personalidade não é das mais fáceis, e ele quer que sua mulher lhe dê tranquilidade em casa. E você quer um homem que saiba liderar, mas que também consiga ceder e deixar que você lidere. Isso pode criar um conflito entre vocês dois.

Evan disse então que eu precisava tomar uma decisão: ia querer sair com Mike de novo?

— Você tem de decidir o que quer mais: você quer o tipo de homem com quem já saiu, embora até hoje isso não tenha funcionado? Ou quer tentar conhecer o Mike, que é um cara legal e um ótimo pai, mas não é superambicioso? Não estou dizendo que Mike seja O Cara Certo; ele pode ser totalmente errado para você. Só estou dizendo que você talvez não obtenha as informações suficientes só com um encontro.

Ele tinha razão. Mike e eu só saímos uma vez. Sempre usei os primeiros encontros como uma espécie de teste em que os caras eram aprovados ou reprovados. Aprovado queria dizer que minhas pernas tremeram. Reprovado compreendia qualquer outra coisa. Mas talvez eu superestimasse a importância de um primeiro encontro. Afinal de contas, meu primeiro encontro com Mike foi legal; ele apenas não conseguiu fazer eu me sentir nas nuvens. Isso também deve ter acontecido com ele, mas deduzo que ele deve ter gostado, porque me convidou para um segundo encontro. Por que recusar?

De qualquer modo, quanta importância se deve atribuir aos primeiros encontros?

15

O que os primeiros encontros *realmente* revelam

— Que bom! Então você realmente gostou dele! — disse minha amiga Lúcia quando eu lhe disse que ia sair com Mike de novo. Tentei explicar que, para mim, ele não cheirava nem fedia; eu estava basicamente neutra.

Mas Lúcia, que "ficou sem fôlego" ao conhecer o marido, achou que eu estava sendo tímida.

— Você está escondendo o jogo, não? Aposto que gosta dele muito mais do que admite.

Esse não era o caso, mas Lúcia não conseguia entender por que eu iria sair de novo se estava tão *blasé*. De acordo com ela, se eu não ligava para o Mike, por que me encontrar com ele mais uma vez?

Mudando a história

Em certo nível, eu também me perguntava: "por que eu ia me encontrar com ele de novo?". Era claro que eu conhecia casais bem casados cujos primeiros encontros não foram lá grande coisa, mas não sei por que esperava que meu primeiro encontro com meu marido fosse memorável. Eu certamente não sabia interpretar as coisas no primeiro encontro. Uma vez fiquei toda animada ao conhecer um homem porque descobrimos que, no nosso café da manhã, comíamos a mesma marca quase desconhecida de biscoitos com lascas de chocolate ("Que coisa mais estranha! Só pode ser coisa do destino!"). Mas isso não queria dizer que éramos almas gêmeas; significava apenas que tínhamos os mesmos e nocivos hábitos nutricionais. No terceiro encontro, percebemos que pouco tínhamos em comum além daqueles biscoitos. Ainda assim, quanto mais eu ouvia as pessoas contarem as histórias de como "tiveram certeza", logo no primeiro encontro, de que "aquele homem era O Cara Certo", mais me convencia de que esses começos conduzem a casamentos mais felizes.

Diane Holmberg, pesquisadora e professora canadense que estuda relacionamentos, afirma que isso não é verdade e que é bem capaz de as histórias que me contam sobre o primeiro encontro serem pouco exatas. Ela descobriu que, com o passar do tempo, os pares casados mudam as histórias dos seus namoros. No seu livro *Thrice Told Tales: Married Couples Tell Their Stories*, ela e seus coautores analisaram como os casais descreveram seu relacionamento no primeiro, terceiro e sétimo anos de casamento. O resultado: suas histórias não eram consistentes.

Diane explicou:

— Selecionei um primeiro casal que mostrava uma queda significativa no bem-estar conjugal, de maneira geral. Depois, escolhi um segundo par que foi comparado com o primeiro casal quanto ao bem-estar conjugal no primeiro ano, mas que se estabilizou com o tempo. Depois analisei como os casais falaram sobre as primeiras fases do seu relacionamento.

Ela verificou que, no terceiro ano de união, as histórias de noivado do grupo estável ficaram *mais positivas* do que informaram, enquanto as histórias relatadas pelo primeiro par ficaram *mais negativas* do que havia sido contado. Mas lembre-se: no primeiro ano, as histórias do namoro eram idênticas... Em outras palavras: os casais felizes descreveram as primeiras etapas do relacionamento como mais positivas com o passar do tempo; o contrário aconteceu com os pares que ficaram menos felizes.

Essas não eram apenas lembranças do primeiro encontro — elas abrangeram os primeiros encontros até o pedido de casamento —, mas demonstram, segundo Diane, que existe uma espécie de história revisionista nesse assunto.

Será exata a história do primeiro encontro de Lúcia? Não sei — eu não a conhecia quando ela conhecera o marido. De qualquer maneira, sabia que precisava mudar a maneira de considerar o primeiro encontro como previsor do meu futuro com cada um dos meus namorados.

Grace, casada há seis anos, sabe que os primeiros encontros podem ser enganosos: "Eu literalmente ouvi uma voz que me dizia: 'Você vai se casar com ele e ter um filho'. Toda vez em que eu me encontrava com esse homem, o resto do mundo deixava de existir, e eu me sentia totalmente ligada a ele".

Eles têm mesmo um filho, como a voz disse, mas a ligação não foi duradoura, e eles estão se divorciando.

— Resumindo: eu realmente não o conhecia bem — ela reconhece hoje em dia.

Em um episódio recente do programa de rádio *This American Life*, ouvi a história de um casal incrivelmente romântico, que se apaixonou à primeira vista e cujo namoro merecia ser levado ao cinema, mas seu casamento foi muito mais difícil do que eles esperavam. A situação ficou tão insustentável que eles quase se separaram, mas, em vez disso, preferiram ceder nas suas diferenças e criaram o que hoje é uma união sólida. Em uma entrevista, o homem comentou que, porque ele e sua mulher tiveram uma incrível história de amor à primeira vista, as pessoas sempre querem saber como isso aconteceu, mas, na opinião dele, elas fazem a pergunta errada:

— Todos me perguntam como nos conhecemos, mas ninguém pergunta como conseguimos continuar juntos.

Eu não retornava os telefonemas dele

Julie não ficou com as pernas trêmulas ao conhecer o marido, Jeff. Na verdade, ela nem queria tomar café com ele. O primeiro encontro deles não foi em um restaurante romântico, mas no CTI de um hospital na Carolina do Norte, à cabeceira de um paciente. Julie era a médica e Jeff, o enfermeiro.

Depois de seu encontro à cabeceira, Jeff deixou uns dois recados na secretária eletrônica de Julie, que não retornou as ligações porque achava não haver uma forma gentil de dizer: "Obrigada, mas não quero sair com você". Ela estava certa de não ter nenhum interesse romântico por Jeff, e, como eles poderiam se esbarrar no hospital, rejeitá-lo era constrangedor.

Então, certa noite, quando Julie se aprontava para se reunir com amigos do trabalho em um jogo de beisebol, Jeff lhe telefonou; depois ele lhe disse que aquela seria sua terceira e última tentativa.

— Foi a perfeita resposta gentil para o encontro que eu julgava não querer — disse Julie. — Convidei o Jeff para se encontrar comigo, junto com o pessoal do trabalho; ele já conhecia todo mundo mesmo.

Em outras palavras, não era o encontro perfeito. Mas, depois que se sentaram em um montículo de grama no campo aberto, perderam completamente o interesse pelo jogo.

Julie disse:

— Nós batemos papo como se fôssemos velhos amigos. Rimos sobre as semelhanças na nossa criação. Eu me senti totalmente à vontade com ele. Nenhum dos dois saiu com mais ninguém depois daquela noite.

Eles estão casados há 12 anos.

— Jeff foi o pacote posto à minha porta duas vezes — disse Julie —, mas até ser desembrulhado e ficar me esperando eu não percebi o tesouro que ele era.

O Príncipe Sapo

Helena Rosenberg, psicoterapeuta de Los Angeles especializada em aconselhar mulheres solteiras à procura de um companheiro, chama os homens, assim como a seu próprio marido, de Príncipes Sapos — homens que, à primeira vista, você não acha que servem para você, mas, à medida que os conhece, acabam se transformando em príncipes.

Jennifer, de 36 anos, conheceu o marido há sete anos e é casada com um Príncipe Sapo.

— Eu estava em uma festa e nem reparei em Danny; estava de olho em outro cara, com quem saí, e fiquei amiga de Danny. Logo percebi que Danny era um cara muito bacana, ele apenas não tinha os atributos que se podem ver do outro lado da mesa em um primeiro encontro. Os melhores maridos são os que têm qualidades que não são óbvias e se percebem com o tempo, como gentileza, paciência, generosidade e honestidade.

Scott Haltzman, psiquiatra da Universidade Brown e autor do livro *The secrets of happily married woman*, disse-me, do seu escritório em Providence, que é melhor as mulheres aprenderem isso no começo do namoro:

— Minha observação clínica é que as primeiras impressões não são sólidos indicadores de um casamento feliz. Tenho uma filha de 17 anos; ela me disse que saiu com um rapaz que era um verdadeiro mala sem alça. Aí respondi: "Ótimo! É melhor que ser cafajeste. Se você não o achou perigoso nem teve ânsias de vômito, saia com ele de novo". As pessoas confundem a ânsia de vômito com o interesse, mas, se você pode objetivamente dizer a si mesma que o sujeito tem qualidades, saia com ele novamente. Pode ser preciso sair com um homem várias vezes para descobrir se ele é interessante em algum aspecto. E então é possível que você descubra estar muito atraída por ele.

Isso me lembrou uma coisa que Anne Meara, da dupla de comediantes Stiller e Meara, disse certa vez em uma entrevista ao *The New York Times*, sobre seu casamento de mais de 30 anos com Stiller: "Foi amor à primeira vista? Não, mas certamente é agora".

Ele parecia baixinho — numa foto só de rosto

A esta altura é evidente: os primeiros encontros nos revelam muito pouco, mas acho que, se a revista feminina *Cosmo* fizesse uma pesquisa sobre primeiros encontros e depois pedisse às leitoras para adivinhar quais deles levaram a casamentos bem-sucedidos, quais levaram a casamentos malsucedidos e quais não levaram ao casamento, muitas de nós erraríamos. Analisemos a história de Tracey e Phil. Ela nem sequer queria conhecer o homem que se tornou seu marido porque, quando Tracey navegou na internet, ele parecia baixinho — *na foto só de rosto!*

Tracey, que tem agora 32 anos, me disse, de sua casa na Filadélfia, que sua mãe conhecia a mãe de Phil e queria apresentá-los.

— Minha mãe garantiu que ele era um cara legal, de boa família, formado em Direito e que exercia a profissão — explicou Tracey. Ela então acessou o site do escritório de advocacia onde ele trabalhava e, baseada na foto de cinco centímetros, supôs que Phil fosse baixinho.

— Não acreditei na minha mãe quando ela disse que Phil era alto — explicou Tracey —, porque ela não se importa com altura; ela estava procurando alguém que fosse uma boa companhia para mim. Eu também quero isso, mas preciso ter atração pelo homem, e o meu tipo é um homem alto.

Entrementes, Phil tinha dúvidas similares.

— Minha mãe disse que Tracey era muito inteligente, tinha doutorado pela Universidade de New York City, era uma boa pessoa e seus olhos eram bonitos, por isso supus que o resto do corpo não fosse... digamos, legal.

Quando eles finalmente se conheceram, em uma festa de fim de ano depois do Natal, ambos sentiram que sua recusa inicial em se encontrar era justificada. Apesar de Phil ter 1,96 m, nenhum dos dois ficou impressionado com o outro.

— Eu me senti uma anta por supor que ele fosse baixinho — disse Tracey —, mas não senti nem frio na barriga. Não tive a sensação imediata de: "Nossa! *Quero conversar com ele*".

Phil tampouco ficou entusiasmado:

— O cabelo dela era farto e encaracolado, o que não a favorecia: ela parecia um poodle.

Depois de baterem um papo agradável mas nada de excepcional, Tracey, que é naturalmente extrovertida, pediu a Phil seu cartão de visitas: ela achou que Phil era um cara inteligente e correto, e que eles talvez pudessem se encontrar na próxima vez em que estivessem na cidade.

— Eu não tinha expectativas românticas não só porque não houve química entre nós, mas também porque morávamos em estados diferentes — disse Tracey. Ela morava perto de Washington e ele, em Nova Jersey. — Eu realmente não tinha nenhum interesse romântico, mas achei que, como nossas famílias se conheciam, nós dois poderíamos ser amigos.

Quando Tracey acabou ligando para Phil, a conversa fluiu surpreendentemente bem. Phil disse:

— Se ela não tivesse ligado, eu não a teria contatado.

Então, de repente eles começaram a se falar com frequência, por interurbano, durante um mês. Phil lhe telefonava todos os dias, *mesmo assim* ela não o considerava um romance em potencial:

— Eu continuava achando que ele era um cara muito legal, e que eu estava começando uma grande amizade.

Phil não sabia direito o que pensar, mas, aproveitando um fim de semana prolongado, foi visitar sua mãe em Maryland e, a caminho de casa, parou no bairro de Tracey para jantarem juntos. Dessa vez houve maior interesse, mas nenhum dos dois teve a sensação de estar nas nuvens. Segundo Tracey, a atração foi "mais suave".

— Nós nos falávamos por telefone havia um mês — disse Phil —, por isso eu a conhecia um pouco mais. Ela também me pareceu mais bonita, mas porque eu a conhecia melhor.

— Eu senti a mesma coisa — acrescentou Tracey — Agora éramos amigos e isso fez aumentar a atração. Se nós não tivéssemos gastado tempo para nos conhecer melhor, eu talvez continuasse a não sentir nada.

Depois disso, os dois conversavam várias vezes todos os dias. Phil ia de carro até Washington todos os fins de semana que podia. Apesar da distância, ou talvez por causa disso, Tracey e Phil brincavam que os dois se falavam mais do que muitos casais que moram na mesma cidade.

— Ele estava sempre acessível — disse Tracey. — Isso era muito importante para mim. Os ex-namorados que tive eram atraentes e bem-sucedidos, mas eu sentia falta de ser mais bem-tratada. Eles não eram boa gente. Tinham boa aparência, bom emprego, vinham de famílias decentes, mas não eram pessoas legais, eram arrogantes.

Phil sempre foi atencioso comigo, eu sempre podia contar com ele. Nunca precisei me preocupar se ele retornaria minha ligação, ou se se comportaria como um cafajeste, como fazem muitos caras.

Agora eles parecem recém-casados e muito felizes, mas também admitem tranquilamente que os dois tiveram de ceder em alguns aspectos.

— Ela é uma ótima pessoa, porque eu a vejo como uma verdadeira parceira, uma pessoa do mesmo nível que eu — disse Phil. — Ela é tão inteligente quanto eu, tem um grande senso de humor, e a gente se diverte muito. Ela faz de mim um cara melhor, que quer sempre melhorar. Mas acho que às vezes Tracey é excessivamente sensível. Se eu fizesse uma lista das qualidades que julgo ideais, essa hipersensibilidade estaria fora. Mas estamos nos esforçando, porque temos muito interesse em nos compreender melhor.

Tracey admite ser superemotiva, e agradece a paciência que Phil tem com ela. Se ela pudesse mudar alguma coisa em Phil, seria o fato de ele não ser tão concentrado nas coisas como ela gostaria.

— Ele gosta que eu seja organizada, porque me mantenho a par de todas as contas e coisas que precisam ser feitas, mas não gosto do jeito acomodado que ele tem o tempo todo. No meu mundo perfeito, gostaria que ele tivesse mais iniciativa em relação às coisas. Às vezes tenho vontade de fixar um *post-it* na minha testa, para que ele se lembre das coisas e deixe de adiá-las. Mas ele me atura, então o jogo fica empatado. Somos uma equipe.

Phil e Tracey tinham a energia romântica pela qual anseio: um completa a frase do outro, ambos são pacientes com suas vulnerabilidades e se sentem à vontade para rir de suas características menos atraentes. Pensei que seria muito triste se eles não tivessem superado suas primeiras impressões.

Tracey também reflete sobre isso:

— Digo às minhas amigas solteiras que, se o homem for "jeitosinho" e parecer ser uma pessoa decente e inteligente, elas precisam ter um segundo encontro, mesmo se não gostarem do tipo dele, se o primeiro encontro foi um tédio ou se elas não sentiram nenhuma atração por ele. Se elas protestam, digo apenas: "Lembrem-se do que aconteceu entre mim e Phil".

Trezentos erros do primeiro encontro

Ele não faz meu gênero. O encontro foi chatíssimo. Não senti nenhuma atração por ele. Essas são apenas três razões que as mulheres alegam para não voltar a sair com um homem. Evan Marc Katz, o treinador de encontros amorosos, disse-me que a lista pode ser *imoralmente* longa.

— Mandei um e-mail para muitas mulheres porque queria descobrir, para informar a meus clientes, o que eles estavam fazendo de errado no primeiro encontro — disse Evan. — Pensei que receberia uma listagem com algumas justificativas, como *o cara não pagou a conta do restaurante. Ele foi grosseiro com o garçom. Ele não perguntou nada sobre a minha vida.* Ocorre que elas listaram 300 coisas! Eu nem sabia que havia 300 coisas que se pudesse fazer errado em um primeiro encontro! Dez, talvez, mas não 300! Imagine seu grau de exigência para ser capaz de listar tantas coisas que fariam você não sair a *segunda vez* com um cara.

— Elas disseram coisas como "Ele não deve falar com outra voz, mesmo que faça a melhor imitação de Austin Powers do mundo inteiro", e "Ele não deve dizer à sua acompanhante que nada vai impedi-lo de assistir ao jogaço" e "Ele não deve usar um cinto marrom e sapato preto, ou vice-versa". Fiz a mesma solicitação aos homens, e eles só relacionaram algumas coisas que não os levariam a um segundo encontro: *Ela não era atraente o bastante. Ela não era revigorante o suficiente. Ela não era amigável.*

Evan disse:

— Parece que as mulheres não se dão conta de estar apenas em um encontro. A mulher pensa: "Será que ele vai ser meu marido?". Isso quer dizer muito mais do que apenas: "Vamos sair de novo?". Um homem convida uma mulher para um segundo encontro se a achar bonita, e se ele se divertiu. Pelo que vejo, as mulheres são muito mais críticas em um primeiro encontro.

Confundindo bons acompanhantes com bons maridos

O Dr. Michael Broder, o terapeuta da Filadélfia que falou comigo sobre a noção de direito adquirido da mulher atual, disse que as expectativas fora da realidade começam no primeiro encontro.

— Quase todo mundo conhece alguém casado e feliz, mas o início do relacionamento não causou muita emoção. Porém muitas mulheres vão ao primeiro encontro e dizem: "Preciso sentir as pernas bambas, porque senão despacho o cara". Elas não querem esperar para ver o que pode ocorrer no segundo ou no terceiro encontro. Elas querem tudo na mesma hora, e não têm paciência para homens que não causam boa impressão de imediato: ou ele a arrebata, ou ela não quer mais saber dele.

O Dr. Broder acredita que as mulheres costumam confundir um cara muito agradável no primeiro encontro com bons maridos. O oposto também acontece: o sujeito que não se saiu bem no primeiro encontro deve dar um mau marido. Nós nos esquecemos de que o camarada desajeitado, que fala pouco ou não é divertido no primeiro encontro, pode agir assim porque está empolgado com você, e não porque seja um imbecil. Na verdade, ele pode ser um cara bem legal. O homem que não a deixa de pernas bambas em razão de sua falta de habilidade no primeiro encontro pode vir a arrebatá-la ao ser um marido carinhoso. Já o cara que a deixa zonza no primeiro encontro pode vir a ser um péssimo marido. As habilidades de fazer a corte, especialmente no primeiro encontro, não indicam eficazmente o tipo de marido que o fulano será.

É por isso que Lisa Clampitt, a casamenteira da cidade de Nova York, me disse que, se uma cliente ficar "em cima do muro" depois do primeiro encontro, ela recomenda insistentemente uma segunda saída. Ela não exige, mas deixa antecipadamente claro a ambas as partes que, se a interação for "neutra", uma segunda tentativa não pode dar errado. Às vezes as pessoas ficam nervosas no primeiro encontro, outras vezes acham que só têm uma oportunidade, como se fosse uma entrevista de emprego, e ficam muito concentradas em conseguir um segundo encontro, por isso não demonstram tranquilidade no primeiro. Mas, se o segundo encontro for possível, a primeira interação pode ser mais natural. E mesmo se a primeira interação for natural, mas ninguém sentir frio na barriga — como aconteceu entre mim e Mike —, Lisa acredita que a dinâmica mude no segundo encontro, e os dois possam se analisar de maneira diferente daquela do primeiro encontro.

Se, por outro lado, o primeiro encontro for "supernegativo", Lisa conversa com os dois candidatos para compreender o porquê.

— Às vezes eu compreendo, mas, ao mesmo tempo, não quero que eles sejam insensatos e percam uma oportunidade.

Perguntei que conselho ela daria a uma amiga minha que saiu pela primeira vez com um cara que descreveu como bonito, inteligente, muito viajado, mas que "não sabia conversar". Minha amiga disse: "O encontro consistiu em umas 20 perguntas. Houve umas pausas constrangedoras, tipo 'E agora?'". Ela não queria sair com ele de novo.

Lisa suspirou ao telefone e perguntou: "O que esperam as pessoas quando se encontram pela primeira vez com alguém? Que elas vão se sentir tão à vontade como quando estão com gente que já conhecem? Às vezes a primeira conversa flui facilmente, mas só no terceiro ou quarto encontro a coisa fica mais natural. Damos a nossos colegas de trabalho ou novos amigos em potencial o benefício da dúvida quando nos encontramos pela primeira vez, mesmo que essas primeiras interações não sejam superanimadoras. Por que não agir assim com parceiros em potencial?".

Lisa diz que não dá para dizer muita coisa desses primeiros encontros, por isso ela não pede que a mulher se case com o cara; só lhe pede para passar *duas horas* com ele, para ver se ela se diverte.

Ela afirmou: "O amor deve aumentar com o tempo; não começar no auge. Desenvolve-se o amor verdadeiro à proporção que passa o tempo. Trata-se de aprender a confiar, a criar um vínculo e a formar uma família, com ou sem filhos. Por isso, sou a favor de não pensar demais no início de um relacionamento. As mulheres, especialmente, têm a tendência a rejeitar as pessoas muito depressa. Pela minha experiência, são as mulheres que não querem ter um segundo encontro, não os homens".

Lisa não era a primeira a afirmar que as mulheres são mais exigentes que os homens. Seria isso verdade, não apenas quanto ao primeiro encontro, mas de maneira geral? Pensei nas 300 coisas que as mulheres disseram que os homens fazem errado no primeiro encontro. Isso me pareceu exagerado.

Portanto, eu precisava descobrir: as mulheres são mesmo mais exigentes que os homens?

16

As mulheres são mais exigentes que os homens?

— Ah, corta essa! — eu disse ao meu amigo Kyle, um jornalista casado de Nova York, quando discutíamos sobre homens e mulheres exigentes ao escolher um par. Eu não acreditava na teoria dele, de que, se a mulher é basicamente atraente e normal, a maioria dos homens lhe dá uma oportunidade.

Ele explicou sua opinião assim: "Se uma garota dá a impressão de que não vai ter muitos ataques de choro sem motivo, não tem muitas receitas de antidepressivos nem vai querer 'discutir a relação' o tempo todo, nem vai verificar nossos e-mails nem vai navegar no Google para saber os nomes das nossas ex-namoradas, nós damos muito valor a isso. Na nossa opinião, isso é um fator positivo quando avaliamos a namorada. É beleza! Uau! Gol!".

Ele talvez não estivesse falando sério, mas havia alguma verdade no que ele disse: os homens têm mesmo exigências levemente menos rigorosas que as mulheres.

Em uma pesquisa realizada em 2007 pela revista *Time* e pela CNN, 80% dos homens e mulheres disseram que acabariam encontrando o par perfeito, mas, quando lhes foi perguntado se eles se casariam com outra pessoa, se não achassem o Homem Certo ou a Mulher Certa, 34% das mulheres disseram que sim, contra 41% dos homens.

Lisa Clampitt, a casamenteira de Nova York, não se surpreendeu. Seus clientes são mais flexíveis que suas clientes. Se ela pede a um cara para ampliar sua faixa etária de 30 para 35, ele costuma concordar; se ela lhe pede para considerar uma mulher com 1,57 m em vez de 1,68 m, ele provavelmente aceita.

— Os homens são mais receptivos a estilos diferentes, enquanto as mulheres têm dificuldade com isso — disse Lisa. — Elas têm uma porção de normas sobre com quem vão sair ou não, e não abrem mão do homem ideal.

Dan Ariely, o economista comportamental do MIT, estudou mais de 20 mil pessoas inscritas em sites de namoro, e também concluiu que as mulheres são mais exigentes que os homens. Basicamente, se a mulher estava acima de um certo nível de atração física e parecia amigável, o sujeito se interessava. Os homens não microanalisavam se iam sair com mulheres por causa de seus rendimentos, nível de instrução, o tipo de trabalho que faziam, altura ou raça com a mesma rigidez com que as mulheres analisavam os homens.

— As mulheres têm uma imagem mental mais concreta do que o cara provavelmente é — disse-me Dan. — Já os homens têm uma noção mais vaga, e não são tão severos quanto aos detalhes.

— Tudo bem, mas isso é em relação à atração inicial. Quando os homens estavam namorando, conheci vários caras que davam o fora nas mulheres por causa das desculpas mais esfarrapadas, na minha opinião. Ben, um banqueiro de 45 anos, disse-me haver rompido com uma namorada porque os tornozelos dela eram muito grossos; outro fulano alegou que a namorada e ele tinham opiniões distintas sobre móveis ("Achei que jamais concordaríamos ao decorar uma casa juntos") e outro homem deu o fora na namorada porque — acredite se quiser — os dois tinham gostos "muito parecidos".

Muito parecidos?

— Nós nos divertíamos muito — ele explicou —, mas eu acabei percebendo que não éramos diferentes o bastante para tornar nosso relacionamento interessante no longo prazo.

Quando perguntei a Ben que tipo de problema ele teve com suas namoradas, Ben citou a falta de atenção às suas histórias, sempre adiar as coisas e permitir que o corpo dele "se deteriorasse" (entretanto, ele não suportou os tornozelos da namorada?).

Um advogado bem bonitinho rompeu com duas mulheres cuja companhia ele adorava, exceto em jantares: uma falava muito ("Ela dominava as conversas") e a outra era muito tímida ("Sempre me senti responsável por manter uma conversa"). Ele não se deu conta de que, se se casasse e tivesse filhos, não iria mais a muitos jantares, e que desfrutar da companhia da mulher, só os dois, seria importantíssimo.

— Estou procurando o equilíbrio certo — ele alegou, "tipo *Three Bears*"[12] (acho que as mulheres não são as únicas a acreditar em contos de fadas...).

— Bem — disse Dan, quando lhe contei essas histórias —, às vezes se trata menos de ser exigente e mais de ter problemas de intimidade. Homens e mulheres podem ter esse problema mas, em geral, em pessoas psicologicamente saudáveis que também querem se casar, as mulheres tomam decisões mais premeditadas que os homens. Para que eles se apaixonem, é preciso poucas coisas. Pergunte a homens e mulheres que porcentagem de pessoas eles namorariam, e as mulheres citam uma porcentagem bem menor. Por quê? Existe a história da evolução, mas acho que também tem a ver com a cultura.

Ele disse que, do ponto de vista da evolução, as mulheres tinham de ser exigentes porque precisavam ter alguém para ajudá-las a criar os bebês. Entretanto, em épocas mais recentes, os padrões culturais as tornaram excessivamente exigentes, e não apenas no que dizia respeito a coisas relacionadas a bebês, como rendimentos e bons genes. Para verificar isso, perguntei a dezenas de mulheres o que desejavam de um parceiro, e recebi as respostas habituais: alguém atraente, divertido, inteligente, gentil e financeiramente estável; mas, se eu investigasse um pouquinho mais, elas também queriam, na verdade, *exigiam*, um companheiro com uma vida emocional dinâmica, um cara que prestasse atenção nos sentimentos delas e também partilhasse seus sentimentos com elas. Quando perguntei a razão, várias disseram querer um homem emocionalmente complexo porque isso representa uma pessoa atenciosa e reflexiva.

Isso fazia sentido para mim. Mas será que também os homens não queriam uma pessoa atenciosa e reflexiva? "Sim e não", disse Dan. Ele acredita que os homens costumam julgar a complexidade emocional de outra maneira: as mulheres emocionalmente complexas são neuróticas e difíceis de agradar. A ideia feminina de complexidade pode ser a ideia masculina de instabilidade.

Melissa, 33 anos, reconhece ser "emocionalmente complexa", e acha que Dan está certo:

— Dizem que os homens se contentam com mulheres que não são desafiadoras, mas não é verdade, porque é isso que muitos homens *procuram*: a esposa condescendente que os adora, a esposa fácil de agradar e pacata, a esposa que não exagera a importância das coisas, que faz os homens *parecerem* menos exigentes. Mas serão os homens menos exigentes mesmo, ou será que homens e mulheres querem coisas diferentes?

---

[12] História infantil, também conhecida como *Cachinhos Dourados e os Três Ursos*. (N. T.)

Pacote completo

Os homens com quem falei concordam que eles e as mulheres querem coisas distintas: eles acham que as mulheres esperam muito dos homens, e que eles não conseguem corresponder. Kyle, o jornalista de Nova York, disse que, quando namorava, as mulheres queriam encontrar o cara alto e rico, e o equivalente emocional de uma amiga.

— As mulheres querem que os homens sejam gay e hétero ao mesmo tempo. Isso cria muita frustração e ressentimento com os homens. Os homens hétero não querem falar sobre moda nem saber de detalhes dos pontos fracos da personalidade das pessoas, como querem os gays.

Isso me lembrou de uma conversa que tive com uma amiga íntima certa noite, quando eu disse querer a mesma coisa que ela partilhava com o marido: eles eram a combinação ideal de amantes e melhores amigos.

— Na verdade, minha melhor amiga é você — ela disse.

E explicou:

— Se eu contasse ao meu marido metade do que conto a você, ele morreria de tédio e sairia do ar, e então nós brigaríamos porque ele não prestou atenção ao que eu estava dizendo. Por isso, em vez de importuná-lo todo dia, eu "alugo" você com minhas queixas!.

Fiquei confusa: "Se eu sou sua melhor amiga, isso quer dizer que ele não é?"

— Talvez — ela sorriu —, mas mesmo assim eu o amo mais do que a você.

É uma distinção que ela disse não ser capaz de fazer há alguns anos. Certo dia, frustrada porque seu marido não se interessava tanto por assuntos emocionais quanto ela, a ficha caiu:

— Mesmo nossos melhores amigos não satisfazem todas as nossas expectativas, por isso temos *muitas* amigas íntimas, não apenas uma. Então por que um marido precisa ser um hiperamigo que atende a todas as necessidades e divide os mesmos interesses? Quem aguenta esse tipo de pressão?.

Essa é uma lição que ela acha que mais mulheres solteiras deveriam aprender.

Também me lembrei do que meu amigo Andy, um dos "homens que foram embora", falou sobre sua mulher:

— Acho que o "pacote completo" é supervalorizado. Eu sinto entusiasmo no escritório com meu trabalho, ou com os amigos com quem converso pelo telefone ou pessoalmente; não é a mesma coisa, poxa, e seria ótimo se eu tivesse isso com minha mulher, mas passo mais tempo no escritório que com minha esposa.

Perguntei se ele considerava isso *se conformar*:

— Absolutamente — ele respondeu. — Ela tem muitas qualidades que eu desejava que uma esposa tivesse. E eu já estou cansado de procurar por todas as coisas que ela não é.

A maioria dos homens com quem falei foi realista sobre as limitações de um ser humano proporcionar a realização completa a outro. Como disse Kurt, o cara noivo com quem conversei em um bar em Los Angeles:

— Os homens não se importam se vocês dois assistirem juntos aos jogos de futebol, mas as mulheres não se casam com você se você não quiser saber dos detalhes da reunião em que jogam buraco com as amigas.

Eu estava começando a pensar sobre o problema desta maneira: homens e mulheres precisam ceder para ficar com um/a parceiro/a, mas eles cedem de formas diferentes. Para os homens casados, a pior cessão é a monogamia sexual. Para as mulheres casadas, a pior cessão é não ter um vínculo emocional totalmente abrangente, e precisar conseguir parte dessa ligação fora do casamento. É ter de aceitar que um ser humano não consegue proporcionar o nível de intensidade emocional que a maioria dos homens, para começo de conversa, não quer.

Consigo ser menos exigente — na teoria

Annie tem 34 anos e voltou a namorar. Ela foi casada por três anos com um bonitão, inteligente, divertido e empolgante que foi um ótimo namorado, mas como esposo foi péssimo. Em retrospecto, ela acha que negligenciou os sinais de alerta. Ela sempre foi exigente, mas, depois do divórcio, estava tentando namorar de outra maneira.

— O que mudou mais é que continuo querendo ter sensações positivas sobre o cara e achá-lo interessante, mas não precisa mais ser tipo "Nunca me senti assim" ou "Estou de pernas bambas". Eu vivenciei isso com o homem com quem me casei, por isso sei que pode ser ilusório.

Ela diz que agora se dá conta de que outras qualidades são mais importantes:

— Estou tentando apreciar mais a gentileza e a boa companhia. Coisas básicas, mas não me concentrava nelas tanto quanto deveria. Quero apenas alguém razoavelmente inteligente, muito gentil, financeiramente estável, e que queira uma família *agora*. Vou refazer meus conceitos sobre as características físicas. Acredito nisso, mas às vezes volto às minhas antigas crenças.

Ela disse que recentemente uma amiga casada quis apresentá-la a um advogado do escritório de advocacia do seu marido. Ela navegou na página dele no Facebook e o achou bonitinho, mas não gostou do que ele escreveu:

— Ele tinha a biografia típica de um advogado corporativo e eu pensei: "Eca! Que saco!". Minha amiga não disse se ele era "devagar", mas tampouco disse se era interessante. Ela insistiu comigo: "Qual é o mal de conhecê-lo? Ele é um cara legal". Mas eu pensei: "Será que eu quero trocar abobrinhas com esse fulano?". Todo mundo diz que preciso mudar de atitude e sair com ele, para ver se nós dois nos divertimos.

Perguntei a Annie como se sentiria daqui a alguns anos, se continuar solteira, sabendo que não saiu nem uma vez com esse cara *porque não gostou da biografia de advogado corporativo.*

Ela pensou um instante e disse:

— Quando eu tiver 35 anos, sairei com esse cara se ele ainda estiver solteiro? Não sei, ainda não tenho 35. Mas se, passados dois anos, eu não saísse, aí pensaria que o problema é *meu versus* esta sou eu, tentando cuidar de mim mesma. E aí o problema será de autossabotagem.

Annie diz que não é apenas o relógio biológico que a motivaria a mudar; é que a maioria de suas amigas é bem casada e ela também quer ser.

— Quero passar pela vida com alguém — ela disse. — E sei que isso quer dizer que preciso me livrar de algumas fantasias, e que todo mundo faz concessões. Na teoria, sou totalmente favorável a ser menos exigente, mas na prática estou tendo muita dificuldade em fazer isso.

Como Annie, Jocelyn, de 39 anos, também concorda plenamente que precisa ser mais flexível:

— Não sou monge para ficar sentada na minha cela esperando o panorama ficar mais favorável. Sei que a vida é imperfeita, mas sei também que necessito de certa profundidade emocional e *insight* em um cara, e, se não posso estar com quem realmente aprecie minhas mudanças sutis, no longo prazo esse homem não me interessa.

Evan Marc Katz, o treinador de encontros amorosos, diz que muitas mulheres com quem trabalha começam como Annie e Jocelyn: *Não posso evitar sentir atração por quem sinto. Quero ceder, mas simplesmente não consigo.* A essas mulheres, Evan diz: "Tudo bem, não cedam, mas não se surpreendam se as outras pessoas cederem e tiverem um relacionamento gratificante, enquanto vocês continuam a perseguir um sonho que nunca tem final feliz".

As mulheres querem mais

Edna Pollin, advogada especializada em divórcios e residente em Denver, me disse, segundo o que ela constata: "As mulheres ficam insatisfeitas porque sempre querem mais".

Querem, por exemplo, mais romance, mais ajuda nas tarefas domésticas, mais paixão. Algumas querem o que ela chamou de "produtores de maiores rendimentos". É certo que há homens na crise da meia-idade que pedem o divórcio, porém é mais comum as mulheres quererem se divorciar, deixando os homens confusos.

— Os homens pensam assim: "Ninguém me disse que estávamos com problemas. Achei que estava tudo bem".

Talvez essa seja uma das razões pelas quais, de acordo com um relatório sobre divórcios divulgado pelo Projeto Nacional sobre Casamento da Universidade Rutgers, dois terços das mulheres dão entrada no pedido de divórcio. Edna afirma que as mulheres costumam esperar que o marido seja "tudo de bom", e depois acham que falta alguma coisa, como sua alma gêmea.

Keith, de 36 anos, me contou que, quando sua mulher pediu o divórcio, há um ano, ela lhe disse: "Eu te amo, mas não estou apaixonada por você".

O caso é que sua mulher estava "apaixonada" por outro homem.

— Eu tenho MBA, um bom emprego em programas de segurança de informática, brevê de piloto, tenho casa própria, estou em boa forma, dou aulas de GED[13] como voluntário, frequento a igreja, não sou um cara que se arrisque. Sou pago para ser cauteloso e administrar risco. Não sou um Romeu excitante. Foi por um cara assim que ela me deixou.

Perguntei a Paul Amato, sociólogo da Universidade Estadual da Pensilvânia, que estuda casais divorciados, por que as mulheres fazem coisas assim.

Ele me disse que tem a ver com uma diferença de expectativa dos sexos. As mulheres que ele estudou acreditavam que o casamento seria diferente, isto é, mais empolgante, ou mais fácil. Por isso elas acham que o problema é o marido: elas pensam que *ele* está ficando chato, mas, na verdade, é o casamento que está "chato", comparado ao romance do tempo de namoro.

Perguntei a alguns homens sobre suas expectativas para o casamento. Alex, de 39 anos, casado há quatro, não tem problema em não ter todas as qualidades da lista de sua mulher, porque está profundamente apaixonado por sua esposa.

— Eu gostaria que minha mulher não fosse tão nervosa em relação à vida do dia a dia; gostaria também que ela fosse mais tolerante quanto ao fato de eu não ser muito rápido em fazer as coisas, e gostaria, além disso, que minha mulher fosse mais jovem e mais sexy, mas isso sempre acontece em relacionamentos de longo prazo, não?

Graham, que tem 34 anos e mantém um relacionamento sério, me disse que há sempre coisas que ele desejaria que fossem diferentes nos seus namoros, mas que a

[13] General Educational Development , isto é, Desenvolvimento Geral de Educação. (N. T.)

maioria delas não é tão importante a ponto de causar um rompimento. No passado, quando ele terminava com suas namoradas, os motivos eram por outras causas: objetivos de carreira, dinheiro, segurança, religião, educação dos futuros filhos. Ele nunca terminou seus namoros pelos seguintes motivos: "Eu gostaria de ficar com alguém que gostasse das mesmas coisas que eu, como praticar esportes, o mesmo tipo de música, teatro. Gostaria que ela apreciasse caminhadas. Gostaria de estar com alguém que pudesse continuar a contribuir financeiramente, mesmo depois de termos filhos. Gostaria de ficar com alguém que fosse baixinha o bastante para eu poder levantá-la durante o sexo. Gostaria de ficar com alguém que quisesse transar com a mesma frequência que eu. Gostaria de ficar com alguém que preferisse ir ao meu apartamento no Brooklyn para que eu não precisasse ficar no apartamento dela em Manhattan o tempo todo".

Enquanto ouvia as suas preferências, pensava em todas as mulheres que eu conhecia que haviam rompido com caras, ou romperiam, se a situação fosse o contrário: ele não partilhava uma coisa que interessava a ela, ele não ganhava muito dinheiro, ele queria transar mais do que ela, ele não ficava no apartamento dela. Não obstante, esse cara aceitava tudo isso.

A atual namorada de Graham está longe de ser perfeita. Mas terminar o relacionamento com ela seria, diz ele, exigir demais. Sua namorada não é atlética nem gosta de esportes, ela é muito mais alta do que ele gostaria, os dois têm problemas sexuais em potencial, ela faz tempestade em copo d'água.

— Continuo com o namoro porque ela tem as coisas que julgo importantes. Ela é atraente, temos química, rimos e cantamos juntos, nossos valores são semelhantes, e existem respeito e admiração mútuos.

Jack, um *web designer* de 30 anos que está para se casar, me contou que se sentiu inferior há 10 anos, quando foi rejeitado por sua melhor amiga da faculdade ao revelar seu interesse por ela. Mas, após ouvir as histórias dos namoros dela durante anos, ele percebeu que a rejeição não foi nada pessoal. Ele já a viu dar o fora em caras por causa apenas de uma informação ("Ele ficou um mês sem plano de saúde, o que demonstra a maior irresponsabilidade"), uma frase ("Todas as *meninas* com quem saí") ou um apelido de que ela não gostava ("Ele me chamava de 'carinha', como uma forma de carinho").

— Eu gosto da amizade dela, mas quem quer sair com uma pessoa que está sempre criticando os outros? — ele perguntou. — Ela sempre aponta o único defeito de um cara.

Eu era culpada por ter agido assim no passado, mas agora meu problema era o oposto: que acontece quando não se sabe o que está errado? Fiquei pensando nisso depois do meu segundo encontro com Mike. Eu precisava falar com Evan. Precisava que ele me esclarecesse o que realmente importava.

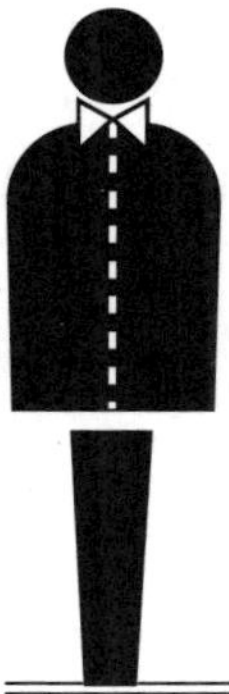

PARTE QUATRO

O que realmente importa

O amor é uma coisa ideal; o casamento, uma coisa real; confundir o real com o ideal nunca fica impune.

— Goethe

17

As segundas-feiras com Evan

Quarta sessão — desejos versus *necessidades*

Em nossa quarta sessão de treinamento, atualizei Evan quanto a Mike:

— Gostaria de poder dizer que gostei mais dele no segundo encontro. Gostaria de poder dizer que ser um cara atraente, agradável, bem-intencionado e quase com a minha idade, além de um ótimo pai que quer se casar de novo, fosse o suficiente, mas não posso dizer isso.

Nada tinha a ver com o lance do macho alfa. Eu já havia me livrado disso. O problema é que nós já não estávamos nos ligando de modo mais geral, era algo que superava esses dois encontros: mesmo nas trocas de e-mail e nos vários telefonemas, contei a Evan. A única coisa que Mike e eu realmente partilhávamos além das coisas superficiais era o fato de adorarmos ser pais. Sei que isso não é um detalhe pouco importante, mas, fora esse assunto, nossas conversas eram forçadas e, quanto mais falávamos, em vez de criarmos uma ligação mais fácil, simplesmente ficávamos sem o que dizer. Existe um limite para o papo-furado entre duas pessoas que claramente não têm química.

Falei a Evan sobre outro fulano que descobri na internet. Como Mike, Rick era divorciado e um pai muito consciente. De acordo com seu perfil e meia dúzia de e-mails, ele era interessante: um professor de história divertido, que zombava de si mesmo, e um intelectual. Nós nos paqueramos com facilidade em vários e-mails. Compreendíamos as referências um do outro. Tínhamos opiniões e estilos de vida semelhantes. Havia alguns aspectos negativos: ele tinha — e aparentava — 50 anos, seus filhos eram adolescentes, e eu tinha um filhinho de 2 anos, mas nada disso importava. Eu estava tentando não me preocupar mais com detalhes e estava animada com nosso vínculo. Ele pediu para falarmos por telefone, e lhe dei meu número.

Ele me ligou no mesmo dia, mas eu não estava em casa, e ele deixou uma mensagem. Depois, antes de eu ter oportunidade de retornar a chamada, ele voltou a ligar mais três vezes. Não quero dizer que verifiquei meu bina e descobri que ele ligou e desliguei. Quero dizer que ele deixou três recados na minha secretária eletrônica no espaço de cinco horas e disse, como se fosse um comportamento perfeitamente normal: "Olá, aqui é o Rick, da internet. Só queria saber se poderíamos bater um papo". E aí deixou o número do telefone dele. Todas as vezes.

Quando recebi os recados, já era tarde da noite. Eu ia ligar para ele no dia seguinte depois do trabalho, mas, durante esse dia, Rick me telefonou mais três vezes — três! —, e em duas dessas vezes deixou a mesma mensagem: "Oi, aqui é o Rick da internet. Acho que senti saudade. Espero notícias". Na véspera, achei que ele talvez estivesse nervoso ou superansioso, e estava disposta a lhe dar o benefício da dúvida, mas agora eu só estava achando que ele era meio assustador. Quem liga *seis vezes em 24 horas* para alguém que nunca viu? Não retornei os telefonemas.

Alguns dias depois, atendi o telefone quando estava saindo, e era o Rick: "Ei, é o Rick", ele disse na maior calma, como se fôssemos velhos amigos e eu saberia na hora quem ele era. "Como vai?" Expliquei que estava de saída, mas ligaria depois para ele. Nesse momento, sinceramente pensei que lhe daria mais uma oportunidade, mas quando cheguei em casa algumas horas depois vi que ele telefonara e desligara na minha secretária eletrônica. Achei isso muito estranho.

— Tenho a impressão de que ele é um desses caras que perseguem as pessoas ou, no mínimo, um sujeito que não tem ideia de interação social básica — disse a Evan.

Evan concordou que o comportamento de Rick era totalmente assustador e disse:

— Uma das reclamações mais comuns que recebo das mulheres é que os homens não prestam atenção suficiente, mas, quando prestam atenção demais — telefonam demais, telefonam muito cedo ou expressam sua empolgação cedo demais —, as mulheres perdem o interesse. Costumo incentivar as mulheres a dar uma oportunidade aos caras sem noção, mas ser receptiva aos caras sem noção é diferente de sair com aberrações.

Finalmente, nessa situação, não fui exigente demais!

Evan me repreende por ser muito exigente

Tudo bem que eu não quisesse sair com aberrações, mas queria sair com pessoas com quem eu tivesse uma conexão mais natural que com Mike.

Eu achava que isso não era pedir muito, mas, quando disse a Evan que responder o e-mail de um corretor imobiliário que usava uma gravata-borboleta com bolinhas cor-de-rosa seria perda de tempo ele suspirou e sacudiu a cabeça, como um professor frustrado com uma estudante preguiçosa. Depois me encarou e, pela primeira vez desde que começamos nossas sessões, perdeu completamente a paciência:

— Você escuta o que digo todas as semanas, mas não está mudando nada! — ele disse, levantando a voz quase em um grito. — Você não fica mais flexível do que tem sido nos últimos 20 anos! Você é como a pessoa que quer perder peso, mas não quer mudar seus hábitos alimentares nem seus exercícios e alega: "Mas é isso que eu *gosto* de comer!". E seu então médico lhe diz: "Tudo bem, continue a comer essas coisas, mas saiba que não vai emagrecer!". Você precisa fazer alguma coisa de outra maneira se quiser resultados diferentes. A perda de tempo não é enviar e-mails a caras como este: a perda de tempo é *não* enviar e-mails para caras como ele. Será que ele vai ser O Cara? Não sei, mas isso é como uma loteria, e um desses sujeitos pode muito bem ser um homem com quem você se dê bem. E você nunca vai descobrir, porque desperdiçou todo o seu tempo *não dando* uma oportunidade a alguém!

Nossa! Nós dois ficamos sentados em silêncio durante vários minutos. Eu me senti uma completa idiota. Achava que estava mudando, mas na verdade só estava mudando na minha cabeça. Não estava mudando muito os meus *atos*. Lá estava eu, aos 41 anos e solteira, após anos rejeitando caras legais por razões imbecis, como Andy e Jeff e Sheldon e Scott. E agora não queria sequer mandar um e-mail para um sujeito que tinha muito do que eu procurava, que me escreveu um e-mail muito inteligente, e que talvez se interessasse por alguém como eu, apesar de minha bagagem e meus defeitos, só por causa do que ele fazia para ganhar a vida (vender imóveis era, para mim, tão chato quanto trabalhar com contabilidade) e do que ele estava usando na foto (a tal gravata-borboleta de bolinhas cor-de-rosa!).

Quebrei o silêncio digitando no meu teclado. Escrevi uma mensagem para O Cara da Gravata-Borboleta, e Evan ficou olhando por cima do meu ombro.

A lição que eu devia aprender depois do incidente com o Perseguidor Assustador, disse Evan depois que cliquei em "Enviar", é esta: a pessoa que pode parecer bacana baseada no seu perfil pode acabar sendo uma decepção com a mesma frequência com que o cara que não é seu tipo acaba sendo atraente.

— Nenhuma dessas pessoas é real até você se encontrar em um relacionamento estável com ela — disse Evan. — Você está sempre projetando alguma coisa em relação a esses homens. Pare de desenhar mentalmente uma imagem do Cara Ideal, porque O Cara de Verdade não vai ser assim.

É por isso que, sempre que eu era contra sair com um homem que parecia muito sério ou muito velho, Evan dizia: "É apenas um encontro!". Sempre que eu alegava que o cara morava a uma hora de distância, Evan dizia: "Nada é ideal. As pessoas ficam na expectativa do ideal e perdem oportunidades de conhecer O Cara Certo. Mesmo o que você julga ideal, basicamente, não o é. Não existe a pessoa ideal, por isso livre-se dessa expectativa".

O que nos leva de volta a Mike

Eu estava disposta a me desfazer da expectativa do meu homem ideal, mas exatamente o que significa isso? Mike era um bom sujeito, e estava no mesmo estágio de vida que eu, criando crianças pequenas. Ele era bonitinho e confiável, mas seu astral era drasticamente diferente do meu. Tínhamos dificuldade para descobrir coisas sobre as quais conversar. Eu era bastante curiosa intelectualmente por natureza, e ele era muito acomodado por natureza. Não havia conexão entre nós.

— Não acho insensato querer um estímulo intelectual *e* um pai dedicado — disse a Evan. —Algumas amigas minhas têm maridos assim. Não é impossível.

— Também acho — concordou Evan —, e, se essas duas coisas são absolutamente necessárias, você deve mesmo procurá-las, mas não pode sair por aí rejeitando caras que sejam pais dedicados e intelectualmente estimulantes porque eles usam gravatas-borboleta com bolinhas cor-de-rosa. Você não pode ter tudo.

Eu não achava que queria "tudo", mas, quando Evan me pediu para relacionar minhas "necessidades" meus "desejos", listei 14 coisas. Evan me disse que, se eu quisesse ser realista, devia limitar minha lista a três características.

Fiquei surpresa: apenas três?

— A diferença entre "necessidade" e "desejo" é fundamental — ele disse. — Se você tem 14 "necessidades", quer dizer que, se um cara tem 13 das 14 necessidades, já era! Mesmo que ele tenha a maioria dessas características, você deve se lembrar de que muitas qualidades positivas podem acabar virando negativas. Alguém muito inteligente e analítico pode ser julgado um "doutor sabe-tudo". Há vezes em que uma pessoa tranquila pode não ter opiniões ou ser preguiçosa.

Ele me falou de uma cliente que ficou de coração partido por causa de um homem adorável, mas que tinha pavor de compromisso sério. Quando ela estava pronta para namorar de novo, navegou na internet e peneirou todas as respostas que recebeu. Ficou animada com um cara que lhe lembrou seu ex. Os dois tiveram um encontro, ele disse que telefonaria, mas não telefonou.

Mas outro fulano ligou. Evan disse:

— Na opinião dela, ele não era o camarada mais fascinante do grupo, mas a convidou várias vezes para sair. Todas as vezes que minha cliente saía com ele, ela se divertia. E depois reclamava comigo que ele não era o que ela estava procurando!

Razões: ele era muito baixinho para ela. Ele não era vigoroso o bastante, mas preenchia as *necessidades* dela: era atencioso e confiável, tinha os mesmos valores que ela e o estilo de vida dos dois era parecido. Quando ela soube distinguir entre seus desejos e suas necessidades, apaixonou-se. Ela achava que queria o cara encantador e muito másculo — e talvez, sem se dar conta, ela ainda o *quisesse* —, mas *precisava* de um homem atencioso e confiável, com objetivos e valores parecidos com os seus.

Evan disse que a história dessa moça é igual à de um sujeito que é demitido do emprego e acha que sua vida acabou, mas aí percebe que é a oportunidade perfeita para ele criar a vida com que sempre sonhou. Evidente que ele preferiria não ter sido demitido; não era o que ele pensava que queria, mas a demissão o fez mais feliz do que ele jamais imaginou, porque lhe abriu uma oportunidade que ele não considerara até então.

É por isso também que tanta gente casada afirma: "Eu não escolheria meu par num site de namoros na internet" porque seu parceiro não era o que eles julgavam querer. Até, claro, quando se conheceram.

Restringindo as necessidades

— O que você quer não é necessariamente bom para você — disse Evan. — E, ao ir atrás da pessoa que você julga querer, ignora aquilo de que realmente precisa.

Mas definir aquilo de que você precisa não é fácil. Se distinguir entre desejos e necessidades pode ser confuso, ele continuou, às vezes nossos próprios desejos se contradizem: *Quero alguém com sólidas opiniões... que nunca discuta. Quero alguém espontâneo e rebelde... que tenha um emprego estável.*

Evan me contou sobre um cliente que não sabia do que precisava. Esse homem tinha em torno de 40 anos, era inteligente, bem-sucedido e queria se casar. Queria uma pessoa inteligente e madura, mas que fosse afável e esbelta. Ele saía com as mulheres e depois se queixava de que as mais jovens com corpo sarado eram meio imaturas e estavam em uma fase diferente de vida, as advogadas inteligentes de grandes empresas eram muito exigentes, e as mais maduras geralmente não tinham o corpo sarado de que ele gostava.

Como superar o impasse? Distinguindo entre seus desejos e suas necessidades. Evan deu alguns exemplos:

Você *quer* alguém criativo.
Você **precisa** de uma pessoa em quem possa confiar.

Você *quer* alguém que partilhe sua preferência por *jazz*.
Você **precisa** de alguém que goste de alguns dos seus interesses.

Você *quer* alguém atlético e fisicamente ativo.
Você **precisa** de alguém que a aceite com seus defeitos.

Poucos minutos depois, consegui limitar minha lista a três necessidades essenciais: intelectualmente curioso, que goste de crianças e seja financeiramente estável. Pronto.

Obviamente, essas não eram as únicas qualidades que eu procuraria em um parceiro, mas seriam a única base sobre a qual eliminaria alguém para um primeiro encontro. Em outras palavras: eu não poderia rejeitar um homem que usasse gravatas-borboletas mas tivesse aqueles três requisitos.

Como esclareci quais eram minhas necessidades, Evan disse que fazia sentido Mike e eu não termos engrenado: era certo que ele gostava de crianças, mas não era intelectualmente curioso, e, como consultor autônomo responsável por dois filhos e que se esforçava para conseguir pagar as contas, era financeiramente instável. Ele tinha qualidades maravilhosas, mas só satisfazia uma necessidade essencial minha. Para uma mulher com outras três necessidades *diferentes*, ele seria um ótimo partido.

Fazer essa distinção foi ótimo. Eu sabia que não se tratava de uma fórmula mágica, mas era uma ferramenta de seleção melhor que a minha habitual: "Ou fico logo ligada no cara, ou não fico". E era muito melhor que compará-lo a uma lista mental de 14 itens "essenciais".

Achei que, finalmente, estava começando a ser menos exigente.

Naquela noite, o corretor imobiliário de gravata-borboleta respondeu a meu e-mail e me supriu com novas informações: ele era viúvo, tinha 46 anos e um filho de 8. "Imobiliário" queria dizer que ele projetava casas e as vendia, e me pareceu gostar muito disso. Ele tinha 1,68 m e estava ficando careca, mas foi divertido e atencioso no e-mail. Parecia sofisticado e inteligente, apesar de não muito culto. Ele sugeriu nos falarmos por telefone, mas fui adiante. Se ele era intelectualmente curioso, um bom pai e financeiramente estável, que mais eu precisava saber antes de concordar com um primeiro encontro? Por que simplesmente não nos encontrávamos?

Isso pode não parecer grande coisa, mas, para mim, foi um grande progresso. Eu sempre cometia erros nos primeiros telefonemas, precipitando-me com todos os tipos de conclusões que não eram nem úteis nem exatas. Dan Ariely, do MIT, advertiu-me que esses telefonemas podiam ser enganosos; podiam levar a expectativas irreais, se o papo foi bom, ou fazer recusar um encontro, se a conversa não correspondeu ao que você esperava (como aconteceu com Matt, o adepto da pesca submarina).

Assim, seguindo a nova atitude de mudar minhas *ações*, sugeri que nos encontrássemos. Não em um café, onde eu podia entrar e sair em 20 minutos, mas para uma caminhada à tarde, quando conversaria com o cara umas duas horas. Eu não iria "entrevistá-lo" no encontro; ia tentar apenas me divertir.

Marcamos a saída para a terça-feira seguinte. Ah — isso é inacreditável —, ele se chamava Sheldon! Isto é, não literalmente Sheldon, mas tinha o mesmo nome do cara que eu chamara de Sheldon. Fiquei agradavelmente surpresa. Porque dessa vez, em lugar de ser crítica, achei que o universo estava me dando uma segunda oportunidade.

Resolvi chamá-lo de "Sheldon 2".

Um marido que quer se casar

Quando contei à minha amiga Maggie sobre Sheldon 2, e que limitei minhas necessidades a três, ela revelou que a mesma coisa acontecera com ela recentemente — em relação a seu noivo.

— Uma vez mamãe me disse que a característica essencial a procurar em um marido é simplesmente um homem que queira se casar, um homem que ache a vida de casado atraente. Lembro que não achei isso nada romântico — afinal de contas, *eu* não sou o suficiente para fazer que um homem assuma um compromisso para a vida? Será que não sou legal? Mas também desconfiei de que aquilo continha alguma verdade.

Como eu, Maggie passou a maior parte dos seus 20 e poucos anos buscando uma ligação intensa. Ela a encontrou em um relacionamento de longo prazo com um cara mais velho que era, em muitos aspectos, uma combinação bacana: ambos eram produtores cinematográficos talentosos e criativos; porém, quanto mais anos passavam juntos, mais se evidenciava que queriam coisas diferentes da vida.

— Quando não deu certo — ela disse —, lembro que fiquei perplexa, porque achava que o amor superava tudo, mas ele não consegue superar diferenças fundamentais sobre o que você quer da vida.

Depois, aos 30 anos, conheceu Will.

— Ele não era *absolutamente* o tipo de cara com quem eu ficaria, e passei uns seis meses mantendo-o a certa distância, porque ele não atendia aos "critérios" sobre o que eu queria. Ele era cientista, e nos três primeiros meses eu não entendia nada do que Will fazia. Ele era totalmente desmazelado, meio tipo "não estou nem aí". Quando o conheci, ele não cortava o cabelo havia uns seis meses, e quase não havia móveis no seu apartamento, só engradados de leite e um futton. Era muito tímido e não sabia fazer gracejos espirituosos.

E daí se Will não atendesse a alguns dos "desejos" dela? Ele satisfazia suas *necessidades* essenciais: 1. Era interessante e intelectualmente curioso, 2. ambos tinham os mesmos valores e objetivos e 3. era confiável e leal.

Nesse meio-tempo, ela disse: "Todas as nossas diferenças são coisas que acabei achando divertidas e interessantes". Eles não tinham muitas afinidades quando se uniram, mas se divertem muito quando um apresenta ao outro coisas novas. Ela agora anda de bicicleta em locais acidentados e faz caminhadas com ele, e ele gosta de ir ao teatro com ela. Eles também combinam nas coisas práticas.

— Felizmente, nós dois tínhamos a mesma opinião, de maneira geral, sobre dinheiro e filhos. Acho que essas duas coisas são os elementos externos mais importantes que desafiam a compatibilidade, de modo que fico muito aliviada por estarmos de acordo nisso desde o início.

Maggie tem um feliz equilíbrio de desejos e necessidades. Aos 30 e poucos anos, ela aprendeu algo fundamental que eu só agora, com mais de 40, estou aprendendo: o "amor" não é independente das coisas práticas, e, se queremos viver um relacionamento feliz, precisamos aprender a levar essas coisas práticas em consideração.

Mas em que grau devemos ser práticos na procura do amor?

18

O negócio do amor

Logo depois que conversei com Maggie, um homem chamado John Curtis se ofereceu para me enviar um exemplar do seu livro, que chegou com um coração dividido por um símbolo da fita de cotações da Bolsa na capa, e esta citação bem em cima, atribuída ao *New York Times*:

"Este livro provocante e inovador pode vir a ser o livro obrigatório da década sobre relacionamentos!".

O livro era intitulado *The Business of Love: 9 Best Practices for Improving the Bottom Line of Your Relationship*, e se você nunca ouviu falar dele, não se preocupe, muita gente também não. Quando liguei para Curtis, um ex-terapeuta matrimonial e familiar que depois se tornou consultor de gestão, ele admitiu que usar a palavra "negócio" em um livro sobre relacionamentos costuma desanimar as pessoas.

— Para ser franco, tive dificuldade para vender o livro — ele me disse, de seu escritório na Carolina do Norte. — As pessoas querem o lado mais suave do amor. Elas entram nos relacionamentos às cegas, pensando: "Estamos muito apaixonados, vai dar tudo certo". E então começam a discutir o tempo todo, porque nunca pensaram na divisão das tarefas domésticas, nem em como destinar seu dinheiro, porque não era romântico. Bem, o que há de romântico em brigar porque vocês nunca se interessaram por preparar um plano prático?

O livro de Curtis ensina os casais a criar uma declaração de objetivos do seu relacionamento, esboçar metas específicas de diversas áreas (família, finanças, entretenimento, carreira), preparar descrições de cargo para a mulher e o marido, e decidir sobre compensação financeira e benefícios. Curtis disse que o casamento sempre foi uma parceria socioeconômica, mas as expectativas da sociedade começaram a mudar nos anos 1960 e 1970.

Ou, nas palavras de Stephanie Coontz no livro *Marriage, a History*: "O antigo conceito de que esposas e maridos eram companheiros de trabalho deu lugar à ideia de que eles eram almas gêmeas". Mas ela observou: "Apenas raramente na história o amor foi considerado a razão principal para alguém se casar".

Por isso, Curtis acredita que só o amor não basta para um casamento bem-sucedido. "O casamento é como dirigir um negócio, sob muitos aspectos: quem prepara o jantar, quem pega as toalhas, quem paga as contas, qual é o orçamento com que estamos lidando — dois empresários jamais começariam um negócio sem saber quem faria o quê, qual o prazo para obter certos objetivos. Se você está formando uma parceria com alguém — inclusive uma parceria romântica —, a possibilidade de sucesso é maior se vocês se reunirem com antecedência e criarem sua visão partilhada sobre a parceria."

Agora fazia sentido para mim. O que não percebi quando escolhi namorar só homens que me entusiasmavam desde o início — sem considerar o lado prático das coisas — é que as coisas que fazem um bom casamento não são as mesmas que funcionam em um relacionamento romântico. De acordo com minhas amigas casadas, em um casamento não se trata de quem você gostaria que a acompanhasse em uma viagem a um país tropical; trata-se de saber com quem você quer dividir a direção de uma casa. O casamento não é uma celebração constante, é mais semelhante à parceria formada para dirigir um micronegócio comum, sem fins lucrativos.

E isso, dizem, pode ser muito, muito bom. Ter um companheiro sólido e com as mesmas opiniões na vida é agradável à sua própria maneira e, para a maioria das pessoas, certamente melhor do que não ter ninguém.

Mais velho, gordo e careca (o que eles acabam ficando, de qualquer maneira)

Se isso não é romântico, quando penso nos casamentos das minhas amigas, com sua rotina do dia a dia, eles certamente parecem muito mais românticos que qualquer namoro possa ser. Namorar *parece* romântico, mas, na maior parte, é uma entrevista prolongada. Casamento *parece* tedioso, mas, na maior parte, é um estado de harmonia e aceitação. Namorar inclui grandes gestos românticos que pouco significam no longo prazo. Casamento inclui pequenos gestos de gentileza que formam um vínculo com a pessoa durante a vida. É tranquilamente romântico. Ele prepara chá para ela. Ela vai com ele à consulta no médico. Eles escutam os fatos do dia a dia de cada um. Eles toleram as manias de cada um. Eles se apoiam.

— Eu só quero alguém que lute comigo quando a situação exigir — disse-me minha amiga Jennifer, solteira, 41 anos —, e nunca pensei em casamento dessa maneira antes.

Nem eu. Quando eu estava com 30 e tantos anos, minha amiga Renée, casada havia muito tempo, me mandou em um e-mail com conselhos sobre namoro:

> Eu diria que, mesmo que ele não seja o amor da sua vida, assegure-se de que seja alguém que você respeite intelectualmente, que a faça rir, que a admire. Aposto que há muitos desses homens na categoria de mais velhos, gordos e carecas (o que eles acabam ficando, de qualquer maneira).

Na época, pensei que ela estivesse brincando — ela não estava —, mas hoje parece uma coisa inteligente. Pensar em casamento em um vácuo romântico não é muito diferente de ser uma garota ingênua do ensino médio que engravida do namorado do ginásio e fica dizendo para todo mundo: "Ah, a gente se ama, vai dar tudo certo". O amor não conquista tudo, em um mundo baseado na realidade.

Quando eu era mais jovem, se tivesse raciocinado de modo prático, provavelmente teria querido homens mais adequados para o que desejo agora: um parceiro inteligente e de opiniões semelhantes às minhas e que será um pai dedicado. É claro que eu sabia o que queria, mas também queria outras 15 coisas que eram não apenas idealistas como também contrárias às características práticas que procuro atualmente. Durante certo tempo, meus namorados precisavam ser "artísticos" e "não convencionais", mas a maioria deles não tinha nem o temperamento nem os recursos para me ajudar a dirigir o futuro lar pelo qual eu ansiava.

Estou agora começando a me dar conta de que existe uma base prática para quase todos os aspectos dos relacionamentos românticos, e isso começa com a forma como namoramos.

A etiqueta de preço do Príncipe Encantado

Certa noite, uma amiga casada e eu somamos os custos financeiros, logísticos e emocionais de namorar por um ano, em comparação com estar casada pelo mesmo período, quando se está na casa dos 30 anos. Nosso cálculo foi assim:

Digamos que você seja solteira e quer encontrar um parceiro. Você já não estuda mais, por isso, em um dia típico, não se depara com homens disponíveis e com a idade adequada com a mesma frequência de antes. Você pode estar trabalhando no mesmo lugar há anos, e, nesse caso, poucos homens solteiros fazem parte do seu círculo. Mesmo quando surge um, ele não está necessariamente interessado em você e/ou você não está necessariamente interessada nele. É até mesmo possível que você trabalhe em uma área composta quase exclusivamente de mulheres: ensino, assistência social, moda, publicidade, nutrição, *design*, arrecadação de fundos, editoras. Quando você tiver mais de 30 anos, muitas pessoas já se casaram e algumas têm filhos, de modo que acontecimentos sociais como festas ou churrascos são menos frequentes que quando você estava na faixa entre os 20 e os 30 anos, e agora os convidados solteiros são em menor número.

Tendo em vista que sua vida social provavelmente se resume a encontros que não levam a nada, relacionamentos de curta duração e saídas com outras amigas solteiras (que costumam conversar sobre como é difícil conhecer homens), você se toca de que precisa ser proativa e se inscreve em um serviço on-line de encontros pelo período de um ano, à taxa de 200 dólares. Quando você fica desanimada depois do primeiro site, pode até se inscrever em um segundo, pagando também 200 dólares. Você passa cinco horas por semana se correspondendo com pessoas e pesquisando (custo: a da sua taxa horária profissional mais a exaustão emocional). Se seu relógio biológico está se manifestando e você está pulando todas as etapas, pode até contratar uma casamenteira (cujas taxas oscilam entre 500 dólares e vários milhares de dólares).

Você precisa estar atraente nos primeiros encontros, e isso inclui um novo enxoval: saias, calças, blusas, suéteres, corpetes, casacos, sapatos, bolsas, jaquetas, joias. Você tem de estar preparada para todos os ambientes, que incluem um restaurante fino, um café meio *hippie*, um jogo de basquete ou uma caminhada à tarde, em todas as condições climáticas (1.000 dólares por seis conjuntos que abranjam as quatro estações). Você precisa de um bom corte de cabelo a cada dois meses (450 dólares por seis cortes, com gorjeta). Pode ser que precise tingir o cabelo para esconder os fios grisalhos — bem-vinda à faixa dos 30 anos (400 dólares por quatro aplicações de tintura). Você precisa tirar as sobrancelhas, e, se está com seus 35 anos, provavelmente vai precisar depilar o buço, em razão do bigode que surge no período pré-menopausa (25 dólares por mês). Produtos de maquiagem e tratamento de pele tampouco são baratos (300 dólares por ano). Algumas mulheres também gostam de ir à manicure (15 dólares por vez), pedicure (25 dólares), fazer limpeza de pele (50 dólares) e até branqueamento dos dentes (650 dólares). Cada encontro romântico demanda uma hora de transporte de ida e volta, uma hora para se vestir, duas horas no encontro com o cara e, para algumas de nós, uma hora de terapia para falar como é deprimente continuar solteira (100 dólares por sessão).

Digamos que você deu sorte de conhecer alguém com quem queira sair. Vou chamá-lo de Brad. Você e Brad têm química. Ele é inteligente, divertido, atraente, legal, e vocês dois gostam do mesmo tipo de música. De repente, você terá mais gastos com um novo guarda-roupa (você não pode ficar repetindo as roupas que vestiu no primeiro e no segundo encontros). Usar ceroulas da vovó não dá, de modo que vai ter de comprar sutiãs e calcinhas (mesmo que você compre em uma loja barata, vai gastar em torno de 100 dólares, porque vai precisar de vários conjuntos). Se tem mais de 35 anos, a gravidade deve estar cobrando seu preço, de modo que você talvez tenha de gastar mais dinheiro, e adquirir um dos supersutiãs que elevam os seios (50 dólares cada um). Sua despesa com depilação vai ser maior (porque agora vai ser em outro lugar que não as sobrancelhas...).

Depois, aos dois meses de namoro, é aniversário de Brad. Vocês estão empolgados um com o outro, e você quer que o aniversário dele seja ótimo. Você pode preparar um jantar (e gastar 50 dólares com a comida, 50 dólares com o vinho, muito tempo fazendo as compras necessárias, preparando e cozinhando), ou levá-lo para jantar fora em algum lugar (um bom restaurante, depois um concerto, e nada disso é barato). Você compra um bolo e um presente (100 dólares). Vocês continuam saindo, de modo que você continua fazendo compras de roupas e sapatos, depilando-se, indo à pedicure. A temporada natalícia se aproxima, e mais uma vez você compra um presente para ele (75 dólares). Vocês estão passando mais tempo juntos, de modo que você está desistindo da oportunidade de conhecer outros homens ainda disponíveis enquanto ainda está nessa idade, seu visual está bom e você ainda tem bastante tempo no seu relógio biológico.

Mas, quatro meses depois, o relacionamento não está indo muito bem. Você está perdendo o interesse, ele está perdendo o interesse — não importa. Você rompe com ele e precisa recomeçar todo o processo. Todo aquele tempo, dinheiro, energia emocional e a oportunidade perdida empregados em mais um relacionamento fracassado.

Custo total até então: 2.000 dólares sem terapia, 3.600 dólares com terapia.

Então você tenta mais uma vez encontrar um cara. Você não desgruda dos sites. Pede a amigas que lhe arranjem alguém (custo: tempo, esforço e humilhação). Você vai a bares (15 dólares por drinque, uma hora para se aprontar, uma hora para ir e vir, 40 dólares de lavagem a seco das suas botas de camurça, porque um cara por acaso derramou cerveja nelas). Você vai a muitos lugares onde pode conhecer alguém: jantares (20 dólares pela sobremesa que você levou), jogos de basquete (20 dólares pelo ingresso, além da chatice, pois você não gosta de basquete), aulas de fotografia (100 dólares), museus (10 dólares pelo ingresso e, quando chega lá, constata que todo cara é *gay* ou casado) e palestras em bibliotecas (idem).

Você conhece um homem! Steve não corresponde à sua fantasia: não é muito sarado, e você não está sentindo a química que gostaria, mas ele é bonitinho, gentil, inteligente e está muito a fim de você. Você investe nesse relacionamento financeira, emocional e logisticamente. Você é apresentada aos pais de Steve, fica íntima da irmã dele e passa muito tempo com a família do seu namorado. Mas, depois de cinco meses, você se preocupa com a possibilidade de ele não ser o que você está procurando. Ele não é... você não consegue realmente definir, mas tem certeza de que, quando conhecer O Cara, não vai ter esse tipo de dúvida. Por isso, volta à estaca zero.

Três semanas depois, você conhece seu futuro marido e acredita que, finalmente, aconteceu! Você começa a namorar o homem que está convencida de que é O Cara, mas percebe, dois meses depois, que ele é egocêntrico, deve ter uns 10 neurônios, é arrogante, taciturno, sem senso de humor, um mala, insignificante, receia se comprometer, ou não está tão a fim de você assim.

Custos ao final de um ano: 4.000 dólares sem terapia, 9.000 mil dólares com terapia, embora seja provável que você largue a terapia imediatamente, porque mesmo seu terapeuta não consegue acompanhar todos os nomes dos seus namorados a essa altura.

Custos irrecuperáveis e custos de oportunidade

Você acaba ficando com o que os economistas chamam de "custos irrecuperáveis", que são todo o tempo, dinheiro e as reservas emocionais que investiu em uma coisa, sem ter qualquer recompensa. É como alugar um novo apartamento a cada seis meses, pagando os custos da mudança, decorando-o, e dando todo aquele dinheiro dos aluguéis ao locador, em vez de investi-lo em um apartamento próprio, e que se valoriza com o passar dos anos. Não apenas você tem os custos inerentes a cada novo relacionamento (dinheiro, tempo e o esforço de recontar sua história de vida e informar coisas como sua pizza favorita, e aprendendo as do parceiro), mas nenhum desses custos é transferível para o próximo relacionamento. Nos encontros em busca do "melhor", você está perdendo patrimônio líquido, e não se beneficiou de nada, exceto do enorme estresse de estar ficando mais velha e continuar solteira...

Talvez você esteja dizendo: "Espere aí: houve, sim, uma *recompensa*. Eu *ganhei* uma coisa: cresci como pessoa nesse relacionamento". Tudo bem, mas em relação a quê crescer como pessoa em um relacionamento atrás do outro é tão valioso como crescer como pessoa em um casamento realista, mas feliz? Na faixa dos 20 anos, romper tem mais a ver com coração partido e solidão; na faixa dos 30, também tem a ver com a angústia de possivelmente acabar sozinha.

É claro que os homens que não aceitam uma esposa apenas "razoável" também têm custos irrecuperáveis, especialmente se estiverem pagando por mais refeições e entretenimento. Mas o que eles não têm no mesmo grau são os "custos de oportunidade" na busca por uma parceira "melhor". Enquanto você perdeu tempo em um relacionamento que não deu certo, perdeu a oportunidade de conhecer outros caras. Os homens, por outro lado, não sofrem a pressão do tempo para ter filhos biológicos. Além disso, se passarem seis meses ou um ano em um relacionamento que não leva a lugar algum, não perdem valor no mercado de encontros amorosos da maneira que sofrem as mulheres na casa dos 30 anos. Na verdade, os homens se tornam mais valiosos na casa dos 30 anos, e, se começarem a perder valor quando estão se aproximando dos 50 anos, ainda podem se casar com uma mulher 10 ou 15 anos mais jovem e começar uma família.

Como lhe dirá qualquer economista, tudo se resume a oferta e procura. Quanto mais você esperar, menor será a oferta de homens disponíveis, ao mesmo tempo que a procura deles sobe, e o valor marital da mulher diminui. Para as mulheres, o resultado é uma brava recessão de encontros amorosos.

O leilão dos solteiros

Em 2008, um artigo escrito por Mark Gimein para a revista *Slate* usou uma analogia com leilões para explicar a baixa oferta de homens à medida que as mulheres ficam mais velhas. Se namorar é como um leilão, é razoável pensar que as licitantes mais fortes — as mulheres mais atraentes — "venceriam". Em vez disso, porém, diz Mark, as licitantes mais fortes têm tanta confiança na sua capacidade de encontrar um cara que dão os lances tarde *demais*. Enquanto as licitantes mais fortes esperam pela melhor perspectiva possível, as licitantes fracas — as mulheres menos convencionalmente atraentes — dão seus lances mais cedo e de maneira mais agressiva porque sabem que podem ser superadas pelas licitantes mais fortes.

Que acontece, então? Cada vez mais os homens mais atraentes, rejeitados pelas licitantes fortes, são tirados do mercado de encontros pelas licitantes fracas. No final, o que sobra são os homens menos atraentes, aqueles que não receberam lances nem das mulheres mais fracas, junto das mulheres mais atraentes, porém excessivamente confiantes.

Depois de ler essa matéria, pensei nos homens com quem, nos últimos anos, se casaram as mulheres mais velhas que conheço. Um ator quarentão que tenta até hoje "chegar lá" e trabalha como temporário; um viúvo deprimido que tem três filhos insuportáveis; um viciado em trabalho que passa todo o tempo tentando fundar empresas que inevitavelmente não dão certo, mas que se recusa a considerar a possibilidade de trabalhar em uma companhia. Não quero dizer que esses homens não tenham qualidades, nem que as mulheres que se casaram com eles sejam malucas. É que os poucos homens disponíveis que também saem com mulheres mais velhas exigem muito mais de uma concessão do que os homens que sairiam conosco quando éramos mais jovens, porém muito arrogantes para dar um lance no leilão.

— Aonde foram todos os homens disponíveis? — pergunta Mark. — A maior parte deles se casou jovem, e às vezes com mulheres cuja característica mais evidente não era a beleza nem o entusiasmo nem o intelecto, mas a determinação.

Um ano de casamento

Digamos que, em vez de passar um ano solteira na faixa dos 30, você passou aquele ano casada com um grande cara (que não era nenhum Príncipe Encantado da fantasia). Quais são seus custos? Você vai ter de dividir um banheiro com ele, mas o Príncipe Encantado também urina na borda do vaso. Você talvez tenha de abrir mão de sua independência e de ficar um tempo sozinha, mas quanto tempo de qualidade você tinha sozinha entre a academia e um emprego em tempo integral que paga suas contas, e as idas a bares ou festas procurando por homens?

Você terá de continuar a se depilar, cortar o cabelo e comprar roupas, mas vai poder passar o dia de moletom e rabo de cavalo, o que não vai fazer diferença para um sujeito que deixa a cueca no chão. Você não precisa fazer a manutenção necessária para ficar em boa forma física quando namora, o que, à medida que você envelhece, fica mais difícil não só porque você está provavelmente se sustentando com uma carreira que exige muito, mas porque está sempre competindo com mulheres mais jovens e mais atraentes, de olho nos mesmos homens. Seu marido talvez queira que você mantenha o corpo que tinha quando vocês eram namorados, mas ele está apaixonado por você já faz algum tempo, e não vai se importar com os pelos na barriga.

Se você é casada, seus dias são mais agradáveis, porque pode descansar em casa à noite e ter uma companhia para conversar, em vez de ficar pela cidade saindo com estranhos e tentando ser encantadora e causar boa impressão. Você vai continuar a preparar comemorações para as festas natalinas e para o aniversário do seu cônjuge, e também vai viajar de férias, mas agora vai ter lembranças partilhadas de uma vida, como recompensa por todo aquele esforço e pelas despesas, o que vale bem o investimento econômico. Mesmo se você gastar 3.000 dólares por ano em roupas, manicure, depilação, cortes de cabelo, escapadas em um fim de semana e presentes para seu marido, é um investimento de longo prazo. Não existem custos irrecuperáveis, custos de oportunidade, ou o custo de um álbum de fotografias que você terá de rasgar pela metade (para se livrar do namorado com quem você deixou de falar) se quiser ter lembranças visuais de sua vida durante aquele ano.

Não nos esqueçamos de que o dinheiro que gasta quando está casada é, na verdade, seu e do seu marido. Mesmo que vocês mantenham contas correntes separadas, há duas pessoas que sustentam a casa, de modo que você não se sacrifica tanto como se os gastos fossem de uma pessoa sem a segurança e o apoio econômico de uma parceria. São investimentos de baixo risco.

Quando minha amiga casada e eu terminamos nossos cálculos reconhecidamente empíricos, parecia que, de uma perspectiva custo benefício, ser casada com mais de 30 anos era claramente mais vantajoso do que estar solteira naquela idade. É verdade que os custos irrecuperáveis podem ser compensados quando se têm altos rendimentos. Os custos emocionais podem ser eliminados se você tiver uma amiga com a paciência de Madre Teresa com quem possa desabafar, mas não há o que fazer em relação aos custos de oportunidade.

O maior custo de oportunidade, é claro, é a possibilidade de você abrir mão de um cara legal e acabar ficando sozinha.

A rejeição precipitada

Foi o que aconteceu com Emily, que, aos 27 anos, rompeu com Sam, um camarada legal, amoroso e inteligente, mas não muito chegado à tecnologia de ponta que ela adorava, para namorar Jonathan, um irresistível e sexy agente cinematográfico que partilhava todos os interesses dela. Dois anos depois, o relacionamento fracassou e Emily percebeu que, afinal de contas, Sam era O Cara Certo para ela. Nesse meio-tempo, Sam fez 30 anos e valorizou-se muito. Inúmeras mulheres queriam sair com ele, que não esqueceu o fora dado por Emily, e ela não conseguiu tê-lo de volta, apesar de tentar. Três anos depois, ele se casou. Ela se precipitou ao rejeitá-lo.

Do ponto de vista econômico, o que ela fez não tem a mínima lógica. Se seu objetivo é a estabilidade financeira, você não investe em ações de risco e voláteis porque elas são o máximo naquela semana. Todo mundo sabe que raramente elas são bons investimentos de longo prazo (como os homens "quentes" que não costumam ser o que parecem.)

Muitas de nós, mesmo assim, costumam jogar com as probabilidades. Assumimos riscos incríveis, porque acreditamos que tudo é reversível, que nenhuma decisão é definitiva. Mas, quando se tem um limite de tempo, uma escolha ruim pode ser o fator decisivo sobre se você vai se casar algum dia, se vai ter filhos, se terá mais de um filho e se vai se casar com alguém tão agradável quanto a pessoa que você rejeitou três ou treze anos antes. Não sabemos parar enquanto estamos à frente, por isso desistimos de nossa melhor (e talvez última) oportunidade de felicidade matrimonial.

Emily está com 37 anos agora e continua solteira. Ela tem muitos encontros com homens divorciados mais velhos e com filhos. Não percebeu que esperar pelo Príncipe Encantado raramente quer dizer que isso vai acabar em uma família de livro de histórias. Ela certamente não cresceu sonhando com um homem divorciado de meia-idade com filhos ressentidos que não querem ter uma madrasta, e uma ex-mulher que lhe telefona às 10 da noite para falar sobre a carona da manhã seguinte.

Quando ela era mais nova, achava que o preço de se comprometer era muito alto. Agora, porém, está pagando um preço ainda mais alto por não ceder.

Ativos em depreciação

Sou a primeira a reconhecer que há uma coisa imprópria sobre discutir relacionamentos sob a perspectiva da economia. Nesta era pós-feminista, dizemos acreditar que encontrar um par deve ter a ver com amor, e apenas com amor. Mas, em 2007, uma moça de 25 anos de Nova York, afirmando ser "articulada" e "classuda", e que descreveu sua aparência como "espetacularmente linda", fez uma pergunta ao Craigslist[14] sobre por que ela não conseguia encontrar um marido rico. A resposta parcial de um homem foi:

> Sua oferta, do ponto de vista de um cara como eu, não é atraente; não passa de uma droga de proposta. Explico o porquê: resumindo todo o besteirol, o que você sugere não passa de uma troca: você contribui com sua aparência, e eu, com meu dinheiro. Simples e objetivo. Mas existe um probleminha: sua aparência vai deteriorar, e meu dinheiro provavelmente continuará para sempre; na verdade, é quase certo que meus rendimentos aumentem, mas é *absolutamente* certo que você não vai continuar bonita...
>
> Portanto, em termos econômicos, você é um ativo em depreciação, e eu sou um ativo rentável. Não só você é um ativo em depreciação como sua depreciação se acelera! Explico: você tem 25 anos e provavelmente continuará bonita nos próximos cinco anos, mas cada vez menos a cada ano. Aí começa a depreciação para valer. Aos 35, você estará um bagulho!
>
> Caso você pense que estou sendo cruel, digo o seguinte: se meu dinheiro desaparecesse, você também desapareceria, de modo que, quando sua beleza definhar, vou cair fora. É simples assim. Por isso, um negócio que faz sentido é o namoro, não o casamento.

Embora esse cara não deva ter agradado às mulheres com seu ponto de vista, muitos homens com quem falei reconheceram que ele, de maneira geral, tinha razão. Mas, antes que as mulheres fiquem indignadas, devemos compreender que não se trata apenas de homens sendo grosseiros. De acordo com Dan Ariely, o pesquisador do MIT, as mulheres também atribuem valor econômico aos atributos físicos.

---

[14] Site de classificados de Los Angeles sobre vários temas, como namoro e compra e venda de imóveis. (N. T.)

Dez mil dólares por polegada

Em um dos estudos de Dan, fotos de homens na internet foram classificadas por sua atração, por observadores independentes masculinos e femininos. Em seguida os pesquisadores verificaram o nível de atenção que esses homens receberam na internet. O resultado: se você é um sujeito com aparência comum, cuja foto é classificada como média em termos de atração, vai precisar ganhar 143 mil dólares a mais por ano do que um cara cuja foto foi classificada entre os top 10. Se sua foto for classificada entre os últimos 10%, você vai precisar ganhar 186 mil a mais do que o homem que se enquadrar nos 10% superiores.

— As mulheres se importam tanto com a altura — ele me disse — que, para ser tão atraente quanto o homem médio de 1,78 m, eu teria de receber 40 mil dólares a mais por ano, tendo 1,75 m de altura.

Dan verificou que um homem de 1,63 m teria de ganhar 229 mil dólares a mais do que um de 1,83 m para ser igualmente atraente; um cara de 1,68 m precisaria de 183 mil dólares a mais, e um de 1,78 m, de 32 mil dólares a mais.

É claro que o viciado em trabalho que é alto talvez não seja um marido tão bom quanto um pai dedicado mais baixo, da mesma forma que uma mulher "gostosa" de 26 anos pode não ser uma esposa tão boa quanto uma mulher madura de 42 anos. Antes, todas nós namorávamos baseadas em fatores superficiais, e não dava certo, mas queremos o que queremos, seja racional ou não. E o mercado de encontros amorosos prova isso repetidas vezes.

Os caras na faixa entre 20 e 30 anos gostam de mulheres quarentonas. As mulheres de 20 a 30 anos são como os homens quarentões.

O assunto trata da percepção de valores.

Você vale o mesmo que suas opções

É por isso que Evan Marc Katz, meu *coach* de encontros amorosos, vivia me lembrando de que minha opinião sobre meu próprio valor não importava. No tocante a encontros românticos, você tem o mesmo valor de suas opções.

— Você pode ser tão exigente quanto queira, desde que tenha a opção de ser assim. Quando achamos que devemos estar sendo muito procurados mas não estamos, aí entra a ficção. O que a está atrapalhando é tentar ser a mulher de 27 anos que é o último biscoito do pacote. Uma moça de 27 anos pode muito bem sair com qualquer homem, mais velho ou mais jovem, mas não vai ser sempre assim. É por isso que, independentemente da sua idade, você não pode dar-se ao luxo de rejeitar as pessoas por causa de um detalhe técnico.

Mas como é que se pode saber exatamente onde se está na lista mais exclusiva dos encontros?

— É uma questão econômica — Evan deu de ombros. — Um litro de leite é bom, mas ninguém o compra se custar 10 dólares. O produto está com preço alto demais. Muitas mulheres estão se valorizando tanto que estão ficando fora do mercado.

Ele diz que você pode avaliar sua cotação no mercado desta forma: se sua caixa de entrada está cheia de respostas de homens a quem você enviou e-mails, sua auto valorização está correta. Se ocorrer o contrário, você se está supervalorizando.

— Se um cara tem 40 anos, boa aparência, ganha bem e quer se casar, faz mais sentido para ele ficar com uma mulher de 32 anos que com uma de sua própria idade — continuou Evan —, mas muitas mulheres não se adaptam, e dizem: "*Sou valiosa. É isso que estou disposta a aceitar: só saio com caras da minha idade, e que tenham certa altura*". Essa é uma linda afirmação, mas é possível que elas não encontrem muitos pretendentes. Também sei de várias mulheres mais jovens que se supervalorizam e, quando finalmente baixam suas exigências de modo mais realista, dali a cinco anos, pode ser tarde demais.

É exatamente isso que eu via acontecer: mulheres de menos de 30 anos estão saindo com um cara legal, mas existe uma coisinha que elas acham que está faltando: estão com um homem nota 8, mas querem um nota 10! Depois, aos 40 anos, só conseguem um candidato nota 5! Ou seja, rejeitaram um cara nota 8 à espera de um nota 10, mas acabaram com um nota 5, ou sem ninguém. O nota 8 teria sido maravilhoso — 8 é um partidão —, mas quando você só consegue um 5 é que se dá conta disso.

Quando eu estava com 22 anos, ninguém me criticava por terminar com um cara inteligente, legal, divertido e bonitinho, mas tarado por ficção científica. Mas, quando eu tinha 37 anos, era considerada gananciosa, exigente e me diziam que eu queria dar um passo maior que a perna, se eu quisesse apenas um sujeito inteligente, legal, divertido e bonitinho. Para começo de conversa, aos 37 anos era difícil achar um homem como esse. Mas não me ocorreu de "fechar negócio" enquanto havia a oferta.

Em termos comerciais, Evan diz que o valor no mercado romântico funciona assim: "Dizer que você deve esperar por um 10 é como dizer que todo mundo deve esperar um salário de 500 mil dólares porque é isso que você *vale*.

Bem, mesmo que haja uma pequena porcentagem de empregos com esse salário, a taxa de desemprego vai ser altíssima. Isto é, exceto se alguém ceder e encontrar um emprego que pague menos — como um homem nota 7 — e tenha benefícios e qualidade de vida muito melhores".

Evan disse que as pessoas que não consideram a própria comercialização estão se iludindo:

— Eu seria mais "comerciável" se fosse milionário — ele disse. — Bill Gates teria outro nível de comercialização se não fosse Bill Gates. Isso contraria nossos ideais de amor e de sermos valorizados apenas por nossas qualidades internas, e muita gente acha ofensivo. Todo mundo quer ser julgado especial, mas você pode fingir que não é verdade, ou ser mais realista sobre suas opções para que possa encontrar alguém.

Ele tinha razão. Se fôssemos realmente honestas conosco, muitas de nós compreenderiam que não somos 100% puras na nossa busca pelo amor. Atração é um cálculo sutil que abrange a qualidade da atração romântica e também a qualidade de vida que você teria com essa pessoa.

A maioria das mulheres na casa dos 30, por exemplo, teria opiniões muito diferentes sobre um sujeito fabuloso desempregado e outro com um bom emprego, mesmo se ambos fossem igualmente inteligentes, de boa aparência e interessantes. A discrepância tem menos a ver com a possibilidade de o fulano desempregado ter ambição e entusiasmo (porque o homem desempregado pode estar trabalhando com empenho na sua música ou na fundação de uma empresa, mas sem ganhar dinheiro, enquanto o cara com um bom emprego pode não ter o menor entusiasmo pelo seu trabalho) e mais a ver com a maneira como nos sentiríamos se estivéssemos nessa situação no futuro com uma família. Mesmo para a mais romântica das mulheres, o lado prático importa.

É bom negócio ser parte de um casamento

Se os aspectos econômicos de encontros amorosos podem ser nojentos, os aspectos econômicos de uma parceria matrimonial são, pelo menos para mim, harmoniosos. É mais fácil e mais divertido passar a vida como um casal. De acordo com *The Case for Marriage*, um detalhado resumo de pesquisas a favor do casamento, de autoria de Linda J. Waite e Maggie Gallagher, as pessoas casadas são mais felizes, de maneira geral.

É certamente um bom negócio, mas, de qualquer maneira, é um negócio. Recentemente me deparei com um artigo na publicação financeira *MSN Money* intitulado

"Get Real: Marriage Is a Business" [algo como "Caia na Real: O Casamento É um Negócio"], escrito por Liz Pulliam Weston. O subtítulo dizia: "Abandone a ideia romântica de que o amor conquista tudo e pegue sua calculadora. As parcerias bem-sucedidas precisam de um plano, um diretor financeiro (normalmente) e relatórios periódicos do andamento dos fatos".

No artigo, Liz discorre sobre o fato de que as pessoas casadas conseguem mais riqueza que as solteiras; que o casamento não tem ramificações apenas românticas, mas também legais e financeiras e que, como disse John Curtis, o casamento requer um plano empresarial.

O artigo da *MSN* estava ligado a outro, chamado "How to Leave Your Husband" [algo como "Como Abandonar Seu Marido"], que aconselha planejar uma estratégia de saída antes de você anunciar a intenção de se divorciar, a fim de conseguir o melhor resultado financeiro. Portanto, se o divórcio tem um componente de economia, é lógico inferir que seu precursor — o casamento — também tenha.

Se você perguntar à maioria dos jovens solteiros sobre a ideia de haver um fator socioeconômico subjacente ao amor moderno, eles se ofendem. Insistem que o fator econômico na escolha do parceiro é coisa do passado, uma relíquia primitiva da época em que havia pouca ou nenhuma escolha sobre com quem a pessoa se casaria — se é que se casaria —, como um casamento arranjado. Mas, se usar critérios pessoais ao escolher um cônjuge é tão desagradável, como se explica o fato de tantos casamentos arranjados *darem certo*?

O que sabem as pessoas que formam os pares dos casamentos arranjados que nós, ocidentais obcecados pelo amor, desconhecemos?

19

Amor à 27ª vista

Jayamala Madathil, pesquisadora indiana da Universidade Estadual de Sonoma, na Califórnia, é especialista em casamentos arranjados. Liguei para Jayamala a fim de falar sobre um estudo seu que me surpreendeu. Ela comparou a satisfação entre os casamentos arranjados e os casamentos por escolha — nos Estados Unidos — e descobriu que as pessoas nos casamentos arranjados estavam tão satisfeitas, se não mais, que as dos casamentos por escolha.

Não, eu não vivo na lua para achar que os casamentos arranjados são a solução para os problemas de namoro das mulheres, mas achei intrigante o estudo de Jayamala: era mesmo possível que um cara que seus pais escolheram para você possa fazê-la tão feliz quanto aquele que você passa anos procurando meticulosamente?

Se isso é mesmo verdade, por quê?

Jayamala me disse que seu estudo não investigou o porquê (esse é seu próximo projeto), mas teria prazer em partilhar, como exemplo, a história de seu próprio casamento arranjado, que já durava 14 anos.

Não havia nada de errado com ele

A primeira coisa que Jayamala me disse sobre seu marido é que ela estava "totalmente apaixonada por ele", por seu calor humano, sua gentileza, inteligência, por ser tão bonito... Sua lista era grande. No instante em que ela começou a falar sobre o marido, transformou-se de cientista articulada em adolescente atordoada pelo amor.

— Desculpe — ela disse —, mas nosso casamento é muito romântico; contudo, se eu lhe contar como nos conhecemos, você provavelmente não vai achar nada romântico.

Ela estava certa.

— Nossas famílias se conheciam — ela explicou — e acharam que nós dois combinávamos, em termos de expectativas, e decidiram que poderíamos ir adiante. Então, meu marido e eu nos conhecemos e simpatizamos. Nós concordávamos quanto aos valores básicos e ao que se deve esperar da vida. A aparência física importa, e eu o achei bonitinho: ele não precisava ser lindo. A situação parecia realista e viável, então, concordei em me casar com ele.

É, simples assim. Eu me imaginei sentada em frente a um completo desconhecido e dizendo a mim mesma: "Pois é, a situação parece realista e viável. Tudo bem, concordo em me casar com você".

De acordo com meu raciocínio americano típico, perguntei-me por que Jayamala não quis conhecer outros candidatos. Afinal de contas, ela me disse que podia ter conhecido tantos homens quanto quisesse até achar a combinação certa. Como podia saber que devia escolher *aquele homem*?

— Bem, não havia nada de errado com ele — ela respondeu, sem demonstrar emoção.

Isso me pareceu hilário. "Não havia nada de errado com ele" não é a justificativa que a maioria das americanas solteiras usa quando se trata de decisões como o casamento (Na verdade, costumamos encontrar *alguma coisa* de errado em um cara). Além disso, baseada no que ela acabou de me contar, algumas mulheres nem teriam saído pela segunda vez com o marido de Jayamala, muito menos se casado com ele, porque não houve uma irresistível atração instantânea.

— Acho que a diferença de um encontro amoroso em um café é que não estamos procurando ficar de pernas bambas nem algo parecido — ela disse. — Tem mais a ver com a amizade, quando se conhece alguém e se sabe rapidamente se vai querer estar com essa pessoa. No início, romance não é o foco principal, e sim se os valores dos dois são semelhantes.

Ela acredita que essa seja uma área que os casais apaixonados às vezes negligenciam.

— Conheço casais aqui na América que namoram há dois anos e não sabem se partilham os mesmos valores — ela disse. — Eles *pensam* que sabem, mas realmente não discutem os problemas importantes de um casamento. Em um casamento arranjado, todos os requisitos são revelados no começo. Não há nenhum joguinho entre as pessoas. A coisa é o que é — se as pessoas parecem compatíveis, ótimo, elas se casam! Por que se encontrar uma segunda, terceira ou quarta vez? Que outras informações as pessoas vão obter?

Na verdade, Jayamala foi apresentada a outro possível noivo antes de conhecer seu atual marido, mas o rejeitou. Ela não se casou com o primeiro cara exatamente porque já tinha todas as informações necessárias, conseguidas no primeiro encontro. Se uma americana típica pode dar o fora em um cara no primeiro encontro por várias razões superficiais — ele é muito peludo, mastiga de um jeito esquisito —, Jayamala me contou que ela e o primeiro pretendente não continuaram a se ver porque tinham grandes diferenças de estilo de vida: ele queria uma parceira que fosse apenas dona de casa, e ela queria fazer doutorado e trabalhar.

— Temos um modo muito realista de fazer as coisas — disse Jayamala. — Nós sabemos que vai ser preciso fazer algumas adaptações e que será necessário ser flexível, mas não quanto às coisas básicas: carreira, filhos, o lugar onde se vai morar. Nós nos preocupamos com o panorama geral, e não com coisas como "Ele joga golfe e eu detesto, então não vai dar certo".

O compromisso é libertador

Jayamala disse que, quando ela e seu marido se casaram, "foi como se estivéssemos começando a namorar naquela hora — mas é melhor que namorar, porque nós sabemos que, não importa o que aconteça, estaremos juntos no dia seguinte. Eu não preciso esperar ao lado do telefone e me perguntar se ele vai continuar o relacionamento. Ironicamente, é o compromisso que nos liberta!".

Ela acrescentou que o cerne de tudo vai de "Será que isso vai dar certo?" a "Como podemos fazer que isso dê certo?". À medida que Jayamala e seu marido se conheciam melhor, ela gostava de muitas coisas sobre ele: gostava da maneira como eles conversavam sobre as coisas, gostava do modo como um tratava o outro... mas ainda não estava apaixonada por ele: ela se apaixonou pelo marido por causa da forma como eles *discordavam* entre si.

— Quando está tudo ótimo, é fácil se apaixonar — ela disse. — Mas, quando as duas pessoas discordam, é muito reveladora a maneira como se chega a um consenso. Meu marido não só atendeu a minhas expectativas; ele as superou. Eu nunca sequer pensei que poderia encontrar alguém melhor.

Que diferença do ponto de vista do amor da nossa cultura, na qual discordar no início de um relacionamento é como uma sentença de morte! Espera-se que o começo de um relacionamento seja como uma lua de mel. Espera-se que um casal se sinta em total sintonia. Qualquer desvio disso é um sinal de que o par não é compatível. Mas Jamayala afirma que não se trata de *se* você discute, e sim da *maneira* como se discute. E, quanto mais se consegue discutir elegantemente, menos se discutirá depois.

Este é o conselho que ela dá a quem está namorando: primeiro encontre um homem que combine com você, e *só então* se apaixone. Acima de tudo, não pense que "está apaixonada" para perceber tarde demais que você e ele não combinam.

Foi um bom conselho. Afinal, em virtude da obsessão americana por se apaixonar imediatamente, por que tanta gente se divorcia ou se sente vazia em casamentos que começaram como o "verdadeiro amor"?

Para que serve um marido?

A advogada e jornalista Reva Seth, nascida em Nova Jersey, parecia ter algumas respostas. No seu livro *First Comes Marriage: Modern Relationship Advice from the Wisdom of Arranged Marriage*, ela explica que, depois de anos no campo de batalha dos encontros na internet, compreendeu que estava fazendo alguma coisa errada. Reva acabou encontrando o próprio marido não por meio de um casamento arranjado, mas ao *usar os princípios* que aprendeu de entrevistas com centenas de mulheres de casamentos arranjados. Seus conselhos visam a pessoas como eu, gente que nunca, jamais, vai se reunir com mamãe e papai e os pais de um cara e decidir "se enforcar" na hora, mas que pode se beneficiar das histórias daquelas que o fizeram.

Como eu, quando Reva estava namorando ela queria se apaixonar e se casar, mas nunca se concentrou no porquê. Por isso, no seu livro, Reva faz uma pergunta importante em uma era em que as mulheres são capazes de tomar conta de si mesmas: "Para que você acha que serve hoje um marido, e por que você quer um?".

É uma pergunta difícil de responder, no mínimo porque parece óbvio. Você pode dizer que é porque "quer uma alma gêmea com quem possa dividir minha vida".

Tudo bem, uma alma gêmea. Que quer dizer isso exatamente? Nas palavras de Diane Sollee, fundadora e diretora da Coalizão de Casamento, Família e Educação de Casais: "As pessoas pensam que precisam encontrar sua alma gêmea para ter um bom casamento. Você não vai 'encontrar' sua alma gêmea. Qualquer pessoa que você conheça tem almas gêmeas. Dezenas delas: mãe, pai, amigos da vida inteira. Você se casa e, após 20 anos de amor, depois de dar à luz e criar filhos enfrentando desafios, aí sim você terá 'criado' o *status* de alma gêmea".

Nos casamentos arranjados, a questão do marido é mais fácil de responder. Seus pais estão procurando por alguém que ofereça um companheirismo satisfatório, filhos (se for da vontade de vocês dois) e a infraestrutura para uma vida em família. Eles querem uma pessoa com qualidades como integridade, humildade, ambição e generosidade, as coisas que vão realmente importar. Se um cara pode saber o que você quer, mas não consegue se estabilizar em um emprego, ou se ele é incrivelmente divertido, mas não telefona quando diz que telefonaria, é esse o tipo de homem com quem você quer se casar?

Eu sei: você quer que ele antecipe seus desejos *e* mantenha um emprego, que seja divertido *e* confiável. Mas você quer um marido ou um telepata? Você quer um cara que seja o mais divertido em uma festa, ou um marido com quem possa contar?

Como Reva escreve no seu livro, maridos são parceiros da vida, não salvadores da vida. Metade da satisfação no casamento depende de você, mas muitas mulheres que namoram não percebem isso.

Uma amiga da minha mãe, que tem um casamento feliz há 40 anos, fez a mesma observação: "O casamento por si só não traz felicidade à mulher. Um bom casamento lhe traz muita felicidade, mas não cabe ao seu marido proporcionar entretenimento e incentivo constantes. Muitas das amigas das minhas filhas esperam o impossível sobre o que deve ser um marido".

De fato, certa mulher de 30 anos com quem conversei não consegue decidir se fica ou não com um sujeito que passa os domingos assistindo a jogos de futebol. Seu namorado é um defensor público gentil, amoroso e culto, mas ainda assim ela se pergunta se consegue viver com um cara que fica no sofá todo domingo durante horas.

— Não espero que todos os nossos interesses se sobreponham — ela me disse —, mas, em um dia de domingo, gostaria que fizéssemos alguma coisa juntos de que nós dois desfrutássemos.

Nos casamentos arranjados, os pais procuram alguém com afinidades com sua filha, mas isso não quer dizer uma alma gêmea que seja tão musical quanto ela, que seja também obcecada por patinação e goste dos mesmos restaurantes. Os cônjuges *têm* muitas coisas em comum, mas são objetivos comuns aos dois, não passatempos. Eles partilham o estilo de vida que querem construir juntos. E daí se seu marido puser em ordem alfabética sua coleção de *games* enquanto você está se exercitando ao ar livre em uma corrida? Por que isso é um problema? Quantos caras você namorou que tinham praticamente os mesmos interesses que você, porém, ainda assim, o relacionamento fracassou? "Nós dois adoramos comida japonesa" não é razão suficiente para vocês viverem felizes para sempre.

Em 2009, em sua coluna Modern Love no *The New York Times*, Farahad Zama, cujo casamento foi arranjado depois que ele se encontrou durante 45 minutos com sua futura mulher, escreveu sobre as diferenças que existem entre os dois em assuntos que incluem limpeza, hábitos de leitura e preferências gastronômicas.

— Será que nós nos casaríamos se tivéssemos nos conhecido de acordo com a habitual maneira ocidental e tivéssemos sido namorados? — ele pergunta. — Ou um teria desistido do outro e iria adiante, procurando a pessoa "perfeita"? Não sei.

Ele continua: "Mas tenho certeza de que nosso casamento arranjado, que considerou outros detalhes, levou-nos de meros conhecidos a duas pessoas que se amam, e nos manteve juntos até compreendermos que nossas diferenças são o *ying* e o *yang* que se complementam. Hoje em dia, nós nos consideramos absolutamente perfeitos um para o outro".

O amor é *timing*, um verbo e um substantivo

Farahad acredita que grande parte do que faz os casamentos arranjados darem certo é o fato de que a versão de Hollywood para o "amor" não consta da equação. Provavelmente, ele está certo. Nossas expectativas ocidentais do que significa "estar apaixonado" desviaram tanto aquilo que valorizamos em um parceiro que muitas mulheres solteiras hoje, quando lhes perguntam qual tipo de homem procuram, respondem: "Alguém alto, divertido e bem-sucedido", em vez de "alguém caloroso, confiável, leal e que possa assumir um compromisso e lidar bem com os vários tipos de estresse da vida".

Eu estava começando a me perguntar se os casamentos arranjados se pareciam com os das pessoas que dizem ter-se casado por causa do *timing*, ou seja, pessoas ansiosas para se casar e dar continuidade à vida, e cuja próxima pessoa razoável que conheceram se tornou seu marido ou sua mulher. Não se trata bem de um casamento arranjado, mas certamente as pessoas que dele participam o fazem de modo pragmático.

— Eu estava pronta para me casar — disse Ângela, uma editora de 35 anos que mora em Nova York e se casou há cinco anos. — Ele não era minha alma gêmea, mas achei que seríamos felizes juntos. Hoje ele é minha alma gêmea. Será que outro cara poderia ter-se tornado minha alma gêmea? Claro que sim. Foi uma questão de *timing*: nós dois estávamos prontos para o compromisso e queríamos muito isso. Não estávamos buscando a perfeição, estávamos buscando a compatibilidade. E então nos apaixonamos.

Vimal Vora, consultor de estratégia indo-americano de 27 anos que vive em Nova York, disse-me que, na cultura indiana, as pessoas tratam o "amor" como um verbo e um substantivo:

— Você ama alguém ao honrá-lo, tratá-lo com carinho, ao cuidar dele, mas, para os americanos, o amor é somente um substantivo. A pessoa sente uma paixão exógena maravilhosa. É uma sensação absurda, incômoda, irracional e flutuante que parece que ela escolheu você.

O argumento dele é que, se você tem tudo de que precisa em um relacionamento, mas não tem mais o sentimento, talvez esteja se concentrando muito nessa paixão (o substantivo) e não se esforçando o bastante para amar (o verbo) o parceiro. Há um aspecto de amar (o verbo) que é uma escolha.

Vimal acredita que são necessários o substantivo e o verbo, mas, segundo ele, o que nos inclinamos a esquecer é isto: "O verbo pode criar o substantivo, e o substantivo pode inspirar o verbo".

20

As segundas-feiras com Evan

Quinta sessão – a relação entre química e compatibilidade

— Nós vamos sair de novo — anunciei na minha última sessão com Evan. — Mas é esquisito, porque não sinto o que costumava sentir. Não houve química, mas estou ansiosa para vê-lo de novo.

Evan sorriu e perguntou:

— E isso não é química, quando você está animada para rever uma pessoa?

Estávamos falando do meu encontro com Sheldon 2, o viúvo de 46 anos que projetava e vendia casas e tinha um filho de 8 anos. Ele é o cara para quem eu nem queria mandar um e-mail, até que Evan falou muito sério comigo. Eu o rejeitara porque ele tinha 1,68 m de altura, estava ficando careca, trabalhava em um emprego que eu (equivocadamente) julgava tedioso e usou uma gravata-borboleta de bolinhas cor-de-rosa na sua foto na internet.

Passei a contar a Evan sobre a caminhada que Sheldon 2 e eu fizéramos.

Uma semana antes, Sheldon 2 e eu nos encontramos na parte inferior de uma trilha local, onde o vi sentado em uma pedra e escutando seu iPod. Com um boné de beisebol, uma elegante bermuda e uma camiseta vivamente estampada, ele parecia ter 30 e tantos anos. Eu talvez não tivesse reparado nele em uma festa, mas, quando ele me disse "Oi!", meu primeiro pensamento foi: "Até que ele é bonitinho". Não fiquei atraída por ele tipo "eu me imagino com ele na cama", porque ele não fazia meu tipo físico, mas havia alguma coisa atraente sobre seu aspecto e a cordialidade do "oi" que ele me deu que me deixou instantaneamente à vontade.

Se eu estivesse contando a uma amiga sobre nosso encontro, não haveria nada empolgante a relatar. Um mês antes, eu talvez nem tivesse me encontrado com Sheldon 2 pela segunda vez. Ele não era um intelectual, mas *era* curioso e inteligente. Tinha uma "mente brilhante", vitalidade e desenvoltura mental. Não houve o tipo de gracejo que se faz quando se está flertando, mas conversamos muito. Ele não era vivaz, mas era atencioso. Ajudou-me a subir em pedras altas e me fez rir. Meu coração não bateu mais forte, não houve beijo de despedida, mas eu me diverti bastante.

Falei com Evan sobre os casamentos arranjados e como ter focado na química intensa me ferrou no passado. Houve o urbanista que atravessou o país para me encontrar, mas, como eu havia construído uma fantasia sobre ele, achei-o decepcionante na vida real. Entretanto, ele não era, de fato, decepcionante: era inteligente, divertido, interessante e autoconsciente, embora um pouquinho tímido e reservado. Quando passeamos pela cidade, eu me diverti, mas, em vista do que minha amiga que nos pôs em contato disse sobre ele, achei que, quando nos encontrássemos, haveria uma grande curtição. Eu ter me *divertido* não importava. Achei que seria muito esforço mantermos contato interurbano, embora ele fosse se mudar para minha cidade dali a seis meses. Mas os caras com quem havia me empenhado para dar certo — os que me deram frio na barriga — não combinavam nada comigo. (Recentemente, pelo Facebook, soube que esse urbanista se casou com uma psicóloga e tem uma filhinha. Ele estava lindo nas fotos.)

Agora, com Sheldon 2, senti-me como a personagem de John Cusack quando ele disse sobre sua namorada no filme *Alta Fidelidade*: "Ela não me fez infeliz, nem ansioso, nem pouco à vontade. Sei que parece que foi um tédio só, mas não foi. Tampouco foi espetacular. Foi simplesmente bom. Mas muito bom".

Eu estava começando a me fazer a mesma pergunta que ele fez: "Será que devo sair em disparada toda vez que sentir frio na barriga ao conhecer alguém? Bem, tenho prestado atenção aos meus instintos desde os 14 anos e, falando francamente, cheguei à conclusão de que meus instintos são uma merda".

Os meus também são. Era só dar uma olhada no Match.com para confirmar que meu instinto não escolhia os melhores caras.

Escolhendo os homens *sexy*

Evan e eu abrimos minha lista de caras gostosos e meus e-mails das primeiras semanas de nossas sessões. Na maior parte, eles estavam cheios de quarentões *sexy* que nunca se casaram, escreviam perfis maravilhosos e não me respondiam ou, se começássemos a nos corresponder, não tinham um passado de relacionamentos em que houve compromissos, tinham um padrão de uma série de relacionamentos curtos, gabavam-se de modo nojento, usavam insinuações sexuais de maneira repugnante, tinham relações complicadas com as famílias, suas carreiras estavam estagnadas, ou simplesmente não pareciam futuros maridos legais, normais e estáveis.

Evan disse que isso é típico. Ele sabe muito bem que homens de 30 e muitos anos e solteiros de 30 e poucos têm grande demanda e podem facilmente casar-se, e, se não estiverem casados nos meados dos 40, sempre têm algum tipo de "bagagem" ou problemas.

Minha amiga Kayla, de 36 anos, observou a mesma coisa:

— Nessa idade, se ele parece um partidão, tem sempre um problema. Homens quarentões que nunca se casaram são um sinal de alerta; há alguma coisa suspeita com eles. Descobri que eles têm um de cinco problemas trágicos: são filhinhos da mamãe, viciados, *gays*, têm problemas com o emprego e têm horror a compromissos românticos. Um divorciado com filhos controla o fator insanidade. Isso pelo menos sinaliza que ele está interessado em um certo tipo de vida convencional que também me interessa.

A essa altura, ficou claro que pais divorciados provavelmente eram as melhores combinações para mim.

— Mas é interessante — disse Evan — que sua lista de gatos em potencial esteja cheia de homens que nunca se casaram. Que é que isso lhe diz?

— Que eu sou um saco no que toca a namoros? Que não sei julgar as pessoas?

Evan balançou a cabeça e disse:

— Isso quer dizer que você fica cega pelo que chama de química. Você prefere os homens *sexy*. Imagino que, se você estivesse em uma festa e tivesse uma conversa agradável com um divorciado um pouco acima do peso e grisalho, que trabalhasse com finanças e morasse em um bairro nobre, e fosse um cara legal e você gostasse de estar com ele, provavelmente lhe daria o número do seu telefone. Há cinco anos você talvez não fizesse isso. Você está aprendendo a selecionar sem exigir demais.

E ele continuou:

— Mas também imagino que, se você começasse a sair com esse homem, diria ao telefone para suas amigas: "Não estou segura se isso vai funcionar: ele é gordo e grisalho". Você o namoraria, mas é quase certo que ficaria pensando que gostaria de um sujeito mais criativo, e que morasse mais perto. Nosso problema é reconciliar as pessoas que escolheríamos para namorar com aquelas com quem realmente gostamos de passar o tempo.

Falemos da sua infância

Quando eu disse a Gian Gonzaga, o pesquisador do site eHarmony, qual era meu "tipo" de homem, ele disse ser comum as pessoas confundirem "química" e "tipos", e seu "tipo" com uma pessoa com quem têm muito em comum na superfície. Existe, porém, um problema com essa maneira de pensar:

— Com os relacionamentos — ele disse — você não muda muito em termos de personalidade ou temperamento, de modo que seu parceiro não vai se tornar subitamente mais generoso nem mais extrovertido. Mas os casais se inclinam a assumir de alguma forma os interesses do seu par, de modo que isso pode mudar com o passar do tempo. As pessoas se prendem ao que têm em comum, quando o que precisam ter em comum é o aspecto de se aceitarem como são. *Essa* é a química.

Certa mulher cometeu esse mesmo erro. Na casa dos 20 anos, Amy, jornalista de noticiários na TV, rompeu com seu namorado de muitos anos, estudante de Direito, porque achou ter mais química com um empolgante novo funcionário que ela conheceu no trabalho. Ambos eram apaixonados por noticiários televisivos e adoravam dividir suas experiências diárias. Os dois eram igualmente obcecados pela indústria da TV.

— Acabei me casando com o homem com quem trabalhava nos programas de noticiários. Nosso casamento já dura 15 anos e temos três filhos — ela disse —, mas sou infeliz. Não temos nada em comum que realmente importe. Meu marido acabou saindo da área de noticiários e foi trabalhar como RP. Ele produz vídeos como autônomo e não é um cara muito motivado.

Ela hoje lamenta ter rompido com seu namorado de muito tempo, que é advogado, e diz que, com ele, havia mais química *verdadeira*.

— Depois que as crianças crescerem — disse Amy sobre seu casamento — nós provavelmente vamos nos divorciar e cada um irá para seu lado, porque não temos nada que nos mantenha juntos.

Lisa Clampitt, a casamenteira de Nova York que foi assistente social, disse-me que geralmente o que parece ser "química" pode ser a bagagem emocional da infância. É por isso que, se ela constata que uma cliente vai, sem cessar, atrás de homens com quem não dá certo, ela analisa as raízes psicológicas da atração.

— Às vezes o que as pessoas consideram química é apenas um repeteco do que aconteceu nas suas famílias — disse Lisa. — Por isso, a pessoa que tinha um pai viciado em trabalho, ao crescer, pode sentir atração por alguém casado ou não disponível emocionalmente, e, quando alguém está disponível de maneira saudável, essa pessoa não a entusiasma.

Nesses casos, Lisa se concentra nas boas qualidades que atraem a mulher, e tenta combiná-las com alguém mais equilibrado.

— Então eu digo: "Vamos encontrar alguém divertido e animado, mas que seja também comunicativo, estável e queira filhos, mesmo que a princípio pareça que você não tenha com ele tanta química". Lembro às clientes que a química às vezes leva a más decisões.

O vício da química

Evan me lembrou disso também:

— Que acontece quando sua química atinge o máximo? — ele perguntou. — Como isso tem sido para você?

Pensei nas vezes em que me senti nas nuvens por causa de um cara novo.

— É muito legal! — eu disse.

— É mesmo? — disse Evan. — Ou você verificou suas mensagens de voz a cada 20 minutos, sem conseguir se concentrar no trabalho, ignorando seus amigos e o resto da sua vida e, de modo geral, agindo como boboca?

Reconheci que era mais ou menos assim mesmo.

— Exatamente — ele continuou. — Quando o ímpeto existe, você não se comporta como si própria, fica nervosa e insegura, não raciocina logicamente e faz escolhas idiotas: *Só quero arrancar as roupas dele e respirar o mesmo ar que ele. Problema dele se está clinicamente deprimido!*

Evan costuma se deparar com as seguintes situações com suas clientes: o intenso relacionamento de três meses que acabou definhando rapidamente. O relacionamento apaixonado que não consegue superar objetivos de vida incompatíveis. O casal que tem intensa atração mútua, mas também discute intensamente o tempo todo.

No entanto, quando suas clientes conhecem homens maravilhosos, porém não têm a mesma empolgação estimulante, elas dizem: "Mas não estou sentindo o que sentia com fulano e beltrano". A isso, Evan responde: "Fulano e beltrano deram o fora em você. Fulano se casou com outra mulher. Beltrano não queria filhos. Fulano era irresponsável. Isso também foi empolgante?".

É óbvio, mas quantas mulheres se sentem atraídas por homens completamente inadequados — caras muito velhos ou muito jovens, ou desempregados ou não disponíveis — e insistem que eles são, apesar dos obstáculos, sua alma gêmea? (Isso raramente acontece. Ou é isso que ocorre, ou sua alma gêmea é um mentiroso, infiel, preguiçoso etc.)

Quando senti uma intensa química, com que frequência fiz vista grossa para coisas que não poderia ter ignorado? Com que frequência dei certa margem de manobra que não deveria ter dado e tentei "compreendê-lo"? Talvez ele tenha problemas de intimidade, seu pai não o amava o bastante, sua mãe o amava demais... Eu deveria era ter ido adiante para encontrar alguém que me desse o que realmente queria.

Como é que pessoas inteligentes tomam decisões tão burras?

Helen Fisher, antropóloga e bióloga da Universidade Rutgers, que estuda a fisiologia do amor romântico, diz que talvez seja assim porque o amor romântico é como a dependência de drogas. Quando ela colocou 49 pessoas que estavam loucamente apaixonadas em uma máquina de ressonância magnética funcional, para descobrir as partes do cérebro envolvidas nesse sentimento, verificou que, quando você sente uma forte química em relação a alguém, o sistema cerebral de recompensas é ativado, que é também o que se ativa quando se pega uma barra de chocolate ou um cigarro ou uma anfetamina. As células perto da base do crânio produzem uma substância chamada dopamina — e é a dopamina que nos deixa nas alturas. Para o cérebro, não importa se você anseia por um cigarro ou um amante — o resultado é o mesmo: ânsia, obsessão, necessidade.

Quando você está com toda essa dopamina atuando, é difícil lembrar que a sensação de estar nas nuvens só dura, em média, de 18 meses a três anos. Algumas pessoas conseguem manter-se nesse estado por mais tempo, mas, mesmo assim, a qualidade do "auge" muda. Ela diz:

— Acabamos de concluir um estudo no qual colocamos na máquina de ressonância magnética pessoas que continuavam apaixonadas depois de 21 anos de casamento. A essa altura já não encontramos atividades na região do cérebro associada à ansiedade, e sim na área ligada à calma e ao alívio das dores. Você ainda está atraída pela pessoa, ainda ri com as piadas que ela conta, mas aquela ansiedade inicial é substituída agora por calma. Se ela não lhe mandar um e-mail, você não senta na beira da cama e chora.

Mas, se o padrão esperado é aquela ansiedade por amor dos primeiros tempos que leva à calma e à segurança, Helen afirma que isso também pode tomar direção contrária. A calma e a segurança que você sente com uma pessoa podem provocar o amor romântico, algo de que a maioria das pessoas que anseiam pelo frio na barriga se esquece. Na verdade, isso aconteceu com a própria Helen.

— Havia um homem que me seguia há algum tempo, e eu o achava um chato. — Mas, sempre que Helen estava com ele, sentia-se totalmente calma e à vontade. — Quatro anos depois, eu me apaixonei por ele. Nunca esperei que isso fosse acontecer, mas estou com ele há 10 anos.

Helen não está dizendo que a química não é importante, mas é bom saber que pode levar algum tempo para se desenvolver. E, segundo Evan me disse, mesmo quando ocorre, não costumamos pensar que seja suficientemente forte por estar fora de proporção.

— O aconselhável é procurar um grau 6 ou 7 de química, e 9 de compatibilidade — disse Evan. — A maioria de nós procura uma química de grau 9, mas acaba com uma compatibilidade nível 4. As pessoas continuam se direcionando para o fundo do poço por causa de uma busca abrangente de química.

Evan disse que o poço é assim: se existe muita química inicial, é difícil desenvolver uma imagem realista da pessoa, e, se o cara se mostrar grosseiro, egoísta ou não confiável, é difícil mandá-lo passear porque você já está seduzida. Mas, se você se envolver com um sujeito que começou como amigo, logo que chegar àquele obstáculo inevitável ou à fase difícil, você diz para si própria: *Eu não tinha atração por ele mesmo.* Por isso, em nome da química, você dá uma oportunidade à pessoa errada e deixa escapar a pessoa certa.

Você está menstruada?

Martie Haselton, pesquisadora da Universidade da Califórnia em Los Angeles que estuda a escolha de parceiros e sexualidade, disse-me que aquilo que julgamos ser química pode ter menos a ver com o romântico *je ne sais quoi*[15] e mais com hormônios. Nos seus estudos, ela verificou que o tipo de homem que as mulheres preferem muda de acordo com o período de sua menstruação (isso é que se chama de prosaico!).

De acordo com Martie, as mulheres preferem homens mais másculos nos dias de alta fertilidade do ciclo, mas nos outros dias escolhem alguém mais feminino. Isso quer dizer que, embora nos dias de alta fertilidade elas sejam atraídas para o domínio comportamental e características competitivas nos homens, nos outros dias do ciclo elas preferem os homens legais.

[15] Não-sei-quê. (N. T.)

— O que as mulheres querem é tudo — ela disse. — Elas querem o cara que será um bom parceiro de vida em um relacionamento, alguém gentil, carinhoso, um bom provedor. Essas são características mais femininas, mas o que as mulheres também querem é um cara muito sexy, um "gato" alto, musculoso — características dos *homens pit bulls*. Eles geralmente não vêm no mesmo pacote. Contudo, é ainda mais confuso porque elas se vêm atraídas também por alguma coisa um pouco diferente, dependendo do dia em que seu ciclo esteja.

É interessante saber que, se uma mulher está tomando pílula anticoncepcional, ela não passa por essas mudanças cíclicas. Mas, acrescentou Martie, "se ela deixar de tomar a pílula, já era". Ela agora pode avaliar seu ótimo namorado ou marido menos favoravelmente nos dias em que está muito fértil. É nesses dias que ela pensa: "Está faltando alguma coisa".

Perguntei a Martie como as pessoas acabam ficando com bons parceiros apesar do fato de não podermos controlar nossa biologia.

— Não creio que biologia seja o problema — ela respondeu. — As expectativas é que são. É normal sentir mais ou menos atração por seu parceiro de vez em quando, mas hoje em dia as pessoas acham que há um problema se elas passam pela fase natural de não sentir tanta atração quanto antes. E também acham que precisam sentir a atração intensa e imediatamente.

Também Evan admitiu que costumava pensar assim, e ele agora estava a uma semana de seu casamento com uma mulher que ele, para início de conversa, jamais esperou namorar. De acordo com tudo que ele me disse, estava claro que ele nunca foi tão feliz, que absolutamente não estava se conformando com a noiva que tinha, e que ele e sua futura esposa *sentiam*, sim, forte atração recíproca, e não a sensação imediata de "flutuar" que sempre o seduziu.

Famosas últimas palavras

Quando Evan e eu nos despedimos com um abraço no final de nossa última sessão, fiquei triste ao vê-lo ir embora. Mesmo que no início tivesse resistido a seus conselhos, agora acho que estaria perdida sem eles. Eu lhe disse que não queria fazer nada irracional a respeito de Sheldon 2 enquanto Evan estivesse fora, em lua de mel.

— Você já sabe tudo que precisa saber — ele me garantiu. — Pode ser difícil fazer algumas mudanças, mas acho que finalmente está pronta para tocar sua vida.

Acreditei parcialmente nele, mas ainda queria umas últimas palavras de sabedoria às quais recorrer:

— Se houver uma coisa que você queira que eu me lembre de nossas conversas, o que seria?

Evan pensou um instante, e me respondeu:

— Da maneira que deveria ser, e da maneira como de fato acontece. Você tem de continuar a se desafiar. Sua forma de fazer as coisas até hoje a levou aonde você está. Você precisa passar por um processo para obter o potencial de conhecer um homem de quem goste. Depende de você escolher se vai vivenciar esse processo.

Fiquei relembrando essas palavras o resto do dia. *Há a maneira que deveria ser, e a maneira como de fato acontece. Você precisa passar por um processo. Depende de você escolher se vai vivenciar esse processo.*

Parecia uma coisa simples mas, ao mesmo tempo, ligeiramente enigmática. Depois fui almoçar com uma ex-colega, e o que Evan disse de repente ficou totalmente claro.

21

Livre-se da lista, não do cara

A colega era Lauren, 31 anos, redatora de TV. Estávamos falando sobre trabalho, quando ela mencionou que rompeu com seu namorado de quatro meses. Algumas semanas antes, Lauren me disse que gostava muito dele.

Perguntei o que aconteceu.

— Nada — Lauren respondeu. — Ele apenas não era O Cara Certo.

Mas o que houve com todas as coisas de que ela gostava a respeito dele?

— Bem, eu me sentia muito à vontade com ele — ela explicou. — Ele era muito imparcial e tolerante. Nos momentos vulneráveis, sempre dizia a coisa certa. Coisas assim fizeram as preocupações superficiais não importarem tanto.

Suas preocupações superficiais eram detalhes como o fato de ele ser louro (louros não fazem seu gênero); ambos terem a mesma altura, 1,73 m, e Lauren querer alguém mais alto do que ela; e ele se vestir mal. Outros detalhes a incomodavam: ele deitava na sua cama e punha os pés suados no travesseiro dela.

— Ele era sem-noção — ela disse. — Preciso de alguém que, para começo de conversa, saiba que não se faz isso.

Ela se irritava porque ele às vezes falava como Justin Timberlake, apesar de ter se formado por uma das melhores universidades. Ela também ficava irritada porque ele queria transar mais vezes do que ela, embora — ela reconheceu — as transas fossem as melhores da sua vida.

Ela deixou passar essas coisas no começo porque, "sob o aspecto emocional, ele era exatamente o que eu queria — interessado, atencioso e gentil. Ele não dava importância à superdepilação de artista pornô, o que era legal: eu podia ser eu mesma. Ele não se assustava com as situações terríveis da minha vida, como o câncer de minha mãe. Ele era sempre atencioso e perguntava sobre o estado dela, e me dava margem de manobra quando eu estava de péssimo humor — atribuía isso à doença de minha mãe. Às vezes, porém, eu ficava mal-humorada porque ele me irritava".

Ela achava que não deveria haver tantos motivos para irritação com tão pouco tempo de relacionamento. Havia necessidade de pequenas modificações mas, de maneira geral, essa parte não deveria ser fácil?

— O principal detalhe sobre o qual estou refletindo é se eu deveria falar mais sobre o que me irrita, para pelo menos dar ao cara a oportunidade de melhorar — disse Lauren, insinuando que o problema era que ele precisava melhorar. — Em vez disso, dou o fora no sujeito achando que posso encontrar alguém que se enquadre em todas as minhas necessidades coletivas, de alguma forma telepática. Essa não é uma suposição sensata.

Lauren estava fazendo o oposto do que Evan havia sugerido: ela não estava disposta a "vivenciar o processo", estava fazendo o mesmo que eu sempre fiz: dependendo de um severo *checklist* mental sobre o que esperávamos que O Cara fosse.

Esquecer essa coisa do "meu tipo"

Susan Page, especialista em relacionamentos e autora de *If I'm so Wonderful, Why Am I Still Single?*, também acredita em "vivenciar o processo". Ex-capelã da Universidade de Colúmbia, em Nova York, ela também trabalhou como diretora de Programas de Estudos da Mulher na Universidade da Califórnia, em Berkeley, onde ajudou a fundar o primeiro programa universitário da nação sobre a sexualidade humana. Ela me disse que, nos seus seminários com pessoas solteiras em todo o país, observou que o maior impedimento em vivenciar o processo é o que ela chama de "altos pseudopadrões".

— As pessoas se contêm por causa de um problema — ela me disse ao telefone — e nunca testam como seria estar em um relacionamento sério com uma pessoa. Os solteiros encontrariam alguém mais facilmente se nem tudo fosse um teste. Quando você tem boa vontade em relação a alguma coisa de que não gosta no seu par, isso conduz a mudanças positivas no relacionamento. Contudo, em vez disso, muitas pessoas rompem a relação. Você nunca deve se contentar com menos do que precisa, mas isso não quer dizer que todas as suas exigências vão constar do seu *checklist*, porque você pode saber as qualidades que a atrairão em uma pessoa.

Ela aprendeu por experiência própria, quando conheceu seu marido há 30 anos.

— À época, eu era uma capelã metodista, e supus que meu parceiro seria alguém da mesma religião, muito instruído, profissional — talvez médico, advogado, professor. Alguém que jogasse bridge e adorasse cantar e dançar. Bem, meu marido é judeu, largou a faculdade no segundo ano, é artista, não sabe cantar nem dançar, nem jogar bridge.

Eles se conheceram na casa de um amigo e começaram a bater papo. "Perguntei o que ele fazia", ela continuou, "e, quando ele me disse que era ceramista, pensei: 'Beleza! Ele é um *hippie* que largou a faculdade e não consegue organizar sua vida, por isso faz canecas e tenta vendê-las na rua'. A essa altura, eu o descartei: gostei de conversar com ele, mas achei que ele não quisesse nenhum compromisso sério."

Na verdade, o ceramista fazia um bom dinheiro vendendo sua arte e tinha até uma exposição na avenida Madison, em Nova York. Os dois tomaram juntos o café da manhã dois dias depois, mas Susan achou que não ia dar em nada; ele simplesmente não fazia seu tipo. Para ela, o assunto terminava ali.

Susan era uma entusiasmada dançarina folclórica, e certo dia o ceramista apareceu inesperadamente para vê-la dançar. Depois, eles foram para um bar próximo e conversaram até as duas da manhã. Ainda não havia nenhum frio na barriga, mas uma ligação começou a se criar. Depois disso, passaram um sábado em um museu de arte e logo, para surpresa de Susan, ela estava enamorada.

— Ele tinha as qualidades que eu queria e que ninguém lista como necessárias — ela disse.

Susan disse que o *checklist* é como a fantasia que temos de encontrar "o pacote completo". Ela sempre ouve mulheres solteiras dizerem que, se um cara só tem 80% das qualidades listadas, não tem chance com elas.

— Desde quando ter 80% do que quer pode ser considerado "se conformar"? — ela perguntou. — Nós criamos homens de ilusão — ele precisa ter um tipo de carreira, olhos de certa cor, e estar com determinada idade. Esse exagero de especificações elimina quase todos os homens.

Um pote pode ser mais do que isso

Contei a situação da Lauren a Susan, que me disse que a história é muito comum:

— As pessoas tendem a analisar demais, e às vezes permitimos que nosso cérebro nos demova de coisas que podem ser boas para nós. O contrário também é verdade: se alguém tem muitas das qualidades que constam da sua lista, mas seu instinto lhe diz "Não confio nessa pessoa", isso é mais importante do que a lista.

Susan me contou a história de um cara por quem teve uma paixonite antes de se casar:

— Ele preenchia tudo que eu pus na minha lista: era profissional, admirado, carismático, uma graça, divertido, estável financeiramente, mas logo percebi que era muito narcisista. Pensei: "Ele não sente afeição por mim, sou apenas mais uma tiete do seu fã-clube". Eu estava enrabichada por ele, mas terminei o namoro. Foi muito sofrido, mas eu fiz o que era certo para mim.

Susan disse que as listas podem parecer uma boa maneira de esclarecer o raciocínio, mas na verdade é difícil preparar uma que não ignore detalhes essenciais nem interprete as coisas fora do contexto. Mesmo que você faça uma lista das qualidades que deseja, por exemplo, elas não são avaliadas da mesma forma (idade é tão importante quanto honestidade?), e, com relação a muitas qualidades que você quer, não se trata de as pessoas as terem ou não. Geralmente, as pessoas têm essas qualidades *em alguma proporção* — como senso de humor ou estabilidade financeira —, que pode não estar no nível que você tinha em mente quando as relacionou.

Listas podem também confundir porque tratam de qualidades que um homem tem de forma independente, mas deixam de considerar qualidades que ele deve ter *em um relacionamento.* Ele poder ter a idade certa, o senso de humor adequado e o emprego certo, mas como se comportará quando estiver *com você*? Como você vai se sentir junto dele? Será que vocês dois se darão bem? Nada disso pode ser quantificado no papel.

Foi a partir do trabalho do marido como ceramista que Susan fez uma analogia que ela julga relevante para os relacionamentos:

— Na América, quando um ceramista faz um pote, ele o vitrifica e põe no forno especial, e sabe exatamente que aspecto terá quando sair. Mas, quando os japoneses fazem um pote, eles o colocam num forno a lenha a qualquer temperatura e, quando tiram o pote dali, nem sempre ele tem o aspecto que julgavam que fosse ter. E eles dizem: "Puxa! Olhem como o fogo fez o pote ficar lindo!". Eles acreditam não haver beleza na perfeição.

Ela diz: "Por isso, em vez de saber o que *espera* que a pessoa à sua frente pareça, faça a si mesma a pergunta do pote: 'Mas que é isso, e será que é bonito?', em vez de pensar: 'Não é isso, a aparência devia ser outra'. A pergunta que você deve fazer é: 'Gosto do que estou vendo?' e não 'Como é que se compara com o que eu pensei querer?'. As pessoas podem ser surpreendentes."

Contei-lhe sobre a enorme lista que preparei há meses, quando uma amiga me pediu que a fizesse. Ela sugeriu que eu, em vez de fazer uma lista do que eu queria em um homem, relacionasse as qualidades que meus ex-namorados tinham, e depois pensasse em quanto a lista importava para aqueles relacionamentos. Quando ela pergunta a mulheres bem casadas como o marido se posiciona em uma lista, elas costumam reconhecer que seu cônjuge não atende a muitos dos critérios, no entanto ele tem outros, muito mais importantes.

— Deve-se reexaminar a utilidade dos seus critérios — disse Susan. — Quando você conhece O Cara Certo, a maioria das pessoas acha que esse tipo de lista é enganoso, ou até mesmo completamente inútil.

Livrando-me da minha lista

Observei de novo minha detalhada lista de compras da Loja de Maridos. Pensei nas inúmeras vezes em que deveria ter-me livrado da lista, não do cara que não combinava com ela. Caso sendo considerado: Saí pela segunda vez com Sheldon 2. Quando ele foi me apanhar e ficou parado à minha porta, com seu sorriso adorável, estava ainda mais bacana do que quando caminhamos juntos. Depois de uma longa refeição em um café com música alta, fomos dançar em um bar, depois demos um passeio na praia e, quando nos demos conta, seis horas haviam se passado. Eu me diverti mais com ele que em muitos dos meus encontros com homens que *satisfaziam* os critérios do meu *checklist*.

Então me decidi: ia acabar com essa história de lista. Mas como?

É claro que eu poderia apenas ignorá-la, mas achei que precisava fazê-lo de maneira mais concreta. Tinha de me livrar fisicamente de todas aquelas exigências insensatas, para verdadeiramente ficar receptiva a outras possibilidades.

Pensei em rasgá-la e jogá-la no lixo, mas isso não me pareceu decisivo o bastante para a ocasião. Um gesto simbólico seria mais adequado. Será que eu deveria enviá-la, por e-mail, para algum lugar, por exemplo, uma irmandade de universitárias, como se fosse um alerta? Ou será que deveria enterrá-la em algum lugar, como uma cápsula do tempo dos namoros que fracassaram, e que eu talvez desenterrasse dali a 20 anos?

Pensei em perguntar a algumas amigas solteiras se gostariam de levar suas próprias listas para a praia e queimá-las juntas em uma grande fogueira, mas isso era um chavão batido demais, e, além disso, livrar-me da minha lista era uma coisa que eu deveria fazer sozinha. Embora fosse piegas, queria achar uma forma de representar a mudança pessoal que estava sofrendo na busca para encontrar um parceiro. Além de constrangedor, o assunto era pessoal demais para ser partilhado.

Por isso, em um dia frio e nebuloso de inverno, entrei no meu carro, coloquei a lista — flutuando dentro de uma bola de gás com um longo barbante branco — ao meu lado no assento do carona e dirigi-me para o mar.

Era de manhãzinha e a água estava gelada. Senti-me ligeiramente ridícula, mas quando fiquei lá, descalça, na iminência de soltar minha lista para o céu, aconteceu algo totalmente inesperado. Um cara que era um "gato" veio correndo na minha direção e gritou:

— Ei!

Olhei para trás para ver se ele estava falando com outra pessoa, mas eu estava sozinha na beira d'água.

— Ei! — ele voltou a gritar: estava, sem dúvida, se dirigindo a mim. Nem acreditei na minha sorte. Soltei a bola e observei o cara se aproximar. Ele parou ao meu lado, respirando com dificuldade por causa da corrida.

— Ei! — eu disse.

— O que você está fazendo?

Ele estava de bermuda e com um moletom rasgado da faculdade de Direito da UCLA. Estava sem aliança na mão esquerda. Olhei fixo para seu cabelo preto encaracolado e as pernas musculosas. Pensei: Será que estou conhecendo O Cara depois de soltar meu *checklist* de namoros em uma bola de gás na praia? Que tal essa como uma incrível história de casamento?

— Bem, eu só estava mandando uma mensagem para o mar. — Eu não sabia como explicar a coisa sem parecer uma completa babaca.

Ficamos vendo a bola flutuar para longe até ela ficar cada vez menor e finalmente virar apenas um pontinho, que depois desapareceu totalmente.

Ele me encarou. Seus olhos castanhos-chocolate eram como ímãs. Meu estômago começou a dar cambalhotas.

— Bem — ele disse —, você não devia fazer isso. Prejudica o meio ambiente. Eu tentei impedir.

Depois de dizer isso, ele continuou a correr.

Por uma fração de segundo, fiquei decepcionada. E depois, só pra saber: quem o nomeou inspetor de bolas de gás? Mas aí fiquei contente por ter encontrado esse cara.

Nossos dois minutos juntos me mostraram, mais uma vez, que eu idealizava profundamente minhas fantasias, que raras vezes se transformavam em realidade. Nosso encontro foi como o *haiku*[16] de um relacionamento: projetei nele minhas habituais ideias românticas e, é óbvio, elas não acabaram como planejado. Eu sabia que ia ser dureza mudar, mas valeria muito a pena no final.

Caminhei na praia por algum tempo, depois voltei para meu carro e dei o tíquete de estacionamento ao atendente. O sol finalmente apareceu, raios vivos se refletiram no meu para-brisa, e eu apertei os olhos para achar algumas notas de dólar.

— A primavera está chegando — disse o atendente.

— Está mesmo — respondi —, é um novo começo.

[16] Poesia japonesa. (N. T.)

PARTE CINCO

Juntando tudo

Não é a falta de amor, mas a falta de amizade que torna os casamentos infelizes.

— Friedrich Nietzsche

22

O casamento razoável

Agora que eu estava realmente empenhada em encontrar o Alguém Razoável, deparei-me com uma coisa chamada "o casamento razoável". Era uma frase cunhada por Paul Amato, o sociólogo com quem falei na Universidade da Pensilvânia. Paul estuda casamentos como esses — bons casamentos, mas não perfeitos. E o que ele concluiu me lembrou a forma como eu namorava.

Em 1980, ele e seus colegas estudaram 2.000 pessoas casadas. A cada dois anos, os pesquisadores faziam o acompanhamento com esses casais para verificar como estava indo o casamento. Fizeram isso durante 20 anos. Muitos dos casais estavam divorciados. Por isso Paul quis saber o que faz prever divórcios.

— O que descobrimos a princípio nos pareceu surpreendente — ele me disse ao telefone —, porque, quando pensamos em casais que se divorciam, supomos que eles atravessem um longo e terrível período de brigas. Pensamos neles separados e tão infelizes a ponto de decidirem que o casamento não pode ser recuperado.

Isso era verdade em relação a alguns casais, mas muitos não seguiam absolutamente esse padrão. Na verdade, até no divórcio eles se davam muito bem. Eles não eram felicíssimos, tampouco eram infelizes. Saíam frequentemente com o cônjuge e, quando perguntados, disseram ter pouquíssimos problemas ou desacordos matrimoniais. Em uma escala de 1 a 10, eles dariam nota 7 ao casamento, não 2 ou 3.

— Nada grave estava acontecendo — disse Paul. — O casamento não era perfeito, mas era suficientemente bom. Dois anos depois, estavam divorciados. Esses casais eram razoavelmente felizes, porém queriam algo mais.

Quando perguntaram aos casais que participaram do estudo de Paul por que haviam se divorciado, as respostas foram estas: "Nós estávamos nos afastando; já não era como no início do casamento"; ou "Eu achava que não estava crescendo como pessoa", ou "Eu achava meu marido uma boa pessoa, mas ele não era minha alma gêmea". As pessoas estavam decepcionadas, mas não zangadas.

— Eles não tinham ojeriza por seu par — disse Paul. — Algumas pessoas disseram: "Olhe, eu ainda amo meu/minha marido/mulher, mas acabei de compreender que não combinávamos". Frequentemente eles conheciam outra pessoa e pensavam: "Achei minha alma gêmea". Mesmo que o casamento não esteja absolutamente ruim, eles acreditam ter encontrado alguém melhor.

Diferentes, mas não melhores

Da mesma forma que as solteiras que rompem com namorados "razoáveis" porque acham que encontrarão alguém "melhor", muitas das pessoas casadas estavam enganadas. Cinco anos depois, Paul fez um acompanhamento e descobriu que a maioria dos que se casaram de novo informaram não se sentir mais satisfeitos nem *menos* felizes do que no primeiro casamento.

— Não perguntamos se eles se arrependeram — disse Paul —, porque a maioria das pessoas não reconhece seus erros para não parecerem bobas. Por isso, examinamos os sintomas de depressão e lhes perguntamos seu nível de satisfação com a própria vida, e o comparamos com os resultados de cinco anos antes. Estatisticamente, eles estavam menos felizes.

Isso porque, mesmo se o segundo casamento fosse diferente do primeiro, havia uma troca. "Diferente" não significava necessariamente que fosse melhor. Li a mesma coisa no site SmartMarriages.com, da especialista em relacionamentos, Diane Sollees: "Pesquisas mostraram que todo casal feliz e bem-sucedido tem cerca de 10 áreas de 'incompatibilidade' ou desacordo que jamais resolverão. Entretanto, os casais bem-sucedidos aprendem a lidar com os desacordos e a viver a vida 'driblando-os', amando-se apesar de suas áreas de diferenças. Se trocarmos os parceiros, isso só vai resultar em 10 novas áreas de discordância".

Não admira que os Centros de Controle e Prevenção de Doenças relatem que a taxa de divórcios no segundo casamento é mais alta que no primeiro. Talvez essas pessoas tenham dificuldade em aceitar que um bom casamento não quer dizer que o casamento tenha de ser bom o tempo todo.

Na verdade, de acordo com o Projeto Matrimonial da Rutgers, uma pesquisa usando uma ampla amostragem nacional no final da década de 1980 concluiu que, das pessoas que, embora infelizes, continuavam casadas, 86% indicaram em entrevistas feitas cinco anos depois que estavam mais felizes. De fato, três quintos dos que antes eram infelizes no casamento classificaram o casamento como "muito felizes" ou "felicíssimos".

— A maioria dos casamentos razoáveis tem potencial para se tornar mais forte e melhor com tempo, esforço e comprometimento — disse Paul. — Acho que o conceito de "alma gêmea" foi altamente prejudicial, porque elevou em muito o padrão de um casamento "bem-sucedido". Casamento não tem nada a ver com metafísica.

Herdando as expectativas

Depois, em 1992, Paul e sua equipe entrevistaram os filhos adultos dos casais dos "casamentos razoáveis" que se separaram. Eles fizeram isso três vezes até 2000. Conclusão: alguns desses filhos adultos tinham também problemas para encontrar seu par "razoável".

— Se o casamento foi terrível — disse Paul —, os filhos se recuperaram bem rapidamente após o divórcio. Foi um alívio ficarem livres das brigas. Mas as crianças que faziam parte dessas famílias com casamentos razoáveis ficaram muito perturbadas após o divórcio. Sofriam de baixa autoestima e depressão, e tinham opiniões negativas sobre o casamento. Elas foram surpreendidas pelo divórcio e não conseguiram entendê-lo porque, ao contrário dos filhos das famílias que brigavam muito, o divórcio, no caso deles, não foi um alívio e elas nem sequer imaginaram que aconteceria. Os casamentos razoáveis eram suficientemente bons para as crianças, porque elas não se importam se os pais eram autorrealizados. Tinham estabilidade e pronto acesso aos pais, e estavam felizes. O fato de que seus pais estavam vivenciando uma crise existencial não lhes interessava.

Quando ficaram adultas, porém, essas ex-crianças de famílias com casamentos razoáveis reproduziram os casamentos dos pais. Tão logo começaram a surgir problemas nos seus relacionamentos, eles imediatamente se puseram a considerar romper a ligação ou se divorciar.

Muitos deles o fizeram.

— Eles jogaram a toalha rapidamente quando problemas de qualquer tipo começaram a aparecer — disse Paul. — As ex-crianças das famílias intactas, quando estavam casadas e surgiam problemas, diziam: "Parece que temos alguns problemas a resolver", mas não se divorciavam. Entretanto, as pessoas cujos pais em um casamento razoável acabaram se divorciando tornaram-se muito cautelosas em relação ao casamento, preferiram coabitar, porque não confiavam nos parceiros. Era assustador assumir um compromisso sério porque seus pais davam a impressão de ser felizes e, mesmo assim, haviam se divorciado.

De maneira geral, Paul concluiu que esses adultos tinham baixa tolerância aos problemas de um relacionamento. Eles cresceram acreditando que, se a chama do sentimento estava se apagando, a solução não era reacendê-la, mas encontrar outra fagulha.

A mudança de "nós" para "mim"

Perguntei a Paul de onde vinha a ideia de que, no instante em que não nos sentimos plenamente realizados, devemos procurar alguém melhor.

— Minha opinião — ele respondeu — é a de que isso vem lá da década de 1970, do movimento de potencial humano, quando Carl Rogers e Abraham Maslow afirmaram que toda faceta da vida deve contribuir para o crescimento pessoal. Na hierarquia de Maslow, a autorrealização tinha prioridade sobre ter um bom casamento. Isso quer dizer que, se você não gosta dos seus amigos, arranje outros. O mesmo acontecia com o trabalho e com o casamento. Na década de 1960, houve pesquisas de atitude com estudantes universitários. Certo estudo indagou: "Quais as razões mais importantes para alguém se casar?". Eles responderam: "Quero me casar para formar uma família", ou "Para que eu possa ter segurança econômica", ou "Para ter uma casa e um jardim legais", ou "Quero me casar com alguém que eu ame". Mas essa razão relativa ao amor não foi a primeira resposta deles: ficou em quarto ou quinto lugar.

E ele continua: "Entretanto, quando o estudo abrangeu as décadas de 1970 e 1980, o amor passou a ser a razão mais importante para o casamento, e as demais razões caíram muito na lista. Essa ideia de que o amor é o motivo primordial para alguém se casar é relativamente nova. Hoje consideramos o casamento baseados inteiramente em encontrar o amante perfeito. Minha opinião é a de que você será mais feliz se for mais realista nas suas expectativas do que você pode realmente obter do casamento".

No seu livro *Alone Together*, Amato e seu coautor discutem a diferença entre os casamentos de hoje, que são mais individualistas, e os casamentos de antes da década de 1970, que Paul chama de "casamentos de companheirismo", nos quais a pessoa procurava um par compatível e confiável para ajudá-la a alcançar objetivos mútuos de vida.

— Trabalho cooperativo em equipe foi a definição de um bom casamento — disse Paul. — Mas hoje o foco mudou para satisfação pessoal por meio do próprio relacionamento matrimonial. *Sim, ele pode vir a ser um bom pai e um bom marido, mas será que vai satisfazer minhas necessidades mais profundas de amor romântico e crescimento pessoal?* Os resultados: as pessoas se casam mais tarde, há um número crescente de mulheres que nunca se casam, há um aumento do número de divórcios por razões que nada têm a ver com o fato de o cônjuge não ser um amigo que apoia o outro nem um parceiro que coopera.

Paul ainda disse:

— Escolher alguém razoável não é nem uma derrota pessoal nem quer dizer que a pessoa se conformou com menos. Na maioria dos casos, é uma estratégia razoável e prática para ter uma vida feliz no longo prazo.

Perguntei a ele sobre os estudos que vi no livro *The case for marriage*, escrito por Linda Waite e Maggie Gallagher, o qual mostra que uma das maiores barreiras contra a depressão — e contra a infelicidade de maneira geral — é o casamento.

Essas conclusões se aplicam apenas aos ótimos casamentos ou também aos casamentos "razoáveis"?

— Estar em um casamento conflituoso e hostil certamente não favorece o sentido de bem-estar de uma pessoa — respondeu Paul —, mas, de acordo com diversos estudos, a maioria das pessoas que vivenciam casamentos "razoáveis" — gente boa e que trabalha muito dará bons pais — é mais feliz do que pessoas solteiras. As pesquisas mostram que a grande maioria de solteiros no fim quer se casar, e as pessoas costumam ser muito mais felizes quando a própria vida é compatível com seus objetivos. Portanto, as pessoas solteiras que querem se casar geralmente serão mais felizes quando se casam, supondo-se que não cometam um grande erro e se casem com um(a) psicopata.

Em outras palavras, a pessoa não precisa de um casamento de conto de fadas para alcançar maior felicidade: basta que tenha um casamento razoável.

Querendo um namorado *e* um marido

Paul me disse que homens e mulheres têm problemas em aceitar parceiros "razoáveis", mas suas pesquisas revelam que as mulheres costumam ter expectativas mais elevadas que os homens. Ele e seus colegas estudaram adultos solteiros na casa dos 20 anos e grupos do mesmo sexo, para os quais fizeram perguntas do tipo: "Como você sabe que encontrou a pessoa certa?".

Com as mulheres, a expressão "de pernas bambas" foi usada repetidas vezes, mas os rapazes não a utilizaram. Eles disseram "Eu soube que essa moça era a pessoa certa quando, com seis meses de namoro, ela precisou viajar por uma semana, e nesse período senti muita saudade dela. Achei que me sentia feliz quando ela estava por perto, e aí percebi que ela era muito importante para mim". As mulheres falaram muito de química e frio na barriga.

Com as pessoas casadas, Paul descobriu diferenças: "As mulheres são mais críticas sobre os relacionamentos. Entrevistamos maridos e esposas, e os maridos diziam: 'Bem, tem isso, às vezes tem aquilo', e as esposas diziam: 'Por onde o senhor quer que eu comece?'. Os homens falavam: 'Isso realmente acontece, mas tudo bem a gente não concordar nesse ponto, porque me incomoda, mas não muito'. Já a mulher é menos flexível, talvez por causa da maneira como a socialização feminina abrange os relacionamentos. Além disso, as mulheres esperam mais das amizades, coisas como autorrevelação e profunda comunicação. Os homens são mais fáceis de se satisfazer nos relacionamentos e nas amizades. Eles podem assistir a um filme juntos, e isso já está de bom tamanho".

Eu sabia bem o que ele queria dizer. No início daquela semana, uma amiga casada me disse: "Meu marido me ama, eu o amo, ele é bom pai e uma pessoa maravilhosa". Mas, agora que o casal tinha duas crianças pequenas, ela sentia falta do tipo de relacionamento que tinham quando namoravam. "Eu quero um namorado", ela disse, "mas não quero desistir do que nós dois temos, por isso acho que quero um marido *e* um namorado!"

Perguntei a Paul se ele achava que havia alguma correlação entre a maior taxa de divórcios e a lista mais extensa das características que as mulheres modernas procuram em um companheiro.

— Com certeza! — ele respondeu. — Segundo uma corrente de pensamento, a crescente taxa de divórcios existe porque nossa cultura ficou mais individualista e nossas expectativas para o casamento mudaram: o matrimônio se tornou um relacionamento terapêutico, em vez de um relacionamento prático. Esperava-se que o casamento nos melhorasse e nos fizesse felizes. O significado do casamento mudou. Outras pessoas dizem que é uma questão demográfica, que há mais mulheres na força de trabalho. Elas não dependem financeiramente dos homens. Minha opinião é a de que a razão é a primeira a ser citada: trata-se de expectativas não realistas.

Ele disse: "Por exemplo, mais mulheres acham que, se elas se sentem solitárias em alguma fase do casamento, alguma coisa está errada. Então, elas abandonam o barco e ficam ainda mais solitárias, ou se casam com outra pessoa, e se surpreendem ao também vivenciar períodos de solidão".

Ele continuou: "Elas não estão solitárias por causa do casamento; estão solitárias porque é normal as pessoas se sentirem assim".

Edra Pollin, a advogada especializada em divórcios de Denver, disse-me que, de acordo com sua experiência, muitas mulheres que se divorciam do marido porque "querem algo mais" não vão encontrar isso. Ela diz que o que costuma acontecer é que seu ex-marido se casa de novo (com alguém muito mais jovem) e a nova mulher recebe todo o seu amor, companheirismo, apoio financeiro e zelo, enquanto a mulher que o deixou acaba em um apartamento de um quarto com uma assinatura do Netflix, e nenhum sinal do Príncipe Encantado. Aí ela finalmente se dá conta do que perdeu e, mesmo que seu ex-marido continue solteiro, ela já causou danos irreparáveis e ele não a aceitará de volta.

Scott Haltzman, o psiquiatra da Universidade Brown, contou-me que certa mulher o abordou e disse que reconhecia seu cônjuge como um bom marido e pai, que seus pais o adoravam, que ele nunca teve uma amante e que ele é bonitão, mas ela já "não sentia por ele o mesmo de antes". Acrescentou que se imaginava divorciada e mais feliz.

— Então — Scott continuou — eu lhe disse: "Imagine-se já divorciada, encontrando-se com ele na arquibancada de um jogo de futebol dos seus filhos. Imagine a nova namorada junto dele. Imagine-a olhando para ele apaixonadamente e com adoração". Ela disse: "Tudo bem, estou imaginando". Então perguntei: "Por que essa mulher estaria olhando assim para ele?". E de repente ela começou a listar todas as qualidades do marido que ela estava ignorando. É uma escolha olhar para essa pessoa com o mesmo amor no olhar. Achamos que nosso relacionamento vai ser perfeito porque *nosso cônjuge* o fará perfeito, mas isso depende das duas pessoas.

Por isso, Paul Amato sugere que as pessoas realmente analisem *por que* estão pensando em romper o relacionamento ou se divorciar.

— Basta fazer algumas perguntas que logo se descobre como a pessoa se sente em relação ao parceiro — ele disse. — "Eu o amo, mas não estou apaixonada por ele" é muito diferente de "Ele não é um bom marido".

Em um dos estudos de Paul, ele analisou casais que agora se consideravam "bons amigos". E concluiu que o importante, com o passar do tempo, era a capacidade de resolver conflitos de modo amistoso, e concordar basicamente com valores e objetivos, como religião, filhos e como criá-los.

— Grande parte se resume a coisas mais pragmáticas que mantêm o casamento no longo prazo — disse Paul. — Não é isso que muitas pessoas solteiras acham empolgante, mas, se quiserem um casamento duradouro, precisam começar a considerar as coisas importantes do relacionamento.

As pesquisas de Paul confirmaram o que muita gente bem casada sabia. Por que ninguém partilhou comigo esse tipo de percepção, quando eu namorava aos 20 e poucos anos? Certamente havia pessoas sensatas no ambiente que eu frequentava que poderiam ter aberto o jogo para mim.

Na verdade, havia um último "especialista" com quem eu precisava falar.

23

Uma visita ao rabino

O "especialista" era o rabino da minha cidade.

Quanto mais eu falava com especialistas sobre namoro, mais parecia que parte do problema atual das pessoas solteiras era a falta de vínculos significativos com os meios que frequentavam. No passado, quando havia problemas de relacionamento, rotineiramente família, vizinhos e líderes espirituais ofereciam conselhos sensatos aos jovens solteiros, mas hoje a sabedoria popular vem mais dos *reality shows*, dos programas de entrevista transmitidos durante o dia e de amigas solteiras que trocam mensagens sobre os últimos namoricos.

Por isso, eu queria saber o que um rabino diria sobre temas como paixão, compromisso e a escolha do parceiro adequado. Telefonei para o rabino David Wolpe, da Sinagoga Sinai, em Los Angeles. Ele é moderno, tem 50 e poucos anos, é casado e conhecido por sua sabedoria, e foi recentemente considerado o melhor orador entre os rabinos da América pela revista *Newsweek*. Quando eu lhe disse que gostaria de saber sua opinião sobre relacionamentos, ele me convidou para batermos um papo pessoalmente no seu escritório forrado de livros. Eis o que ele me disse:

Sentir-se à vontade *demais*

Eu: Qual a importância de sentir as pernas bambas em um casamento?

Rabino Wolpe: É interessante; muitas pessoas, quando estão namorando, me dizem: "Eu só quero alguém com quem eu possa ser natural, alguém com quem me sinta completamente à vontade". Mas a mesma coisa que se quer no casamento, as pessoas não querem quando namoram. A mesma sensação de sentir-se à vontade e de tranquilidade também pode ser interpretada como "Você está muito acomodado em relação a mim. Você não se esforça!". É preciso decidir: a pessoa quer se sentir empolgada ou à vontade, em harmonia? Que é que ela deseja no longo prazo?

Eu: Na sua opinião, o que importa mais no longo prazo?

RW: O que melhor indica se um casamento vai dar certo nada tem a ver com pernas bambas, mas sim com as expectativas das duas pessoas. Se elas tiverem expectativas muito diferentes sobre o casamento, ou foram criadas de maneiras muito diferentes sobre as quais não chegaram a um acordo, vai ser uma luta. Na verdade, acredito que gentileza no longo prazo é a qualidade mais útil — e negligenciada — que as pessoas devem procurar.

Namorando Robert Reich

Eu: O senhor viu a lista do que eu estava buscando em um namorado. Se uma mulher de 41 anos lhe trouxesse essa lista, o senhor diria que "ela estava sonhando"?

RW: Olhe, eu diria isso também se ela tivesse 31 anos.

Eu: Mesmo aos 31?

RW: Eu diria até se ela tivesse 21 anos, porque, com essa idade, a pessoa fica deslumbrada com coisas que não importam. Você *pode* se casar com um homem que tenha péssimo gosto. Também com um que seja daltônico e que não saiba escolher um quadro. Você poderia fazer isso e ser perfeitamente feliz.

Eu: E as características físicas?

RW: Aí entra o Robert Reich.[17] Você não o namoraria? Ele tem 1,48 m de altura.

Eu: Sou razoavelmente flexível quanto à altura de um homem, mas 1,48 m? Acho que eu não sentiria nenhuma atração por alguém dessa altura.

RW: Compreendo, mas você não acha que alguém poderia mudar esse conceito?

Eu: O senhor diria a um homem "Conheço uma mulher que pesa 120 quilos, mas é muito especial — tudo bem"?

RW: Acho que a coisa funciona assim: digamos que exista 50% de possibilidade de você namorar um cara que tem 1,75 m. Você aprecia essa altura, mas pode funcionar de duas maneiras, dependendo do que mais ele tenha a oferecer. Há 5% de probabilidade de você namorar um sujeito mais baixo. Mas há *uma chance*. Pode ter certeza — isto é, talvez se você passasse uma hora com Danny DeVito ou Robert Reich, você de repente dissesse: "Sabe de uma coisa? Eu poderia passar o resto da vida com ele — mesmo que a altura nunca seja a ideal". Por outro lado, pense em alguém grosseiro. Há 100% de chance de você jamais querer namorá-lo. É isso que estou querendo dizer: quais são os fatores realmente irredutíveis *versus* os muito improváveis? Parece-me que os fatores realmente irredutíveis sejam os relativos ao caráter. A mulher de Danny DeVito parece bem feliz.

Casada com o casamento

Eu: Na sua opinião, o que as pessoas que estão namorando devem levar mais em conta?

RW: Bem, acho que o casamento é como uma construção, no sentido de que, a certa altura do relacionamento, você não está apenas casada com a *pessoa*, está casada com o *casamento* e tudo que ele implica: filhos, o passado que vocês partilham juntos, os amigos que têm — vocês estão casados com o pacote inteiro, de modo que não se trata da pessoa em um vácuo, como ocorre quando se namora. Quando olho para minha mulher, não vejo apenas a minha mulher. Vejo minha filha e a vida que construímos e os amigos que temos, e as coisas que superamos para chegar até aqui.

[17] Economista, escritor, professor e comentarista político de prestígio. (N. T.)

Eu: E as pessoas que estão esperando pelo cara certo não percebem isso?

RW: Quando as pessoas estão namorando, elas não se dão conta disso. Isto é, mesmo que saibam na teoria, não podem saber como funciona na prática. Da mesma forma que as pessoas têm um monte de planos para os filhos, mas não sabem como eles vão ser. O fato de que tivemos uma filha e não um filho faz nossa família ser muito diferente do que seria se tivéssemos tido um filho. Seis meses depois que minha filha nasceu, minha mulher teve câncer, de modo que não pudemos ter mais filhos. Isso tudo faz parte do que faz nosso casamento ser como é; não se pensa tanto em: "Será que ele tem altura suficiente?" ou "Será que ela é bonita o suficiente?". Em alguns aspectos, acho que todas as qualidades que parecem tão importantes quando se está namorando são irrelevantes quando se constrói uma vida juntos.

Eu: Qual sua opinião sobre a ideia de "almas gêmeas"?

RW: Quando acontece, é lindo acreditar nisso, mas é perigoso acreditar nessa ideia antes de você encontrar a pessoa com quem decidiu passar a vida. Na verdade, há muitas pessoas com quem poderíamos ser felizes, mas ocorre que a sua alma se desenvolve de maneiras diferentes com diversas pessoas.

Rompendo com a mulher dele

Eu: Não entendi quando o senhor disse que certa vez rompeu com sua mulher.

RW: Uma vez terminamos a relação por um breve período. Eu não a considerava adequada para ser a mulher de um rabino. Ela administrava um haras antes de eu a conhecer, mas, embora eu tivesse uma ideia preconcebida, a pessoa superou o preconceito. Nós reatamos porque ela era exatamente a pessoa com quem eu queria estar.

Eu: O senhor estava procurando o quê?

RW: Eu provavelmente deveria dizer que queria ficar com uma intelectual, porém ela não é assim. Eu queria estar com alguém que amasse literatura inglesa. Não é o caso dela, mas não importa. E, como sou rabino, achei que minha parceira deveria ser alguém que se sentiria à vontade em ambientes formais. Nos primeiros anos de nosso casamento, toda vez que minha mulher e eu tínhamos de ir a algum lugar que exigisse mais que *jeans*, ficávamos ansiosos e discutíamos. Na verdade, a mãe dela lhe disse, quando me conheceu: "Esse é o primeiro homem que você namora que não usa sandálias, ele usa sapatos!".

Eu: Isso é interessante porque os pesquisadores matrimoniais com quem falei disseram que no início as diferenças são engraçadinhas, mas basicamente as pessoas de temperamentos parecidos se dão melhor. Por isso, por que o senhor acha que as diferenças dão certo no seu casamento?

RW: Nós não estamos juntos por causa das diferenças — estamos juntos por causa das nossas *semelhanças*. Existem profundas afinidades entre mim e minha mulher. Gostamos e desgostamos das mesmas pessoas quase 100% do tempo. Nossa visão do mundo é essencialmente a mesma, política e religiosamente. A maneira como criamos nossa filha é muito semelhante. Por isso, eu diria que, embora não tenha compreendido a princípio, nos aspectos diferentes da vida nós éramos parecidos, e, nos aspectos em que divergíamos, éramos flexíveis. As profundas semelhanças superaram as diferenças superficiais, e as diferenças não importavam tanto à medida que construíamos uma vida juntos. Ela disse: "Eu o incentivo a frequentar o seu ambiente: você fica à vontade indo sozinho a esses jantares?". A verdade é que acho ótimo ir sozinho porque de qualquer maneira tenho de trabalhar como rabino, falando com as pessoas de mesa em mesa, de modo que resolvemos esse problema. Bem, no início, eu tinha uma ideia fixa de como devia ser a mulher de um rabino, mas, com o passar dos anos, mudei e fiquei mais flexível.

Levando o lixo para fora

Eu: Que sabedoria do Talmude o senhor transmite aos casais antes se casarem?

RW: O ensinamento mais comum que transmito não está no Talmude; na verdade, baseia-se no início do meu casamento, e tem a ver com jogar fora o lixo.
Minha mulher me pediu: "Você pode levar o lixo para fora?". Respondi o que sempre respondo quando alguém me pede para fazer alguma coisa: "Daqui a pouquinho". Quando fui fazer isso, alguns minutos depois, o lixo já estava fora da casa. Fiquei furioso! Porque eu sabia — minha mãe faz a mesma coisa — que ela fez isso para eu me sentir culpado por não ter despejado o lixo logo que ela me pediu. Por sua vez, minha mulher não entendeu minha reação, porque achou que me tinha feito um

favor. Eu demorei muito para acreditar nisso. Esse tipo de coisa se transformou em um problema para nós.

Isso ocorre — acho eu — porque muita gente não consegue acreditar que as outras pessoas pensem de modo diferente. Nós não nos damos conta de que precisamos aprender a conhecer alguém da mesma forma que se aprende um assunto. Não se pode fazer isso apenas por instinto. É preciso escutar as pessoas e acreditar nelas quando lhe contam como "funcionam". Isso contraria muito a nossa intuição, porque todos nós confiamos nos nossos instintos em relação às pessoas, mas podemos estar muito enganados. Seus instintos se baseiam nas pessoas que você conhece, e essa pessoa que você está começando a conhecer não é sua mãe, nem seus ex-namorados, nem sua irmã.

Por isso, uma das coisas que digo aos jovens casais é que eles precisam estar receptivos ao fato de que vão funcionar de forma diferente um do outro, e das famílias em que cresceram, e que precisam respeitar e prestar atenção nisso. Nos namoros, as pessoas rompem o relacionamento por causa de coisas assim, e perdem a oportunidade de conhecer de verdade o(a) parceiro(a). As pessoas terminam a relação sem realmente compreender o seu par, e depois se perguntam por que não conseguem encontrar alguém e por que ainda estão solteiras.

Como tudo isso se relaciona a Sheldon 2

O rabino estava certo sobre dar o fora em uma pessoa sem compreendê-la. No nosso terceiro encontro, Sheldon 2 usou uma gravata-borboleta para irmos ao cinema. Não era a mesma da internet. Essa era uma "graça" de xadrez cinza e branco. Quantas ele teria?

— Acho que eu devia ter me vestido melhor — brinquei quando abri a porta e vi a gravata-borboleta. Ele riu, e me falou que gostava muito de gravatas-borboleta, embora soubesse que elas eram incomuns, e me explicou como começou a apreciá-las.

Quando Sheldon 2 era um menininho, seu avô sempre usava gravatas-borboleta, e seu avozinho era seu melhor amigo. Um dia, ele disse ao avô: "Quando eu crescer, quero ser igual ao senhor!".

— Você quer ser dentista? — o avô lhe perguntou, e Sheldon 2 respondeu: — Não, quero usar uma gravata-borboleta!.

Isso se tornou uma brincadeira constante. Vinte anos depois, quando seu avô morreu, Sheldon 2 herdou todas as suas gravatas-borboleta — o avô se lembrara do que Sheldon 2 lhe dissera! Por isso, Sheldon 2 gostava de usá-las: porque elas lhe lembravam de seu adorado avô.

Fiquei tão encantada com essa história que ela me fez gostar de Sheldon 2 ainda mais. E pensar que quase não lhe mandei nenhum e-mail porque raciocinei: "Que tipo de babaca usa gravatas-borboleta de bolinhas cor-de-rosa?".

Quando saí do escritório do rabino, achei que, até aquele momento, já fizera perguntas suficientes. Tudo que me disseram sobre relacionamentos nos últimos meses — coisas ditas pelo rabino, por cientistas, pesquisadores matrimoniais, especialistas em namoros e casamenteiras — resultou positivo não apenas na minha vida, mas também na das mulheres com quem conversei.

Por isso, enquanto estava saindo com Sheldon 2, pedi a algumas dessas mulheres que partilhassem suas histórias.

24

A história de Claire – superando a mim mesma

Claire era como muitas mulheres que têm tudo, menos O Cara Certo. Namorados não lhe faltavam, mas ela não conseguia encontrar o homem adequado com quem passar sua vida. Então alguma coisa mudou: ela. Eis o depoimento de Claire.

Quando eu era solteira, viviam me dizendo que eu era inteligente e atraente, por isso não conseguia entender por que não encontrava o amor. Sempre tive namorados mas, ao fazer um retrospecto, percebo que não eram pessoas com quem me casaria hoje. Eu me atraía por caras muito "gatos": louros de olhos azuis ou o bonitão clássico de cabelos pretos. Eu me sentia bem ao caminhar pela rua com eles. Meus namorados eram muito inteligentes e me faziam rir. Sou extrovertida e precisava estar com alguém compatível.

Mas nenhum desses relacionamentos funcionou. Um namorado bebia demais; outro vivia estressado e não se cuidava; outro ainda rompeu comigo porque eu era "muito exigente", mas não acho que pedir a ele para ser confiável e sincero fizesse de mim uma pessoa muito exigente. Meu último namorado não queria filhos; quando o conheci, ele me disse que "possivelmente" gostaria de ter filhos. Eu não queria ouvir a palavra "possivelmente".

Tive muitos namorados virtuais por minha conta. Eu despachava os caras imediatamente se falassem muito, ou se bufassem ao telefone quando riam. Eu pensava: *Não vou aguentar viver com isso.*

Quando eu estava crescendo, achava que conheceria O Cara no supermercado: eu deixaria cair uma lata de ervilhas, ele a apanharia, e nós seríamos felizes para sempre. Depois, você acrescenta ilusões como "alto, moreno e bonito", e esse protótipo permanece inconscientemente com você e a impede de enxergar além dele.

O que ele não era

Conheci meu marido, Chris, na internet, quando tinha 38 anos e ele, 45. Eu estava querendo me casar. Estava preocupada em ter filhos, mas interessada em encontrar a pessoa certa. Gostei do perfil dele. Suas fotos eram bonitinhas, mas não dá para saber realmente a aparência da pessoa por fotos de sites de relacionamento.

No meu primeiro encontro com Chris, fomos a um café, conversamos um pouco e eu o achei muito simpático. Era mais ou menos atraente, mas diferente dos caras que eu costumava namorar. Era baixo — 1,73 m — e não tinha muito cabelo. Ele não foi "rápido no gatilho", como os sujeitos que costumavam fazer meu gênero. Não era de fazer brincadeiras, que eu achava muito *sexy* com outros namorados, e de vez em quando falava errado. Ele era muito diferente dos caras que me empolgavam no passado, por isso não pensei: *Esse é o homem com quem vou me casar*; pensei apenas: *Ele é um bom sujeito*. Acho que a única maneira de descrever o que aconteceu é que eu me senti segura com ele e o achei confiável.

Saímos algumas vezes, mas depois eu ligava para minhas amigas e dizia que ele era muito magrinho ou não era ambicioso o bastante, porque estava no mesmo emprego havia anos e nunca recebera aumento. Ele nasceu numa cidade pequena e é meio acomodado, e pensei então: *Isso é uma loucura, eu sou muito urbana, não vai dar certo*. Mas o caso é que eu gostava de estar com ele mais do que com qualquer outro homem. Cerca de cinco meses depois, fiquei de pneus arriados por ele, e namoramos por mais ou menos um ano, mas eu sempre tinha reservas quanto ao relacionamento. No meu aniversário ele apareceu com balões de gás, e tudo que pude pensar ao vê-lo é que ele era esquelético.

Sei que isso soa muito mal, mas no meu emprego eu lidava com homens que ganhavam uma nota preta e usavam ternos elegantes todos os dias. Vivia cercada de tipos bonitões, bem-sucedidos e sedutores, mas eu já havia namorado caras assim, e estar com Chris era muito diferente. O dia a dia com Chris era muito gostoso: nós nos divertíamos até no supermercado, andávamos de caiaque e ele foi sempre muito respeitoso, mas nosso relacionamento não era empolgante da maneira que eu achava que o amor devia ser. Ele não era excitante como eu achava que o homem com quem casasse devia ser.

Havia outras coisas que me incomodavam. Eu me perguntava o que havia de errado com ele, ainda solteiro aos 45 anos. Ele não era avesso a um compromisso sério; queria muito se casar, mas não conseguira até então. Depois soube que Chris havia sido magoado umas duas vezes por antigas namoradas que lhe deram o fora e demorou para se recuperar, mas na época me perguntei por que eu deveria querer ficar com ele, se nenhuma das outras mulheres ficou. Além disso, quanto à personalidade, estou sempre na quinta marcha, e ele processa as informações mais lentamente. Entretanto, vim a perceber que ele pode dizer algo muito profundo com poucas palavras. Eu adorava o fato de ele ser emocionalmente estável e passar muita tranquilidade. Resumindo: ele é um homem muito bom.

Ainda assim, minha atração por ele ia e vinha. Achei que, se eu tinha tantas dúvidas, ele não era o cara adequado para mim.

Quarentona e confusa

Aos 39 anos, terminei com ele porque pensei: *Não me vou contentar com ele porque meu relógio biológico está batendo.* Eu lhe disse que nossa relação não estava funcionando, e logo em seguida conheci um cara muito gato. Fiquei muito atraída por ele, foi uma espécie de cegueira. Ele era malandro e sabia me seduzir. Ele tinha um lindo apartamento em um edifício sofisticado do Upper West Side. Ele meio que me deixou deslumbrada, mas decidiu que não queria ter filhos e não conseguia se relacionar comigo da maneira como Chris se relacionava. Chris não discute quando começo a me exaltar. Ele espera, porque me conhece muito bem. Chris me pediu para reatarmos, e nós recomeçamos o namoro.

Eu tinha então 40 anos, sentia-me solitária e cansada de namorar. Estava confusa sobre por que terminara com Chris, e tinha vontade de sentir maior atração física por ele. É muito confuso quando alguém ama muito você, mas ainda não é correspondido. Quando o vi de novo, ele estava muito menos magro e pensei: *Ele realmente não me atrai gordo assim.* Eu costumava ficar indiferente quando ele era magricela, e agora sentia o mesmo porque ele estava gordo! Contudo, sabia que Chris faria qualquer coisa por mim, e que eu não deveria dar ouvidos às minhas facetas tão superficiais. Eu analisava as mulheres mais velhas que eram solteiras e namoravam sem parar e pensava: *Não quero ficar igual a elas.*

O homem de *status*

Durante seis meses, continuei ambivalente e procurava de todas as formas me decidir. Lia livros, perguntava às minhas amigas. Eu tinha uma amiga solteira que não estava namorando, e ela dizia: "Você tem certeza de que o ama?". Ela me incentivava a continuar indecisa, mas acho que ela não queria ser a última pessoa solteira do nosso círculo de amizades. A infelicidade adora companhia, certo? Minhas amigas casadas afirmavam que gostavam muito de Chris: elas o achavam gentil, equilibrado, amoroso e estável.

Mas a confusão de sentimentos em que eu me encontrava parecia que ia acabar comigo!

Lembro-me de que, quando Chris e eu estávamos namorando, conheci uma mulher — linda — em uma festa. Ela me apresentou ao marido e ele tinha 1,63 m de altura. Eu tinha certeza de que ela estaria com outro tipo de cara. Acabamos ficando amigas e um dia, falando de homens, ela disse: "Nunca pensei que fosse me casar com alguém oito centímetros mais baixo do que eu, mas eu o amo". Era simples assim.

Então eu pensei: preciso acabar com essa mania de protótipo do homem de *status*, que é uma coisa muito narcisista.

Um tipo mais profundo de romance

Chris me dá muito apoio. Ele é muito meigo, e foi esse tipo de coisa que me fez continuar com ele durante minha confusão de sentimentos. Adoro esquiar, e ele aprendeu esse esporte para que pudéssemos praticá-lo juntos. Ele é romântico, mas de maneira completamente diferente daquela a que eu estava habituada. Com Chris, as coisas simples do dia a dia são românticas, sem isso de coração acelerado. Ele diz: "Vamos contemplar a lua juntos", e pega minha mão. Eu acordo e ele já preparou ovos para mim e já comprou o jornal, e tudo está pronto. Aí penso: *Puxa, como ele é atencioso!*, e isso dura a vida inteira.

Não é que não se precise de paixão na vida, mas eu tenho isso, só que de maneira mais sutil. Fomos correr juntos, ele colheu flores e as colocou numa jarra no nosso quarto. Ele tem muitas qualidades femininas que eu costumava desprezar, mas que vim a apreciar. E o sexo é bom. Não se trata de quão fisicamente atraente eu o acho em comparação com meus outros namorados, porque a verdade é que nunca vou achá-lo tão atraente quanto eles, mas, em vez de me concentrar em aspectos dele que não me atraem, penso que seus olhos azuis são lindos e me concentro nisso.

Certa noite eu estava no banheiro escovando os dentes e olhei para o quarto, reparei que ele estava no meu lado da cama e perguntei: "Que é que estamos fazendo? Trocando de lado?". Ele respondeu: "Não, eu só estava esquentando o seu lado para você". Ele sabia que sempre sinto frio ao me deitar; aí me dei conta de que ele fez isso em outras noites e nem me contou. Ele não tem um milhão de dólares, mas acho que essa história vale, sim, um milhão de dólares.

Também reflito sobre as coisas que não têm a ver com dinheiro e ele acrescenta ao nosso relacionamento: ele pega as crianças no colégio, e é um jogador de equipe, na categoria "pais". Ele adora crianças. Quando o conheci, Chris ajudava crianças carentes a ler e trabalhava como voluntário em um abrigo de animais. Eu ainda ganho o dobro do que ele ganha, mas, em um mundo perfeito, meu marido estaria ganhando tanto quanto eu? Estaria, mas tenho muitas coisas que meus ex-namorados que ganhavam mais do que eu nunca me deram.

Nós nos casamos um ano depois que reatamos. Gostaria de não haver desperdiçado tanto tempo me perguntando se ele era O Cara. Eu queria me "sentir" diferente, mas achei que bastava pular dentro d'água para saber se estava quentinha e gostosa. E foi isso que aconteceu! Demorei muito para me apaixonar pelo Chris, mas hoje em dia sou absolutamente fissurada por ele. Quando estava indecisa, as pessoas diziam: "Pergunte a si mesma por que continua com ele, se ele não é o homem certo".

Não tenho todas as coisas que queria, mas não acho, absolutamente, que me contentei com quem estava disponível. Meu marido é íntegro, importa-se com a família e com o mundo em geral. Ele é mais clemente do que eu, e posso aprender muito com ele. Se alguma vez começássemos a ter problemas, ele procuraria um terapeuta familiar e participaria de seminários. Chris é muito receptivo às coisas da vida. Essas características são típicas de quem tem caráter. Tenho uma âncora, de modo que posso viver minha vida em vez de esperar que ela aconteça. Chris é a pessoa com quem fico mais empolgada de conversar todos os dias. Tudo isso transcende os chavões: *Quero um peito peludo, um homem mais elegante e que adore cachorro.*

25

A história de Alexandra – O Cara Certo bem à minha frente

Amei a história de Alexandra porque mostra que, às vezes, aquilo que procuramos está bem à nossa frente. Eis o relato de Alexandra:

Acredite se quiser, meu marido e eu nos conhecemos por meio do meu namorado na época: os dois eram companheiros de quarto. John, meu namorado, deixou Kevin morar com ele temporariamente, enquanto Kevin estava se divorciando. Eu tinha 33 anos e namorava John há mais de dois anos; às vezes saíamos os três juntos, mas nunca pensei em Kevin como algo mais que o companheiro de quarto de John. Ele não fazia absolutamente meu gênero. De jeito maneira. Meu tipo era o homem atlético — Kevin estava fora de forma. Ele não era uma pessoa dinâmica nem muito divertida. Nesse meio-tempo, eu achava que John era o Sr. Maravilha. John e eu tínhamos uma ligação espiritual. Partilhávamos o mesmo entusiasmo pela vida e o mesmo senso de humor. Por isso eu tolerava que John não pudesse ser emocionalmente disponível.

John trabalhava tanto que, quando eu telefonava, acabava falando com Kevin, e isso foi ficando mais frequente. Kevin inventava desculpas para John durante todo o nosso relacionamento e, sinceramente, embora eu reclamasse muito, também inventava justificativas para John. Para mim, ele representava O Cara, por isso eu racionalizava qualquer comportamento que não se enquadrasse no meu conceito de O Cara.

Logo Kevin refez sua vida e se mudou para o próprio apartamento, mas a essa altura já éramos amigos muito chegados. Falávamos ao telefone sobre todos os assuntos, da mesma forma como eu o faria com uma amiga. Apesar de não termos os mesmos interesses, éramos capazes de conversar durante muito tempo. Eu adorava falar com Kevin todos os dias, mas estava "apaixonada" por John.

John sempre dizia que em breve estaria mais disponível, mas era completamente não confiável. A última gota com John aconteceu quando ele e eu marcamos um encontro e ele apareceu com Kevin a tiracolo e disse que podia ficar um pouco, mas depois tinha de voltar ao trabalho. Depois que ele caiu fora, fiquei possessa, e Kevin se mostrou meigo e compreensivo. Nessa noite, ele não inventou nenhuma desculpa para John. Tenho certeza de que nunca ocorreu a John que Kevin fosse uma ameaça, porque não era tão charmoso quanto ele. Ele era o melhor amigo do namorado, que julgava não haver risco algum de perder o lugar. E não havia mesmo — eu não tinha o menor interesse romântico por Kevin. Ele era apenas o amigo do meu namorado.

Ele é como um irmão

Depois dessa noite, rompi com John. A essa altura, estávamos juntos havia três anos. Fiquei arrasada, mas aquele relacionamento não tinha futuro. John não aceitou o rompimento, e me implorou para voltarmos. Aceitei, mas a volta só durou algumas semanas. Então compreendi que ele estava sendo hipócrita em relação ao que eu queria. Suas ações não combinavam com suas palavras. John sempre dizia o que fosse preciso para consertar o relacionamento. Eu lhe disse que isso não estava dando certo e ele, claro, me disse o tipo de besteirol romântico que eu queria ouvir.

Ele dizia: "Quando formos mais velhos, eu imagino uma situação assim", mas não se comprometia seriamente dizendo algo como "Quero me casar e passar a vida com você". Eu não caí nessa cantada de novo. Sofri muito, mas sabia que tinha de terminar com ele. Mas olhe só que coisa mais doida: *eu continuava achando que ele era minha alma gêmea!* Só pensei que minha alma gêmea não queria ficar comigo. Agora me dou conta de que quem eu julgava ser minha alma gêmea não era O Cara Certo para mim, mas na época fiquei muito triste.

Eu estava muito infeliz, e Kevin e eu falamos pelo telefone, como fazíamos todo dia, tipo "Ei, amiga, como é que você está?". Kevin me arrastou para sair com seus amigos para me animar. Fomos dançar em grupo. A essa altura, eu estava com 34 anos. Ele estava namorando de novo, após se divorciar. Nós dois acessávamos o eHarmony.com pelo telefone e nos ajudávamos a preencher nossos perfis. A gente clicava nas pessoas e um perguntava ao outro: "Será que ele combina comigo?", "Será que ela combina comigo?". Era divertido. Nos dois saíamos muito juntos. Meu visual estava sempre horrível. Nunca me ocorreu me arrumar para ficar bonita, nem tratar o assunto sob o aspecto romântico. Todos os nossos amigos diziam que devíamos formar um casal, mas eu dizia: "Seria o mesmo que namorar um irmão". E ele: "Seria o mesmo que namorar uma irmã".

Perseguindo o ideal errado

E então, certa noite, ele reuniu uns amigos no seu apartamento, e, depois que eles foram embora, ficamos conversando até tarde e acabamos dando uns amassos. Lembro de ter ficado surpresa e pensado: "Não estou entendendo nada, mas estou curtindo muito".

Falamos a respeito, e ambos concordamos que havia um risco de aquilo terminar mal, porque éramos muito amigos. Resolvemos, então, não levar a história adiante. Ao mesmo tempo, porém, eu não conseguia voltar a ser só amiga — estava caidinha por ele! Era muito difícil para nós sairmos juntos, porque pairava no ar uma tensão sexual. Então dissemos: "Vamos ver no que dá".

Parece bobo, mas foi assim que começamos a namorar, dois anos depois de nos conhecermos e de nenhum dos dois ter interesse romântico pelo outro. Depois de muitas noitadas com grupos de amigos, ou apenas saindo os dois como amigos, algo despertou nosso interesse. Nós fomos atrás disso, sabendo que a essência dos nossos valores combinava, e logo se tornou uma forte ligação romântica.

O engraçado é que namorar não foi tão diferente de nossa amizade, exceto pelo novo elemento: nossas transas eram maravilhosas — e o fato de nos termos revelado mais, e partilhado nossas facetas mais ternas. Mas basicamente nós namorávamos platonicamente havia dois anos, sem nos darmos conta. Antigamente isso teria sido considerado um namoro, mas, como não considerávamos nossa relação assim, não havia pressão. Nós éramos nós mesmos. Ao ser amiga dele durante todo aquele tempo, eu sabia como ele tratava as outras pessoas. Eu o via com suas namoradas. Eu o ajudava a escolher a roupa que devia usar. Eu sabia quais eram as inseguranças dele com relação a outras mulheres e sabia suas preferências. Eu conseguia ver através de qualquer disfarce que ele assumisse. E ele, por sua vez, sabia também tudo sobre mim. Nós éramos nós mesmos, sem fingimentos. E nos apaixonamos.

Acho que, se eu tivesse primeiro conhecido Kevin como namorado, teria criticado muitas coisas: ele não é bastante isso, ou ele não é bastante aquilo, mas não teria compreendido sua essência, que me fez apaixonar-me por ele. No começo não pensei nele como namorado, porque seu tipo físico não fazia meu gênero, nem ele era bem-humorado como os meus ex-namorados. Ele fazia cara de poucos amigos e eu pensava: *Poxa, lá vai ele de novo!*, mas, à medida que eu o conhecia, percebia que ele tinha um lado suave e terno que estava protegendo.

Tivemos sorte porque nossa amizade nos deu a oportunidade de conhecer aspectos um do outro que talvez não tivéssemos descoberto se estivéssemos namorando e analisando: "Será que vou me casar com essa pessoa?". Eu o teria comparado com pessoas como John, pessoas que eu julgava serem o meu tipo.

Eu estava perseguindo esse ideal, mas finalmente compreendi que o que eu pensava como meu ideal não era certo para mim.

O equilíbrio correto de tudo

Kevin e eu temos um relacionamento muito romântico no verdadeiro sentido de romance. Kevin é muito atencioso. Ele prepara o jantar e lava a roupa. Vendeu um carro que era um ônus financeiro porque sabia que isso me incomodava. Ele disse: "Nosso segundo aniversário de namoro está chegando, e quero fazer a coisa certa a respeito do carro". Chegou a me agradecer porque o ajudei a vender o veículo, embora fosse sentir falta dele. A amizade nos permitiu criar respeito mútuo, como pessoas. Mantém o interesse do relacionamento.

Kevin é o homem que John nunca foi: um cara sólido e firme com cujo apoio você pode sempre contar. Na construção do nosso lar, ele participa totalmente, não é um espectador. Partilhamos tudo o que está acontecendo, o que estamos pensando, os problemas por que passamos. Podemos discordar e analisar o porquê. Sempre mantemos a atitude de que podemos superar as discrepâncias. Kevin é muito bom em perceber os argumentos da outra pessoa. Se nós dois estamos nervosos, dizemos: "Vamos discutir o assunto quando nos acalmarmos". Ele tem maturidade sem ser condescendente, e se envolve sem ser pegajoso. É o equilíbrio correto de tudo.

À proporção que nosso casamento vai adiante, muitas coisas que eu queria estão se realizando. Talvez pela ausência de expectativas irrealistas, pela aceitação e pelo respeito mútuos, todas essas coisas de que pensei que teria de abrir mão em um parceiro estão se manifestando das maneiras mais surpreendentes. Talvez eu apenas tenha sorte, mas isso me faz pensar em várias histórias de casamentos arranjados que terminam em amor verdadeiro. Nosso casamento é bem-sucedido porque não se baseia em uma fantasia inalcançável de perfeição, mas em compreender que o amor se cria, não se apresenta.

26

A história de Hilary – descobrindo do que eu precisava

Hilary não precisou de um coach *de encontros amorosos para ajudá-la a distinguir entre desejos e necessidades. Ela era inteligente o bastante para inferir por si própria. A seguir, a narrativa de Hilary:*

Quando conheci Rob, eu estava no processo de romper com meu namorado de mais de um ano. Meu ex e eu éramos iogues e tínhamos muito em comum, mas o relacionamento estava péssimo. Ele não era legal comigo e me humilhava muito. Finalmente me livrei daquilo.

Eu tinha 31 anos e queria voltar a estudar para ser terapeuta corporal. Estava frequentando aulas de um curso preparatório de Medicina, e Rob era aluno do laboratório de Física. Eu o achava bonitinho, mas não havia química entre nós. Não gostava das costeletas que ele usava: achava que elas faziam que ele parecesse fazer parte de um certo grupo ou igrejinha, fora do meu círculo social. Eu flertava com outros caras e havia brincadeiras entre nós. Eu não tinha isso com Rob, mas nos dávamos bem no laboratório.

Então, certo dia, eu ia dar um espetáculo como bailarina e distribuí meus folhetos aos alunos na aula. Rob ficou visivelmente entusiasmado quando lhe entreguei o folheto e então pensei: *Epa! Não quero dar falsas esperanças a ele*. Mas, de todas as pessoas que afirmaram que iriam ao meu espetáculo, só ele apareceu! Ocorreu-me que eu talvez quisesse alguém que cumprisse o que prometesse. Ele estava se esforçando muito.

Na festa após o espetáculo, pude conhecê-lo um pouco melhor. Descobri que era piloto e achei isso um tesão. Só fui saber sua idade no final da noite: ele só tinha 26 anos. Pediu o número do meu telefone e eu disse: "Você provavelmente quer saber minha idade". E ele respondeu: "Isso é bobagem, não dou a mínima pra esse tipo de coisa".

Ele me ligou no dia seguinte e disse: "Eu me diverti muito ontem à noite; você vai à aula de recapitulação?". Respondi que ia e, quando ele chegou, pedi-lhe para se sentar comigo.

Talvez ele seja bom para ter um caso

Pensei em ter um caso com ele nas férias de inverno, desde que ele raspasse as costeletas. Porém, quanto mais eu o conhecia, mais atraída ficava por sua personalidade. Ele era extremamente gentil e generoso. Eu sentia falta dessa generosidade de espírito nos homens. Ainda não o considerava adequado para namorar, mas achei que ele fosse maduro o suficiente para ter um caso. A essa altura todas as minhas amigas tinham marido e filhos, e eu nada tinha a fazer no período de férias entre as aulas. Abominava ficar tão sozinha. Fazia anos que eu dava indicações de ser solteira, mas estava cansada disso. Não tinha medo de ir sozinha ao cinema ou a um bar, mas carecia de atenção masculina.

Então Rob e eu saímos durante as férias, e ele começou a me impressionar sob todos os aspectos. Saímos algumas vezes em grupos com amigos, e certa noite transamos. Rob estava superansioso e eu me preocupei. Eu não queria tomar iniciativas. Alguns dias depois, era *réveillon* e meu ex-namorado de repente me disse que queria estar comigo. É claro que fui encontrá-lo. Sabia que era uma roubada, mas fiquei tentada, porque ele tinha muitas coisas que eu achava que queria em um cara. Coisas que Rob não tinha.

Na vez seguinte em que estive com Rob, entretanto, gostei muito. Rob e eu fomos patinar e, quando estávamos na fila esperando para comprar batatas fritas, ele segurou minha mão atrás das suas costas e eu achei isso o máximo.

Duvidando de mim mesma

Mas não senti nenhum frio na barriga. Essa energia nervosa e tensa e as ideias sobre o papel que se pode potencialmente desempenhar na vida um do outro eu tinha com meu totalmente desaconselhável ex-namorado, mas não com Rob. No início do namoro, eu lhe disse que não gostava das suas costeletas, e ele as raspou, mas a química tinha mais a ver com nossas vibrações em geral. Ele não era tão legal quanto os caras que eu costumava namorar.

Rob e eu continuamos a namorar basicamente porque eu adorava estar com ele. Toda vez que pensava em terminar a relação porque ele não era o que eu procurava em um marido, ficava muito triste ao me imaginar não convivendo com ele. Fiquei indecisa em relação a Rob durante dois anos. Comecei a duvidar da minha intuição e dos meus instintos, porque no passado outras pessoas sabiam que meu namorado iogue era um babaca, e eu me enganei a respeito dele. E se eu também estivesse errada em relação a Rob?

Não ajudava nada meus amigos e minha própria família acharem que Rob não estava à minha altura. Minha irmã dizia que ele era muito garoto e meio mala. Como ele ficava muito na dele, minha irmã achava que ele não tinha muito o que dizer. Minha mãe dizia: "Ele é meio em cima do muro e você é uma força da natureza, Hilary". E isso me deixava meio pirada, porque essas eram minhas inseguranças também. Por isso comecei a escondê-lo e não o levava a nenhum evento da minha família. Outras pessoas também diziam que me imaginavam com um cara muito carismático: sou muito extrovertida e, da mesma forma, sempre supus que ficaria com alguém como eu. Rob era sereno e ligeiramente *nerd*. Quando estávamos sozinhos, ele satisfazia minha necessidade de conversar e de brincadeirinhas bobas, mas, em grupo, eu o comparava aos namorados de outras pessoas, e achava que devia ficar com um cara mais parecido com eles. Depois eu ia para casa e me sentia muito feliz com Rob, e me lembrava de que havia namorado aqueles outros tipos de caras antes, e não eram nem isso nem aquilo como Rob era.

Havia uma grande dissociação entre o homem com quem eu me imaginava e o que eu realmente queria.

Ele falava sobre carros de corrida

Por isso continuei o relacionamento, mas ainda pensava que, se aparecesse alguém melhor, eu deixaria Rob. Porém, a cada dia ele me impressionava mais. Ele se importava com seus amigos, importava-se com os meus, e demonstrava isso o tempo todo, por meio de gestos bonitos. Eu amava os seus valores, mas nunca o imaginei como minha alma gêmea. Lembro-me de pensar que esse cara poderia ser um grande parceiro de vida em termos de alguém com quem eu poderia viver feliz e ter filhos. Ele é transigente e ótimo comunicador, temos crenças políticas e artísticas semelhantes, e partilhamos a vontade de viver juntos em uma casa, mas temos interesses completamente diferentes: não me interesso por veículos, e ele é obcecado por carros de corrida. Sou uma dançarina, e ele não sabe dançar.

Eu me sentia constrangida por não estar interessada nas histórias dele. Ele dizia: "Meu bem, como foi o seu dia?", e fazia comentários e piadas relacionados às minhas histórias e à minha vida. Ele realmente se interessava — ou, se não estava verdadeiramente interessado, pelo menos era um bom ouvinte. Mas eu me aborrecia quando eu lhe perguntava sobre assuntos relacionados a carros e ele me vinha com detalhes técnicos sobre determinado motor, e eu não estava nem aí! Eu achava que não poderia viver com isso para sempre.

Quase rompi com ele aos dois anos do nosso relacionamento. Eu estava para me diplomar como terapeuta corporal, e era época de me candidatar a um estágio. Rob queria atravessar o país até São Francisco porque sua família mora lá. Eu não sabia se queria fazer essa mudança: era um comprometimento muito sério. Achei que, como estava indecisa, não deveríamos continuar juntos. Mas, certa manhã de domingo, estávamos tomando o café da manhã e eu me senti muito feliz por estar com ele, e então Rob começou a dizer coisas que me fizeram morrer de rir. Tentei imaginar como seria terminar nosso relacionamento, e não consegui me imaginar sem aquele cara.

Modificando a sensação de não "estar nas nuvens"

Eu estava com 34 anos quando me casei. A princípio não achei que a expressão "alma gêmea" se aplicasse a nós dois, pelo menos não no sentido com que a havia imaginado minha vida inteira, mas hoje acredito que basicamente somos almas gêmeas porque, intuitivamente, um entende o outro. Eu costumava pensar que "ele não é artista, e eu gosto de caras artísticos", mas depois me dei conta de que Rob, na verdade, era criativo, de uma forma diferente. Achava que eu precisaria ficar com alguém classicamente artístico, mas ele tem a mente artística.

Hoje em dia conversamos muito sobre problemas de trabalho, problemas familiares e coisas do dia a dia. Ter passatempos diferentes já não importa tanto. Ambos estamos concentrados no futuro e em assuntos como a casa e as crianças.

Preocupei-me em saber se estava me contentando com o que estava disponível antes de ficar noiva de Rob. Eu tinha certeza de que o queria como parceiro de vida, mas precisei modificar minha teoria sobre o que era se sentir nas nuvens. Comecei compreendendo que ele era um cara fora do comum, e senti que isso era o início de uma coisa realmente extraordinária e profunda. Ele é um sujeito muito equilibrado, e eu sabia que me ajudaria em qualquer situação da minha vida, que podia confiar nele e depender dele. E isso é diferente de "Ah, meu Deus, será que ele vai telefonar?".

Agora que estamos casados, eu me sinto uma felizarda por estar com Rob. Ele não tem todos os requisitos do meu *checklist*, mas é tudo de que preciso. Na verdade, talvez a maneira mais precisa de descrever meu casamento seja esta: meu casamento não é tudo que eu esperava, mas é tudo que *quero*. Eu só precisava começar a querer coisas mais saudáveis!

27

Minha história – um anúncio de utilidade pública sobre namoro

Tudo bem, você já sabe o fim da *minha* história — mais ou menos. Quando afirmei, no primeiro capítulo, que este livro não se referia à minha história de amor, isso não explica totalmente o que aconteceu. Na verdade, acabei namorando Sheldon 2 durante dois meses. Sei que isso não é muito tempo, mas, considerando que comecei eliminando todo cara que não me empolgasse de início, fiquei surpresa pelo fato de haver me ligado a Sheldon 2 em um período de tempo tão curto. Obviamente, o que senti não foi o amor profundo entre pessoas que estão juntas há anos, mas foi muito melhor do que a desenfreada paixonite que os casais jovens costumam confundir com amor.

Em vez disso, sentia uma calma satisfeita originada simplesmente por estarmos juntos no mesmo lugar, ainda que ele estivesse trabalhando no seu *laptop* e eu, abrindo minha correspondência. Eu esperava ansiosa o fim do dia para poder vê-lo, da mesma forma que tenho vontade de me esparramar em um velho sofá confortável. E digo isso da maneira mais romântica. Havia algo maravilhosamente tranquilo em estar com ele.

Com Sheldon 2, não existia isso de ficar esperando ele me telefonar. Nem de me perguntar se ele "gostava" de mim. Não havia pressão para eu ser diferente do que sou. Certa vez apareci usando um vestido preto *sexy* para juntar-me a ele em um jantar com seus clientes importantes, e não percebi que, antes de eu sair de casa, meu filho deixou marcas de mãos ensaboadas no meu traseiro. Sheldon 2 morreu de rir, e me disse depois que achou o máximo quando apareci com aquelas marcas no vestido, porque se lembrou de como acho engraçadas as travessuras de meu filhinho arteiro.

Quanto mais tempo passávamos juntos, mais empolgação havia, do tipo que o pesquisador matrimonial Gian Gonzaga chamou de "verdadeiramente se conhecendo". Não partilhávamos todos os nossos interesses, mas partilhávamos o mesmo senso de humor, e um constantemente fazia o outro ter ataques de riso. Tínhamos os mesmos valores. Tínhamos uma assustadora "taquigrafia mental" certeira. Nossa química era incrível, ainda que provavelmente um não fosse o tipo ideal do outro. Quando eu falava com os outros sobre nosso relacionamento, sempre usava a palavra "suave", ou citava a metáfora do sofá, e, embora minhas amigas solteiras mais novas não entendessem por que isso me fazia tão feliz ("Ele é como um *sofá* velho???", perguntavam), as amigas casadas mais velhas ficavam encantadas. Sabiam que esse relacionamento tinha potencial para se tornar real.

Mas a realidade acabou com o relacionamento — a realidade de namorar quando os dois têm idade suficiente para precisar lidar com muito mais problemas de comprometimentos e logística. Como nós dois tínhamos filhos, mas nenhum ex-marido ou ex-mulher para nos dar a noite de folga, chegamos a um ponto em que não nos sentíamos à vontade para deixar nossos filhos com a babá com a frequência com que gostaríamos de nos encontrar. Além disso, queríamos estar com nossos filhos *e* ficar juntos. Ambos apreciávamos muito a vida doméstica.

Para irmos adiante, cada um teria de conhecer o filho do outro, porém, quanto mais falávamos em fazer isso, mais Sheldon 2 entendia que seu filho não estava pronto. Seu filho de 8 anos perdera a mãe havia um ano. Quando os amigos de Sheldon 2 lhe diziam que ele precisava voltar a sair, ele não esperava engrenar em um compromisso sério tão rapidamente. Para complicar mais as coisas, seus pais insistiam que ele se mudasse para Chicago, onde viviam, para ajudá-lo com o filho e adaptar-se à nova vida. Sem parentes em Los Angeles e tendo irmãos, sobrinhos e sobrinhas em Chicago, Sheldon 2 sabia que era a coisa certa a fazer, pelo bem do filho.

Assim, ele se mudou para uma cidade a quase 4.000 quilômetros de distância.

Não vou dizer que isso não foi uma decepção: foi, e muito grande. Eu queria acabar com essa coisa de namorar, mas fico feliz por haver tido essa experiência com

Sheldon 2 porque senti na pele, pela primeira vez, que posso me sentir atraída e feliz com pessoas que no passado nem considerei. Sheldon 2 não era o cara do meu *checklist*, mas atendia às minhas três "necessidades" e a muitos dos meus desejos. A tantas "necessidades" na verdade, que aquelas que faltaram não interessavam. No fim, eu tinha um desejo importante, mas simples: queria estar com ele.

Sinto falta até mesmo das suas gravatas-borboleta.

Mas eis a armadilha: talvez eu tenha aprendido isso tudo tarde demais.

Os novos pretendentes de Wendy

Depois de seis meses esquadrinhando Los Angeles à procura de um namorado para mim, Wendy, a casamenteira da cidade, achou ter encontrado umas duas possibilidades. Mandou-me um e-mail incentivador, dizendo que falara brevemente com dois candidatos em potencial, e que mais para o final da semana conversaria mais demoradamente com eles. Ela disse que um tinha 43 anos e nunca havia se casado, mas já vivenciara relacionamentos sérios, queria se casar e estava disposto a sair com uma mulher de 41. Era bonitão e intelectualmente cativante. O outro, um divorciado com 47 anos, era um pai presente e um cara bem-sucedido, mas não parecia ter muitas "habilidades mentais".

Eu lhe respondi: "Manda brasa. Qualquer um dos dois. Estou receptiva". Dessa vez eu estava sendo sincera. Não pedi maiores informações para microanalisá-los. Achei que sair uma vez com cada um deles não teria problema. Alguns dias depois, Wendy me deu um *feedback*. O cara de 43 anos era indeciso quanto a filhos (por isso concordou em sair com uma mulher de 41; nas palavras de Evan, se um cara está doido para ser pai, ele costuma fazer que isso aconteça antes dos 40); e o pai divorciado "de boa aparência e legal" não tinha, segundo afirmou Wendy, "a 'vitalidade mental' importante neste caso".

Eu não estava sendo exigente nem Wendy: ela estava sendo realista. Um cara que não seja muito instruído, mas *seja* intelectualmente curioso, poderia combinar comigo. Sheldon 2 sem dúvida combinava. Mas, da mesma forma que esse pai divorciado não era o que eu procurava, eu tampouco era o que ele buscava. À medida que Wendy o conheceu melhor, entendeu que mulheres intelectuais não faziam seu gênero. Portanto, uma vez mais, Wendy voltou a pesquisar, e quem sabe quantos meses seriam necessários até que ela encontrasse outro cara.

Essa, meus amigos, é a minha vida de encontros amorosos hoje em dia.

Namorando quem bebe e dirige

Eu sei que essa é uma coisa meio deprimente para abordar. Todos querem um final feliz, certo? Todos querem que lhes reafirmem que vão encontrar alguém, independentemente da sua idade. Mas esta é a verdade: um final feliz é sempre possível, mas para mim é muito menos provável que — e vai ser muito diferente de — um final feliz para alguém 10 anos mais jovem que eu. Quanto mais se envelhece, mais complicado é namorar, e nenhuma adaptação de atitude, mesmo que grande, pode fazer voltar o relógio do tempo e mudar essas realidades.

Não estou querendo desanimar as pessoas. Estou tentando ajudar. É como aqueles cartazes de utilidade pública que alertam sobre o perigo de dirigir depois de beber, e mostram pessoas batendo em postes e morrendo. Se eles apenas dissessem: "Se beber, não dirija", você poderia pensar: *Tudo bem, eu sei, mas posso tomar uns dois martínis, certo?*. Só quando se veem pessoas com morte cerebral, deitadas em coma no hospital e cercadas por monitores que bipam, a mensagem tem impacto.

Da mesma forma, se você não vir como as pessoas acabam sozinhas por cometerem os erros de encontros amorosos que cometi, não será dissuadida de cometer os mesmo erros. Eu precisava mostrar a realidade de ser solteira na minha idade, porque eu costumava ser como a adolescente que se julga invulnerável a acidentes depois de beber — fica tudo no abstrato, uma coisa que acontece com outras pessoas, mas não comigo. Nunca me ocorreu que eu me tornaria uma vítima de "acidentes de namoro". Eu tinha de mostrar, com detalhes assustadores, o acidente em que minha vida de namoro se transformou, para que você possa fazer escolhas das quais se recorde e não se arrependa mais tarde.

Portanto, considere este um anúncio de utilidade pública sobre namoro: se você se reconheceu neste livro, sou o espectro do que poderá lhe acontecer se não for mais flexível quanto ao Cara Certo. Minha intenção é boa, porque na verdade é uma mensagem *otimista*: se você tiver mais idade, como é o meu caso, será mais difícil, mas pelo menos terá maior possibilidade de encontrar um sujeito legal, se mudar sua abordagem. E, se você é solteira e está na casa dos 20 ou 30 anos e se perguntando por que ainda não se casou, agora sabe não apenas o porquê, mas também o que fazer para aumentar suas chances de ter um casamento feliz e duradouro.

Um tipo diferente de fortalecimento

Érica, minha amiga solteira de 31 anos, mostrou-se incrédula quando lhe pedi que lesse este livro. Ela rompeu recentemente, e pensou que eu fosse persuadi-la a "se contentar". Jurei que não se tratava de ela se contentar com menos do que aquilo que a faria feliz. Eu lhe disse que o livro abordava o processo de aprendizagem do que realmente vale a pena.

Ela se mostrou indecisa, mas, depois de ler o livro, ficou estimulada: "Acho que posso encontrar o homem certo porque ele não tem de se enquadrar em *todos* os meus critérios, uma ideia que costuma induzir ao pânico. Ele não precisa ter o perfil exato que visualizei para mim. Gostei do sentido de fortalecimento: o de que posso ser feliz e encontrar o amor se apenas adaptar minha atitude, e não se eu apenas tiver a suprema sorte de estar no lugar certo na hora certa, o que também leva ao pânico".

Assim como Érica, acho libertadora essa maneira mais realista de namorar. É muito tranquilizador saber que, sob muitos aspectos, um bom parceiro não é apenas um fator externo aleatório: baseia-se, em grande parte, nas nossas próprias escolhas e ações. O engraçado é que a maioria de nós não está solteira por causa de nossa aparência nem do nosso peso, do nosso nível de instrução ou da nossa descrição de cargo, ou porque convidamos o cara para sair primeiro ou esperamos três dias para retornar o telefonema dele. Estamos solteiras porque temos a crença subjacente de que precisamos estar em completa sintonia com nosso par, e que, se não estamos, devemos procurar outra pessoa.

E isso dificulta muito encontrarmos *qualquer* pessoa.

Nas palavras de Lynn, uma amiga casada: "Adaptar nossa perspectiva na verdade torna a 'caça' mais interessante, viável, divertida e menos decepcionante. Quando você adapta seus padrões — o que não quer dizer que você precisa 'dar uma oportunidade' a um cara que lhe cause asco —, na verdade dá oportunidade a mais candidatos. Você conhece mais gente e se permite que a divirtam e surpreendam".

A perspectiva de esperança para mim é que, embora eu não tivesse escolhido ser solteira e ter 41 anos, minha situação está me forçando a me concentrar no que é importante, de modo que, se conhecer alguém, provavelmente vou ter um relacionamento melhor. Agora não posso fazer muita coisa a esse respeito, mas você talvez possa.

Ei, você aí, de blusa rosa!

É, você mesmo. Um dia desses eu estava na plateia do filme *Ele Simplesmente Não Está a Fim de Você* e observei, surpresa, quando as mulheres na faixa dos 20 e poucos anos no cinema lotado suspiravam, aplaudiam, davam vivas, gritavam e literalmente saltaram dos assentos quando o cara, que nos últimos sete anos dizia não estar interessado em se casar, pediu em casamento a personagem de Jennifer Aniston, ou quando o cara maneiro desempenhado por Justin Long, que afirmava não estar a fim da personagem meiga de Ginnifer Goodwin, finalmente admitiu estar apaixonado por ela.

Em uma fala romântica, ele lhe disse que ela era a exceção à regra de que, quando um cara parece desinteressado, ele quase sempre está; mas, nesse caso, essa norma não se aplicava. Calculo que as mulheres da plateia se empolgaram muito com esses finais felizes, mas altamente improváveis, porque também acham que as normas não se aplicam e que elas são as exceções. Eu costumava ser uma dessas mulheres, apesar de saber que, estatisticamente falando, era improvável. Eu não era a exceção. E, provavelmente, nem você é.

O que estou dizendo é: Ei, *você!* Sim, você mesma. De blusa rosa. Estou falando com *você*. O que estou dizendo não é para se sentir infeliz, é para esclarecer as coisas para você. Pensar que você não está acima das normas a torna mais autoconsciente, e o autoconhecimento leva a melhores decisões. Você fica em melhor posição para conseguir o que quer. Negar isso faz que você namore como sempre namorou, o que até a data não deu certo. Se você é solteira, mas não quer continuar assim, e está lendo isto e pensando que nada tem a ver com você, talvez não tenha mesmo. Aceito isso. Mas tem certeza? Você toma decisões inteligentes e conscientes sobre os homens que deixa participar da sua vida?

A boa notícia é que, se você quiser outra coisa, ela está disponível. Pode demorar um pouco para você mudar, mas tudo bem, porque, para começo de conversa, quantos anos você levou para desenvolver essas atitudes de autossabotagem? Há 10 anos, ninguém me disse as coisas que aprendi enquanto escrevia este livro ou, se alguém me disse, não lhe dei ouvidos. Você não pode culpar ninguém por não lhe contar as coisas, mas pode se culpar por não dar atenção a elas.

Você quer pensar que o cara ideal vai magicamente bater à sua porta amanhã? Tudo bem. Você quer considerar como poderia ser mais razoável sobre sua maneira de namorar a fim de que a felicidade seja mais fácil de obter? Tudo bem também.

Lembre-se: a escolha é sua. Você tem as informações.

O resto depende de você.

Epílogo

A situação atual de algumas das mulheres citadas neste livro

Júlia, que rompeu com Greg porque ele não era "inspirador o suficiente", mais tarde deu o fora em Adam, o cirurgião charmoso, porque ele não lhe dava "apoio suficiente". Ela disse que foi preciso namorar Adam para se dar conta de que Greg era, na verdade, mais inspirador nos aspectos que importavam. Eles estão noivos.

"Por favor, não use nossos nomes verdadeiros no livro", pediu Júlia. "Não quero que as pessoas saibam como fui idiota!"

Jéssica, que lamentou haver rejeitado o pedido de casamento de Dave porque se achava muito jovem para casar, tentou parar de comparar todo homem com quem sai a Dave. Ela também passa menos tempo acessando o Google até tarde da noite.

"Dave se casou, levou a vida adiante, e, se ele foi capaz de ter com outra pessoa a mesma forte ligação que tínhamos, eu provavelmente também vou conseguir", ela disse. "Eu só queria que ele não postasse fotos do seu bebê no Facebook, porque não resisto a olhar para elas."

Recentemente, ela se inscreveu no Match.com.

Brooke, a estudante de doutorado de Boston, deixou o apartamento do ex-namorado e começou a sair com um rapaz que é filho de um amigo da família.

"Quando se trata de namorar, já não uso a palavra 'feminismo'", ela me disse. "Com meu novo namorado, a palavra importante vai ser 'casamento'."

Kathy Moore, a casamenteira do site Make Me a Match, que me aconselhou a "economizar meus centavos" para a minha vida amorosa, ligou-me oito meses depois do nosso primeiro telefonema e disse que, por causa da recessão econômica, o site estava oferecendo "vários tipos de promoções".

Por coincidência, eu acabara de ter um encontro às escuras com um cara que se inscrevera no Make Me a Match meses antes. Ele me contou que lhe cobraram *450 dólares por seis encontros,* mais ou menos na mesma ocasião em que Kathy me disse que não valia a pena, para ela, pesquisar *três candidatos* para mim *por 1.000 dólares.* Aparentemente, é mais fácil descobrir um par para um divorciado de 54 anos, pai de adolescentes, que para uma mãe solteira de 41 anos, com um filhinho de dois.

Agora Kathy estava me oferecendo reduzir seu preço de 3.500 dólares para 2.500 dólares. "É um grande negócio!", ela afirmou.

Eu lhe respondi que ainda tinha de economizar mais centavos...

Lisa recentemente reatou com Ryan, o namorado com quem terminara dois anos antes porque achava que ele não a adorava o bastante. No mês passado, eles se reencontraram em uma festa de um amigo em comum e, apesar de haverem tido outros relacionamentos durante o período em que estiveram separados, ambos continuavam solteiros.

"Ele me disse que não encontrou ninguém a quem amasse como me amou", Lisa me revelou. "E isso ele sempre me falou."

A mulher que se sentiu insultada quando marquei um encontro às escuras para ela com um homem que descrevi como "tendo muito a ver" com ela continua solteira.

"É frustrante", ela disse, "porque é difícil encontrar pessoas. Eu acordo, vou para o trabalho, depois vou malhar, compro meu jantar e vou para casa. Existem sites de encontros na internet, mas a melhor maneira de conhecer gente é por meio de encontros arranjados, e as pessoas costumavam me conseguir muitos encontros assim, mas ultimamente isso não tem acontecido."

Sei... Por que será?

Annie, que afirmou haver aprendido com seu primeiro casamento o que é realmente importante, mas teve dificuldade de aplicar esse ensinamento na prática, nunca saiu com o advogado empresarial cujo perfil no Facebook ela achou "mala". Em vez disso, acabou engravidando por acaso de um namorado malandro que não era nem "empresarial" nem "mala", e pulou fora logo que tomou conhecimento da gravidez. Hoje, aos 35, ela é mãe solteira.

Lauren se comoveu quando seu ex-namorado — o que ela às vezes achava irritante, embora ele fosse "sob o aspecto emocional, exatamente o que eu queria" — foi à sua casa consolá-la quando soube que o câncer de sua mãe se agravara, mas, quando ele lhe levou uma vela aromática cujo pavio estava levemente escurecido, Lauren perdeu todo o interesse.

"É o pior objeto para repassar como presente a alguém", ela disse. "Nada tem tanta aparência de já ter sido usado como uma vela. É curioso, porque ele faz uma coisa dessas e depois me manda uma mensagem para me lembrar de que devo me cuidar, dar longas caminhadas e ouvir o meu iPod. Ele realmente se importa. Mas é um completo idiota quando se trata de fazer as coisas certas em um namoro. Para ser mais específica: ele é um pateta."

Ela ainda se pergunta se alguma dessas coisas tem importância.

Agradecimentos

Se namorar requer muito apoio moral, escrever um livro sobre namoro também requer. Liv Blumer, minha agente muito bem casada, teve a sensatez de me fazer contatar a também muito bem casada Trena Keating, da editora Dutton, que acreditou neste projeto desde que leu minha matéria na *Atlantic*. Trena é uma combinação rara de pessoa muito inteligente e muito paciente, e passava "horas" comigo ao telefone sempre que eu tinha uma pergunta pessoal ou profissional. Depois ela saiu da editora para se tornar agente literária, mas continuou a passar muito tempo comigo ao telefone, e lhe sou imensamente grata.

Nesse meio-tempo, para minha sorte, a muito bem casada Carrie Thornton veio a ser minha nova editora. Com a eficiência de um cirurgião e a empatia de uma amiga, Carrie leu toda a massaroca ridiculamente desorganizada de páginas que eu havia digitado, fez-me transformá-la em um primeiro rascunho coerente no espaço de três semanas e confessou-se solidária comigo por não querer sair com um cara com 1,65 m (devo dizer que Carrie tem 1,78 m, de modo que continua a não haver justificativa para mim). Ela também respeitava minha filosofia sem simplificação, sem fichas de trabalho e sem lentes cor-de-rosa; em troca, eu lhe prometi nunca usar a frase "livro brega sobre relacionamento" de novo.

Toda a equipe da Dutton foi incrível. Brian Tart se dedicou ao trabalho da melhor maneira possível. Monica Benalcazar, do departamento de arte, criou uma capa supermaneira, com gravata-borboleta etc. Lily Kosner, com grande competência, lidou com inúmeras tarefas "de bastidores", fazendo "malabarismos" sem jamais pisar na bola. E Amanda Walker e Liza Cassity escreveram uma carta-propaganda que ainda me faz rolar de rir.

Enquanto eu conversava com as pessoas sobre namoros e postava mensagens falsas nos sites de namoros, Aaron Kaczander cuidadosamente transcrevia minhas entrevistas. Susanna Stossel e Hilary McClellen me proporcionaram excelente assistência quanto a pesquisas. Andrea Siegel tem um conhecimento enciclopédico assustador da cultura *pop*, e sua análise da mídia de massa foi impressionante e útil.

As pessoas relacionadas a seguir fizeram a gentileza de dedicar um tempo da própria vida movimentada a ler meu texto e contribuir com seu *feedback*: Daisy Beatty, Kathy Crutcher, Rachel Greenwald, Lynn Harris, Sarah Haufrecht, Rebekka Helford, Justine Isola, Hillary Liftin, Claire Lundberg, Eve Maremont, Wendy Miller, Scott Stossel e Kyle Smith. Não tenho palavras para lhes agradecer suficientemente por seus *insights*, sua disposição de espírito e comiseração.

Anat Baron fez o favor de me aconselhar a escrever com o coração, independentemente de o resultado me ser desfavorável, e me lembrou de que, embora a esperança possa vender livros, a verdade é capaz de mudar vidas. “As pessoas precisam saber a verdade”, ela me disse muito tarde uma noite, depois que compareci ao desastroso evento de encontros-relâmpago.

Sou muito agradecida a todos os meus amigos e conhecidos, homens e mulheres, casados e solteiros, que me permitiram citá-los neste livro e partilharam suas experiências com franqueza notável, sem considerar que pudessem ser humilhantes ou íntimas. Sou igualmente grata a todas as pessoas que entrevistei e que confiaram em mim, ao revelar tudo a uma completa desconhecida. Obrigada por sua sinceridade e confiança. Não é fácil contar a uma jornalista coisas que nem seu parceiro ou outras pessoas importantes na sua vida sabem.

Não deve ter sido fácil para minha mãe e suas amigas se reunirem comigo e meu gravador ao redor da mesa de café para falar de seus casamentos. Fico muito feliz por haver podido incluir seus pensamentos e suas histórias neste livro.

Devo muito a Evan Marc Katz por ser tão sincero comigo, dizendo-me a verdade das coisas sem mascará-la, embora eu tenha demorado um pouco para absorvê-la. Nas palavras dele: “Não vou lhe dizer que é fácil, mas vou lhe garantir que vale a pena”.

Muitos especialistas em várias áreas me cederam generosas porções do seu tempo e sabedoria: Paul Amato, Dan Ariely, Myles Berkowitz, Michael Broder, Lisa Clampitt, John Curtis, Paul Eastwick, Julie Ferman, Eli Finkel, Helen Fisher, Lina Fruzzetti, Gian Gonzaga, Rachel Greenwald, Scott Haltzman, Martie Haselton,

Diane Holmberg, Ben Karney, Jayamala Madathil, Howard Markman, Steven Martin, Susan Page, Jody Podolsky, Edra Pollin, Helena Rosenberg, Barry Schwartz, Jeff Simpson, Marion Solomon e o rabino David Wolpe. Espero ter-lhes feito justiça neste livro.

Bob Gumer me ajudou a escolher entre pretendentes mais do que "razoável" para a adaptação cinematográfica, encaminhando-me para as pessoas competentes que são Tobey Maguire e Polly Johnsen, na Warner Bros.

Várias pessoas que trabalham ou trabalharam na *Atlantic* há anos me têm dado enorme apoio, sem mencionar o divertimento ao trocar comentários, principalmente com Toby Lester, Scott Stossel, Elizabeth Shelburne e Kathy Crutcher. O supertalentoso Sage Stossel teve a bondade de criar o desenho satírico da Parte 1. Agradeço especialmente a Ben Schwartz pela coragem de me designar para escrever *Mulheres que escolhem demais.*

Gostaria também de expressar minha gratidão a quaisquer amigos que ainda queiram indicar alguém para sair comigo depois de lerem este livro. Juro que agora sou outra pessoa!

Finalmente, dirijo um muito obrigada mais importante a meu incrível filho, Zachary Julian, que sempre me compreendeu quando eu colocava um aviso na minha porta dizendo "Mamãe está trabalhando". Por isso, lhe devo muitas horas para jogar *construction workers.* Ele, que é a maior alegria da minha vida, ensinou-me mais sobre o que é o amor do que qualquer especialista seria capaz de fazer.